LA FRANC-MAÇONNERIE
RENDUE INTELLIGIBLE
AUX LECTEURS DE DAN BROWN

Francis Moray
avec la collaboration
d'Arnaud d'Apremont

LA FRANC-MAÇONNERIE
RENDUE INTELLIGIBLE
AUX LECTEURS
DE DAN BROWN

De la Clé d'Hiram au Symbole perdu

Préface et interview
de Robert Lomas

Éditions Dervy

PRÉFACE

DE ROBERT LOMAS

J'ai été heureux et flatté que mon frère en maçonnerie, Francis Moray, me demande une préface pour son livre *La franc-maçonnerie rendue intelligible aux lecteurs de Dan Brown*. Je connais Francis. Lorsqu'il se posait la question de devenir maçon, nous avons échangé autour de ce qu'impliquait l'appartenance à la maçonnerie. Et quand il est effectivement devenu un frère, ce fut avec un vif plaisir que je lui ai souhaité la bienvenue dans l'Ordre. Depuis lors, nous avons continué de nous entretenir sur ce qu'il avait appris et continuait d'apprendre de la franc-maçonnerie. Il a une bonne connaissance des vastes implications philosophiques de l'enseignement maçonnique.

Je me suis aussi réjoui de l'écriture de ce livre parce qu'il montre que le travail de Dan Brown suscite un regain d'intérêt à l'endroit des enseignements symboliques de la franc-maçonnerie. Quand on demande à un frère ce qu'est cette dernière, il y a des chances pour que la réponse soit : «Un système de morale particulier, enseigné sous le voile de l'allégorie au moyen de symboles.» Depuis que je me suis mis à écrire sur la franc-maçonnerie avec *La Clé d'Hiram*, j'ai vu le public s'intéresser de plus en plus au particularisme de celle-ci et à l'histoire mythico-allégorique qu'elle rapporte. Mais la symbologie réelle de la franc-maçonnerie n'est souvent étudiée que par des francs-maçons aguerris dans l'intimité d'une loge dûment couverte (autrement dit dans une pièce close, gardée par un homme revêtu d'un tablier et tenant une épée au clair !). Les symboles ont le pouvoir de véhiculer des messages enfouis qui transcendent les limites du langage. La franc-maçonnerie a conçu un système de sensibilisation de ses membres permettant de transmettre un profond message spirituel. Il existe des loges qui consacrent leur temps et leur énergie à développer ce mode d'enseignement. Ma propre loge, Les Pierres Vivantes (*Lodge of Living Stones*), en est un exemple de premier plan. Voici comment son fondateur, le frère Walter L. Wilmshurst, décrivait les buts de cet atelier :

> Cette loge a été constituée pour répondre à une demande de plus en plus affirmée au sein de la maçonnerie : le désir de mieux comprendre et mieux prendre en considération les enseignements sous-tendant notre Ordre. Cette demande n'est pas purement locale. Elle se manifeste partout où la maçonnerie est pratiquée. La plupart de nos membres se satisfont des activités ordinaires de leurs loges et de la sociabilité qu'elles offrent, mais une minorité croissante de frères attend autre chose. Ils pressentent que l'Ordre avait pour ambition de proposer bien plus que cela et ils sont désireux d'apprendre ce qu'est ce plus.
>
> Pour cette minorité, il semble opportun de mettre en place des ateliers qui se consacreront à des travaux spécifiques plus poussés qu'il ne serait pas possible d'imaginer dans les loges ordinaires moins impliquées. Cette nouvelle loge que nous venons de créer est le premier pas accompli dans cette direction. Elle entend exister au bénéfice de la maçonnerie tout entière et n'est donc pas destinée à rester associée à une ville particulière. Elle est constituée de frères ayant des positions et des vécus divers au sein de la maçonnerie, mais qui, tout en restant fidèles à leurs loges-mères, souhaitent avoir l'opportunité de pousser plus loin leurs recherches et leurs connaissances.

Le frère Francis, lui aussi, cherche à pousser constamment plus avant ses recherches et ses connaissances. En explicitant les éléments tangibles qui sous-tendent la trame fictionnelle du *Symbole perdu*, de Dan Brown, il est en mesure d'apporter aux profanes intéressés et aux frères de l'Ordre, une compréhension plus profonde de l'ancien enseignement préservé dans la symbologie de la franc-maçonnerie.

J'ai été flatté que le livre du frère Moray examine dans quelle mesure mes écrits ont pu inspirer les *thrillers* de Dan Brown. J'écris des essais dans lesquels j'essaye de faire de mon mieux pour expliquer ce que je comprends de la franc-maçonnerie, de ses buts, de ses origines. Dan a choisi la voie de la fiction et de raconter une histoire palpitante avec pour cadre des organisations qui, pense-t-il, intéresseront les lecteurs. Quand des essayistes britanniques ont accusé Dan de leur avoir volé leurs idées pour l'intrigue du *Da Vinci Code*, je lui ai écrit pour lui proposer de témoigner afin de l'aider à défendre son droit d'utiliser dans une fiction des éléments non fictionnels publiés. J'avais pu constater qu'il avait repris dans ses ouvrages de nombreux éléments factuels que j'avais moi-même antérieurement développé dans mes écrits. Mais il les avait replacés dans une histoire de son cru. Lors du procès où il eut à défendre cette façon de procéder, il a reconnu à quel point mon travail lui avait inspiré l'arrière-plan d'une histoire. Je soutiens que Dan Brown a parfaitement le droit d'utiliser des travaux non fictionnels pour créer ses *thrillers* et je l'applaudis pour avoir su avec talent restituer et rendre accessible au plus grand nombre certains des préceptes philosophiques les plus profonds de l'enseignement maçonnique.

Le Symbole perdu est une bonne histoire, un *thriller* captivant au rythme haletant. C'est à ce titre qu'il devrait être apprécié, mais il est certain, et on le sait, que sous son intrigue et ses personnages, il se plaît à dissimuler une strate de secrets enfouis. Le livre de Francis Moray s'intéresse à ceux-ci et s'efforce de les clarifier pour les lecteurs de Dan qui voudraient en savoir davantage sur les motivations de ses personnages et sur les éléments qui l'ont incité à utiliser la franc-maçonnerie comme toile de fond de son récit. Je suis honoré que Dan se soit inspiré de mes écrits et je dois admettre que j'ai souri en voyant qu'il avait placé la citation d'ouverture de *La Clé d'Hiram* dans la bouche du doyen Galloway au chapitre 84 du *Symbole perdu* : « Il n'est rien de caché qui ne sera connu et rien de secret qui ne sortira à la lumière. »

Alors, permettez-moi de recommander à tous les lecteurs qui apprécient Dan Brown de lire cet ouvrage de Francis Moray et à tous ceux qui seront intéressés par le propos de ce dernier de prolonger le plaisir avec la nouvelle aventure de Robert Langdon.

Robert Lomas,
mars 2010

À mon exceptionnelle épouse
À mes enfants
À Robert Lomas

REMERCIEMENTS

À l'orée d'un tel ouvrage, j'aimerais pouvoir remercier tous ceux qui m'ont amené là où je suis, qui m'ont fait progresser, qui ont construit ou pavé mon chemin, que ce soit en bosse ou en creux, en positif ou en négatif ; ceux qui m'ont montré la voie avec bienveillance, harmonie, générosité, et joie, mais aussi ceux qui, par leurs comportements ou leurs dires, ont pu servir de repoussoir afin de m'éloigner des « sentiers périlleux » de l'indifférence à l'autre. Il s'agit en somme de tous ceux qui, quels que soient leurs qualités ou grades, ont marqué les jalons d'une vie (y compris les enseignants croisés – je pense notamment ici, pour le domaine qui nous occupe, à Jean-Pierre Laurant –, les auteurs contemporains ou passés). J'ai aussi une pensée pour tous ceux qui ont pu mal me juger ou me calomnier – souvent par simple jeu ou ignorance –et qui m'ont servi à me corriger, à me « rectifier ».

À tous ceux-là. Merci.

Mais plus particulièrement, dans le cadre propre de ce livre, je voudrais remercier Bernard Renaud de la Faverie et toute l'équipe de Dervy, qui m'ont accordé leur confiance depuis si longtemps maintenant, et qui l'ont manifestée à nouveau à travers ce titre. Ils forment une équipe performante et compétente avec laquelle on a grand plaisir à travailler, car on sait que le travail y sera traité avec sérieux. Et au-delà du simple aspect professionnel éditorial, Dervy – et Bernard en premier lieu – a assurément éclairé le chemin qui m'a conduit à la porte du Temple.

Bien sûr, il me faut remercier Dan Brown sans qui ce livre n'aurait pas eu de raison d'être. Et je remercie aussi mon « Bro » Robert Lomas qui m'a fait l'amitié d'accorder une longue interview pour cet ouvrage et écrit la préface. Si Bernard de la Faverie a éclairé les dernières marches de l'approche du Temple, Robert a incontestablement été l'étincelle qui m'a incité à en pousser la porte après un très long compagnonnage de route (qui, sans lui, aurait pu en rester là).

Symboliquement, j'aurais pu vouloir remercier trois frères spécifiquement. Mais, comme les mousquetaires, ceux-là sont quatre. Quatre frères qui, dans leurs domaines respectifs et avec leurs personnalités, incarnent différents aspects de la perfection du maçon, qui m'ont ouvert la porte de l'esprit et confirmé que le chemin maçonnique était résolument une voie digne d'être empruntée.

Chronologiquement, je pense d'abord à Paul C., qui, il y a de nombreuses années, a représenté l'une des premières manifestations pour moi de la solidarité et de la générosité maçonniques (à une heure où je n'étais pas frère et assurément à des lieues d'avoir envie de le devenir). La droiture, la bienveillance, la générosité qui émanaient de sa personne ont commencé à m'interpeller. Après avoir déjà eu et décliné quelques invitations à franchir la porte basse, pour la première fois, avec Paul, je m'étais dit que s'il me le proposait, je répondrai positivement... Et il a quitté la maçonnerie. Quitté administrativement, mais pas intérieurement. Et nos riches conversations et collaborations qui se pérennisent en sont la manifestation.

Puis l'autre pilier de mon parcours maçonnique, Loïc, mon ami, mon frère. Tant de choses, il y aurait à dire sur cette rencontre qui n'aurait pas dû se faire, contre laquelle tant d'obstacles se dressaient, mais qui était inévitable. Pendant des années, j'avais pensé – peut-être à tort, diraient certains, mais je ne le crois pas – qu'avant de choisir une obédience ou un rite particulier, je voulais trouver le bon atelier, la bonne loge, où s'exprimerait une véritable fraternité dans le travail enthousiasmant et la joie. Grâce à Loïc, je l'ai trouvé... au-delà même des espérances que j'aurais pu formuler. Ce qui m'amène au troisième larron, Gilles. Avec Loïc, il incarne au sein de mon atelier – et malgré sa jeunesse qui n'est que toute symbolique –

l'image même de l'impeccabilité maçonnique, du frère droit, digne, inaltérable ; deux frères à côté desquels, dans la chaîne d'union, on peut résolument ne faire plus qu'un maillon, et avec lesquels tout devient une évidence. La rencontre de telles personnalités justifierait à elle seule l'entrée dans le Temple. J'ai encore une fois la chance d'avoir découvert bien d'autres individualités riches et passionnantes dans ma loge qui me permettent, jour après jour, d'être « meilleur ». Je pense, ici, en tout premier lieu à mon frère Axel A., que je ne cesse de découvrir, mais aussi à Henri M., Christophe T., Philippe M., Jean-François L.G., François-Régis M., Christophe O., François C., Olivier S., Olivier N., Philippe R. et Laurent A. qui ont plus particulièrement accompagné et continuent d'accompagner mon cheminement au sein de la loge. Il faudrait citer la totalité des frères de l'atelier, car tous forment les maillons d'une chaîne et sont indispensables à la qualité de celle-ci. Au-delà d'eux, j'ai une pensée pour deux frères de ma province aussi éminents qu'érudits, Christian D. et Stéphane G., qui enrichissent toujours avec justesse de leur lumière les morceaux d'architecture et, chaque fois – de par leur exemple aussi –, « font faire de nouveaux progrès dans la maçonnerie ».

Et le quatrième larron est Patrick O. qui met son infatigable énergie au service quotidien de la recherche maçonnique et dispense ses découvertes avec générosité. Même s'il est parfois incompris par certains, il est mon ami et je veux ici l'en remercier.

J'ai aussi une pensée pour les sœurs et frères de toutes obédiences haute-bretonnes qui participent à l'aventure de l'Association culturelle d'études maçonniques et symboliques et témoignent de leur grand esprit d'ouverture fraternelle transcendant toutes les barrières artificielles.

Plus globalement, dans ma quête quotidienne de la lumière, je remercie tous les frères – et sans doute aussi certains profanes – qui font vivre la communauté maçonnique (et en particulier sur Internet, je pense aux blogs de Jiri Pragman, de Noé Lamech, Jac/Athanase l'apprenti du 35 et quelques autres) ainsi que les auteurs d'ouvrages qui font de la maçonnerie une matière éternellement vivante et en devenir (sur ce point et dans l'esprit du présent livre, je remercie les géniteurs d'enrichissements sur le *Symbole perdu*, au premier rang desquels les frères Alain Bauer, Roger Dachez, Jacques Ravenne et son compère profane Éric Giacometti – auteurs émérites, par ailleurs, de réjouissants polars maçonniques).

In fine, je ne peux clore cette série de remerciements sans évoquer ceux qui sont pour moi une source permanente d'inspiration, de réconfort, d'encouragement et de soutien : mon épouse et mes enfants. Chaque jour, ils supportent sans faillir mon travail, le désordre ordonné que l'étalement de mes recherches et de ma documentation leur impose. Ils sont ma joie et s'il est bien des êtres à qui je peux et dois dire merci, ce sont eux.

Notes concernant les citations du *Symbole perdu*

Les différentes citations sont traduites directement du *Lost Symbol* et ne proviennent pas de sa version française, tant certaines nuances (parfois soulignées ici en note) m'ont paru importantes. Pour autant, et afin que le lecteur francophone ne disposant que de la traduction s'y retrouve, la localisation du passage dans cette dernière a été systématiquement indiquée avec le numéro de la page précédé d'un f.

PRINCIPALES ABRÉVIATIONS

DB	Dan Brown
DH	Droit Humain
DVC	*Da Vinci Code*
FM	Franc-maçonnerie
GADLU	Grand Architecte de l'Univers
GLDF	Grande Loge de France
GLFF	Grande Loge Féminine de France
GLNF	Grande Loge Nationale Française
GLUA	Grande Loge Unie d'Angleterre
GM	Grand Maître
GODF	Grand Orient de France
LSP	*Le Symbole perdu*
MM	Memphis-Misraïm
O	Orient
REAA	Rite Écossais Ancien et Accepté
RER	Rite Écossais Rectifié
RF	Rite Français
Rla	Robert Langdon
Rlo	Robert Lomas
RMM	Rite de Memphis-Misraïm
TCH	*Tourner la clé d'Hiram*
VM	Vénérable Maître

INTRODUCTION

POUR UNE AUTRE IMAGE DE LA FRANC-MAÇONNERIE... ET DE DAN BROWN

> « Pour le Public, un franc-maçon/Sera toujours un vrai problème,/Qu'il ne saurait résoudre à fond,/ Qu'en devenant maçon lui même. »
>
> F:. Ricault[1], 1737 (reproduit in *Le Secret des francs-maçons*, 1744).

Encore un ouvrage sur Dan Brown! pourraient penser certains. Encore un livre qui cherche à exploiter le filon ou à nous apprendre comment lire, objecteraient les mêmes ou d'autres avec défiance. Certes depuis la parution du *Da Vinci Code*, en 2003, le phénomène Dan Brown n'est pas retombé et donne lieu à une production aussi incroyable qu'abondante d'enquêtes, de contre-enquêtes, de commentaires, de correctifs, etc., comme aucun autre auteur n'en suscite.

Toutefois, *stricto sensu*, le présent ouvrage ne se veut pas un ouvrage *sur* Dan Brown ou *Le Symbole perdu* mais, d'*après* ces derniers, comme une sorte d'invitation à une découverte complémentaire. Et, plus spécifiquement, une approche de la franc-maçonnerie.

La démarche est toute simple. Il n'est jamais aisé de parler de la franc-maçonnerie aux profanes, de savoir comment la

---

1. Ou encore Ricaud ou Ricaut. Comme l'indique le *Dictionnaire de la franc-maçonnerie*, de Daniel Ligou, en dehors de ce fameux quatrain, on ne connait guère de ce poète et librettiste que son appartenance en 1736-1737 à la loge Coustos-Villeroy.

leur présenter, comment simplement aborder le sujet pour partager l'expérience réelle que l'on peut avoir de celle-ci avec un tiers sérieux.

Vers le Temple

Or, quel que soit le point de vue que l'on peut porter sur Dan Brown et ses ouvrages en général ou *Le Symbole perdu* en particulier, nul doute que, depuis sa parution, ce dernier offre, sans esprit prosélyte – un esprit contraire à la démarche maçonnique à la différence du partage –, une opportunité de discussion sur l'institution maçonnique. « As-tu lu *Le Symbole perdu*? » est devenu une question récurrente aisée pour engager le dialogue sur la franc-maçonnerie. C'est un fait qu'il serait vain de vouloir nier... voire déplorer.

Que la réponse soit positive ou négative, l'occasion est toujours belle de pouvoir parler un instant de la maçonnerie – car plus personne n'ignore, sans doute, que celle-ci est au cœur du roman. Ces plus ou moins brefs échanges montrent que *Le Symbole perdu* ne renseigne pas réellement sur la maçonnerie – mais ce n'est pas sa vocation –, tout en créant ou confirmant un intérêt réel pour le sujet chez le lecteur.

Il a semblé donc utile de proposer cet ouvrage, dans l'esprit du *Symbole perdu*, et pour aller un peu plus loin sur le sujet de la maçonnerie. En somme, un livre, comme l'indique son titre, pour « rendre intelligible la franc-maçonnerie aux lecteurs de Dan Brown » (un clin d'œil à la somme d'Oswald Wirth, *La Franc-Maçonnerie rendue intelligible à ses adeptes*, sans y voir là autre chose qu'une forme d'hommage humble et respectueux). Précisons tout de suite que ce livre s'adresse avant tout aux profanes lecteurs ou non de Dan Brown. Et derrière le terme « profane », il me plaît d'y voir non pas véritablement le sens traditionnel de *pro fanum*, c'est-à-dire « devant le temple – ou, plus largement, le lieu consacré », mais plutôt « pour le temple ». Autrement dit, la personne bienveillante à l'endroit du sujet, ouverte d'esprit, même si sa démarche ou son intention n'est pas, *in fine*, de franchir la porte d'une loge. En somme, un profane qui peut, aujourd'hui, *à l'instar d'un Robert Langdon*, porter un regard positif sur la maçonnerie.

Comme le titre un temps envisagé pour cet ouvrage, *Les Clés du Symbole perdu*, le suggérait, ce livre voudrait fournir quelques clés, non pas celles pour comprendre l'ouvrage de Dan Brown – ce que d'autres ont pu faire excellemment et je citerai principalement les ouvrages de Roger Dachez/Alain Bauer et Éric Giacometti/Jacques Ravenne – mais des clés pour entrouvrir la porte de la maçonnerie... une porte qui n'a pas de serrure, ce qui n'est pas le moindre des paradoxes. Ou, pour prendre une autre image, l'idée serait d'ôter justement la clé de cette serrure qui n'existe pas, afin d'y glisser un œil[2]. Et qu'y verrait-on, si cet orifice dans l'huis existait ? Des hommes ou des femmes au travail dans la lumière rayonnante d'un triangle resplendissant de clarté, une lumière attirante, chaleureuse.

Sur les pas de Robert L.

Parallèlement au héros de Robert Langdon, il m'a semblé intéressant de placer cette approche de la maçonnerie sous l'égide d'un autre Robert L., le professeur Robert Lomas et cela pour plusieurs raisons. Déjà, une rumeur sur laquelle nous reviendrons dans le corps de ce livre prétend qu'il serait l'inspirateur du personnage de Robert Langdon. Ensuite, de la même manière qu'inviter à découvrir la maçonnerie dans les pas d'une fiction peut paraître paradoxal, voire leste, et susciter peut-être l'ironie – alors que le propos se voudra beaucoup plus sérieux, même s'il est décomplexé –, Robert Lomas, dans ses essais sur la maçonnerie, n'a pas non plus laissé les lecteurs – et surtout la critique – indifférents. Je m'explique : dans sa quête d'Hiram et des mystères de la franc-maçonnerie (menée pour partie avec Christopher Knight), Robert Lomas a été amené à formuler des hypothèses novatrices, pour certaines dérangeantes, voire provocatrices, aux yeux de certains. Mais ce qui

---

2. Dan Brown lui-même, en quelque sorte, a retiré symboliquement cette clé en modifiant son titre originel, *La Clé de Salomon*, pour donner accès au *Symbole perdu*.

est incontestable, en le connaissant, c'est que cette recherche avait été menée avec sérieux, générosité et bienveillance. Et que, au minimum, il aurait été séant de lui opposer cette même bienveillance pour aborder ses ouvrages. Ce ne fut pas toujours le cas... Officiellement tout au moins. Car s'il est de bon ton de nier l'avoir lu et plus encore d'affirmer haut et fort que ses théories sont contestables et contestées, on s'aperçoit aisément que beaucoup l'ont lu – et il n'est pas un best-seller de la franc-maçonnerie pour rien[3]. Ses ouvrages invitent à s'interroger, à questionner, à partir en *quête* (« quête » et « question » ayant, au demeurant, une même origine étymologique).

Ainsi, sans me prononcer ici sur le fond des idées de Robert, il me paraissait une personnalité propre à être mise en parallèle avec Langdon, notamment pour cette distance que la « bien-pensance » impose.

En outre, et sur un plan plus personnel, Robert Lomas a été l'étincelle qui m'a incité à franchir la « porte basse » et à « demander la lumière » après des années de compagnonnage de route qui auraient pu en rester là. Et à ce titre, dans un livre, visant à faire naître ces particules d'étincelles, son parrainage semblait de bon aloi.

Pérambulations dans une forêt de symboles

La quatrième de couverture de la version française du *Symbole perdu* nous dit que ce *thriller* va entraîner le lecteur à la recherche du « secret le mieux gardé de la franc-maçonnerie ». Ah ce secret de la maçonnerie ! Que d'encre n'a-t-il pas fait couler ? Existe-t-il ? Quel est-il ? Le S du dollar entre ses deux colonnes en est-il le symbole ? Et plus spécifiquement, l'*apothéose* du *Symbole perdu* est-il la divulgation, voire simplement la recherche de cet hypothétique secret ?

L'objet de ce livre n'est pas, on l'aura compris, de divulguer des secrets – qui, au demeurant, n'existent peut-être pas (tout au moins, dans un sens négatif). Il s'agit simplement en

---

3. Même si les chiffres de vente ne sont pas un gage absolu de qualité, mais au moins du fait qu'il soit lu.

quelque sorte d'accompagner la promenade bucolique, presque rêveuse, du lecteur solitaire dans cette forêt de symboles qu'est l'ouvrage de Dan Brown. Non, bien sûr, pour délivrer une leçon et encore moins lui apprendre à lire comme le craignent parfois certains, face à ces ouvrages de commentaires. Mais l'image de la promenade sylvestre est à propos : il n'est ici question que de *divagation* plaisante, de partage, comme on visiterait une noble forêt, pour en goûter les essences, s'imprégner d'une ambiance, laisser pénétrer dans son *cœur* les atmosphères, les *enthousiasmes*[4], tout en ayant parfois l'envie de nourrir son esprit de quelques informations utiles ou distrayantes (quand est née cette forêt ? Quelles sont ses anecdotes ? Le nom et les caractéristiques de telle ou telle espèce ? Savoir peut-être aussi reconnaître les vertus, mais encore les pièges et les dangers de cette forêt. L'image de l'arbre et de la forêt est sans doute assez pertinente ici, avec ses ramifications, ses clairières lumineuses, ses ombres, les « vivants piliers » d'un temple célébré par Baudelaire...

L'objectif du présent *opus* n'est donc pas spécifiquement d'apporter une connaissance approfondie ou exhaustive de la franc-maçonnerie. Ce n'est ni son angle, ni son cadre. S'il y avait un dessein, il serait davantage celui de la « compréhension », de la perception, du Sensible plutôt que du Cognitif, de l'« Être » plutôt que de l'« Avoir », montrer ce qu'est réellement la maçonnerie vivante aujourd'hui, en mouvement permanent.

En emboîtant le pas du héros fictionnel de Dan Brown, un tel livre s'inscrit, par nature, dans une optique intuitive, sensible, presque ludique. Il s'agit davantage ici de comprendre ce qu'est réellement cette franc-maçonnerie omniprésente dans *Le Symbole perdu*, ce qu'on peut en attendre, ce qu'elle peut apporter (de fermer aussi la porte, puisque nous sommes dans une allégorie d'huis et de clés, à quelques idées fausses) que de savoir ce qu'elle a fait, comment elle a été créée, à quelle date, par qui... Même si ces questions seront bien entendu abordées incidemment.

---

4. Au sens littéral, de « transport vers la transcendance [pour ne pas parler ici d'"entité supérieure"] ».

Au terme de sa lecture, il paraîtrait plus important de retenir quelques mots clés applicables à la franc-maçonnerie – tolérance, bienveillance, travail, recherche, fraternité, joie, peut-être… à chacun les siens – que de savoir si celle-ci existait ou non avant 1717 ou si l'appartenance de tel ou tel personnage historique à l'Ordre fraternel a pu avoir une incidence sur son parcours profane.

Bienveillance et bonne vigilance entre ombre et lumière

Humaniste, la franc-maçonnerie est une aventure humaine. Même si Nietzsche disait que l'«avenir appartiendrait à celui qui aurait la plus longue mémoire», connaître les détails précis de l'histoire maçonnique, ses dates, ses noms ne me paraît pas l'essentiel ici. En revanche, il me semble important de savoir comment tout s'articule, comment les hommes et les femmes qui composent la maçonnerie s'incarnent – à travers leurs actions – dans l'ensemble architectural qu'ils construisent collectivement et individuellement. Car l'ordre maçonnique, ce sont avant tout des frères et des sœurs avec leurs ombres et leurs lumières, qui, par les contrastes que créent ces dernières, font naître la splendeur. La franc-maçonnerie n'est pas uniforme. Elle serait un triste et morne mur. Pour faire naître la beauté, elle se nourrit des enrichissements de chacun, des différences, des ornements, de leurs forces et de leurs sagesses… Tous sont utiles, indispensables même, à la stabilité du Tout.

Le franc-maçon est dit être un « homme – ou une femme – libre et de bonnes mœurs ». Mais l'un des termes qui le caractérise sans doute le plus est «bienveillant». Et bienveillant à toutes les acceptions du mot : généreux, amical, fraternel, bien intentionné, mais aussi bien éveillé et bien vigilant. Vigilant et attentif, curieux des détails et des choses de la vie, de l'esprit et du cœur. En un mot : ouvert. Et vigilant aussi à l'autre, à ses doutes, à ses faux pas aussi (pour l'aider à se redresser, se remettre droit, littéralement, à « se rectifier »), à ses heures d'infortune, mais encore à ses éclats de bonheur, toujours dans un esprit de partage. Exercer l'œil représente probablement une grande part de la démarche et du parcours maçonnique, ce qu'incarne parfaitement le pavé mosaïque, le revêtement en forme d'échiquier noir et blanc qui orne le temple, comme il marque la vie de tout un chacun.

Je serais heureux si ce petit livre pouvait contribuer à mieux comprendre et accepter la franc-maçonnerie. Mais au-delà, à mieux comprendre et accepter l'autre… Tous les autres.

L'éternel retour

On entend couramment que tout est dit au grade d'apprenti. Si l'on m'autorise ce parallèle léger (conforme toutefois à l'esprit de cet ouvrage en marge d'une fiction), ce serait un peu comme dans un épisode de *Columbo* où la solution de l'énigme serait donnée dès le départ : tout le mystère de la maçonnerie serait déjà présent dans l'enseignement dispensé dans ce premier degré de l'Ordre. La suite de la progression serait comme un éternel retour permanent aux origines, au cabinet de réflexion qui marque l'orée du chemin, à l'humble condition du cherchant en devenir. C'est à la fois vrai et faux (de nouveau, en parfaite conformité avec la symbolique des carrés noirs et blancs du pavé mosaïque). Tout est dit et rien n'est dit. Comme dans cette introduction…

> « Ouvrez vos esprits, mes amis. Nous avons tous peur de ce que nous ne comprenons pas. »
> *Le Symbole perdu*, p. 32, f49.

PROLOGUE

LE PHÉNOMÈNE DAN BROWN

> « Les heures les plus sombres sont tou-
> jours celles qui précèdent l'aube ».
> *Le Symbole perdu*, p. 328, (f391).

Un mois seulement aura suffi à hisser le dernier *opus* de Dan Brown, *Le Symbole perdu*, en tête des meilleures ventes de l'année 2009. Paru le 26 novembre dans sa version française, le nouvel épisode de la saga Robert Langdon est parvenu à battre sur le poteau Marie N'Diaye – le dernier prix Goncourt en date – et Marc Lévy. Certes, 2009 fut une année quelque peu morose pour l'édition. Les *Trois Femmes puissantes* de la seconde ayant atteint un chiffre de 418 000 ventes n'aurait fait qu'un petit vainqueur sans la parution du nouveau *thriller* de Dan Brown. Mais avec ses 674 000 exemplaires écoulés en cinq semaines (pour un tirage initial de 650 000), la performance de ce dernier mérite d'être signalée.

Le phénomène Dan Brown ne se dément pas.

Mais qui en doutait ? Paru deux mois plus tôt aux États-Unis, le 15 septembre, un million d'exemplaires du *Lost Symbol* s'était vendu en une journée, deux millions en une semaine. À marche forcée (sept traducteurs s'étant attelé à la tâche), le 14 octobre, l'Allemagne sortait sa version du livre moins d'un mois après la publication de l'original. La barre du million de *Verlorene Symbol* vendu était déjà franchie lorsque la traduction française arriva dans les librairies. Et depuis, dans tous les pays, le livre ne quitte plus la première marche du podium. Atteindra-t-il les sommets du *Da Vinci Code* (81 millions d'exemplaires écoulés dans le monde) ? Il est beaucoup trop tôt pour le dire.

Quoi qu'il en soit, phénomène il y a bien dans le cas de Dan Brown. D'aucuns diront que, sur un plan tant narratif que documentaire, des auteurs comme Ludlum, Clancy ou Grisham lui sont bien supérieurs, voire, pour rester dans le domaine qui a fait le succès de la saga Langdon, des Raymond Khoury (*Le Dernier Templier...*) ou des Michael Byrnes (*Le Secret du dixième tombeau...*) et même, pour les francophones, de la série des « commissaire Marcas » du duo Giacometti-Ravenne. Tout est question de valeur, de goût et de couleur. Et en attendant, c'est bien Brown qui étourdit les courbes de vente, qui, tel un alchimiste de la littérature, transforme en or toutes les pages qu'il touche, qui pousse des hordes de touristes – *Da Vinci Code, Anges et Démons* et maintenant *Symbole perdu* en main – sur les lieux mêmes des intrigues, comme jamais aucune œuvre auparavant ne l'a fait.

Phénomène, Dan Brown l'est et, qui plus est, un phénomène qui en suscite d'autres, tous plus stupéfiants les uns que les autres, flirtant avec l'irrationnel de l'entendement humain. Déjà, rares sont les ouvrages ou les auteurs qui ont pareillement suscité une exégèse, des commentaires extensifs, comme les trois *opus* des aventures de Robert Langdon en ont produit. *A fortiori*, à chaud, alors même que les livres viennent de paraître. Mieux encore : on a vu sortir plusieurs livres de commentaires[1] sur la suite du *Da Vinci Code* (qui ne s'appelait pas encore *Le Symbole perdu*, mais était annoncé sous le titre de *La Clé de Salomon*) sortir avant – bien avant – l'ouvrage lui-même (qui ne paraîtrait peut-être même jamais). Et ceux-là nous expliquaient et décortiquaient ce qu'on allait censément trouver dans ce récit... à un moment où l'intrigue n'était probablement pas formalisée dans la tête de Dan Brown lui-même.

---

1. Citons simplement, parmi d'autres, le David Shugarts, *Secrets of the Widow's Son* (inédit en France), ou le Greg Taylor, paru en français sous le titre *Le Code Dan Brown pour comprendre la clé de Salomon*, Guy Trédaniel, 2005.

Avec le recul, on réalise que certains d'entre eux se sont quelque peu fourvoyés à la marge (trop d'importance accordée à la statue Kryptos, au quartier de Rosslyn à Washington, aux clavicules de Salomon[2]...), mais finalement, pas tant que ça au regard d'une dissertation sur un non-ouvrage. Pourtant, Dan Brown s'y entendait pour créer de fausses pistes, des *Aringarosa*, pour reprendre le nom sciemment donné[3] d'un protagoniste du *Da Vinci Code*.

Et il en aura semé au cours des six années qu'aura durée la longue attente d'une suite donnée à ce dernier. Un temps qui aura paru interminable à des milliers de fans scrutant le moindre indice dans les ouvrages de Dan Brown et ses couvertures pour avoir l'impression de soulever un pan du voile de mystère. Très tôt après le succès du *Da Vinci Code*, il avait bien distillé quelques informations çà et là. Le prochain livre serait intitulé – comme on l'a déjà relevé plus haut – *La Clé de Salomon*. Les passionnés de cryptage avaient déjà pu le découvrir en déchiffrant une énigme abandonnée sur la couverture du DVC. On voit toutefois ce qu'il en était, puisque le titre a bel et bien changé. Comme si Dan Brown voulait nous faire un pied de nez : « Vous vouliez une clé ? Je vous l'ai donnée... pour mieux vous la reprendre. » Parallèlement, il confiait que le cadre du prochain épisode serait Washington et qu'il aurait pour toile de fond la franc-maçonnerie. De ce côté-là, il n'avait pas menti. Encore pouvait-on s'interroger sur le traitement qui serait réservé au sujet, au regard des précédents ouvrages

---

2. Sous le nom de Clavicules de Salomon (*Clavicula Salomonis*, c'est-à-dire « Petite Clé de Salomon ») sont regroupés plusieurs célèbres grimoires de magie du Moyen Âge (réapparus vers le XVe siècle), légendairement attribués au roi Salomon, et plus spécifiquement à des occultistes comme Henri Corneille Agrippa de Nettesheim (1486-1535), dit Cornelius Agrippa *ou encore le théologien dominicain et alchimiste germanique* Albrecht von Bollstädt (mort en 1280 et canonisé en 1931), plus connu sous le nom de saint Albert le Grand ou Albertus Magnus (les traités de magie du *Petit* et du *Grand Albert* ne sont pas de lui, mais s'inspirent de ses travaux), voire le pape Honorius III (pape de 1216 à 1227). La « petite clé » (clavicule) du titre est celle qui est censée ouvrir la porte donnant accès à la connaissance secrète et à des trésors aussi bien spirituels que très matériels.

3. L'espagnol *Aringarosa* signifie « hareng rouge », en anglais *red herring*, un nom qui désigne aussi des fausses pistes, des diversions...

qui ne faisaient pas forcément la part belle aux organisations mises en scène.

Mais la plus belle fausse piste que Dan Brown nous concocta, ce fut précisément cette attente, ce délai, ces annonces de parution maintes fois annoncées et constamment repoussées[4]. Si bien que tout le monde finissait par se demander si cette suite devenue l'arlésienne de l'édition paraîtrait un jour… et qu'on en vint, au bout du compte, à ne même plus penser du tout à cette éventualité. En route, DB avait dû perdre sa clé (de Salomon). Et des petits magiciens poudlardiens, des vampires crépusculaires (Crépuscule, en anglais *Twilight*) et autres journalistes suédo-millénaristes en avaient profité pour occuper les hauteurs des baromètres littéraires.

Et soudain, au printemps 2009, alors qu'on ne l'attendait plus, le nouveau Robert Langdon de Dan Brown était annoncé à grands bruits. L'ouvrage perdu était retrouvé et s'appellerait *Le Symbole… perdu*. Immédiatement, une frénésie régénérée s'emparait de centaines de milliers d'aficionados, une fièvre habilement entretenue par Dan Brown lui-même qui alimentait la rumeur, notamment par le biais d'Internet. Ainsi, un site créé à cette intention distillait-il des informations sous la forme d'indices pour faire patienter le lecteur et attiser sa sagacité. Tous ces éléments lâchés sur la Toile – notamment des coordonnées géographiques – devaient livrer des renseignements sur le livre à paraître. Inutile de dire que la quasi-totalité ou presque de ces indices se révélèrent – comme on pouvait s'y attendre – sans aucune pertinence au regard du *Symbole perdu*.

Moyennant quoi, deux éléments au moins semblaient certains : *Le Symbole perdu* parlerait bien de Washington et de la franc-maçonnerie. Lorsque les éditeurs américain et anglais divulguèrent les couvertures prévues pour l'ouvrage, celles-ci ne firent que le confirmer (sauf à dire que ces projets n'eussent été que des leurres, mais cela semblait peu probable à ce stade et la suite le démontra). Sur ces couvertures, on

---

4. Les exégètes intempestifs et prématurés de *La Clé de Salomon* portent-ils une part de responsabilité de ce retard, en ayant peut-être trop dévoilé de l'intrigue à venir, obligeant par là Dan Brown à changer son fusil d'épaule ? C'est peu probable.

voyait dans les deux cas la silhouette du Capitole (au temps pour Washington). Sur la version américaine, on notait aussi un sceau de cire orné d'une sorte de phénix ou d'aigle à deux têtes agrémenté d'un numéro 33 et de la formule *Ordo ab chao*, qui, pour un observateur un tant soit peu au fait des mystères maçonniques attirait, effectivement, l'attention vers l'ordre fraternel. La couverture anglaise était différente : elle accordait une plus large place à la photo du Capitole de nuit (comme sur la version française ultérieure) et ajoutait un détail absent de sa cousine d'outre-Atlantique, une clé singulière. Le panneton de cette dernière représentait en effet un compas et une équerre. Là encore, l'allusion à la franc-maçonnerie était transparente et la clé rappelait incontestablement le premier titre envisagé pour l'ouvrage. Or dans le double contexte de Dan Brown et de la franc-maçonnerie, cette clé ne pouvait manquer d'en évoquer une autre : la « clé d'Hiram », qui donnait son titre à un ouvrage de Christopher Knight et Robert Lomas, traitant des origines de la maçonnerie. Ce rapprochement n'était pas fortuit : clé de Salomon… clé d'Hiram. Toute personne connaissant *ad minima* l'univers maçonnique sait que ces deux (plus précisément ces *trois*, car il y a deux Hiram) personnages jouent un rôle « clé » (c'est le cas de le dire) dans l'un des mythes fondateurs de la franc-maçonnerie : la construction du temple de Jérusalem. En outre, Dan Brown n'a jamais caché avoir puisé des éléments pour ses romans dans cette fameuse *Clé d'Hiram*, de Knight et Lomas (voir, notamment, à ce propos, l'interview de Robert Lomas en fin du présent ouvrage), qui aborde largement les mystères de la chapelle de Rosslyn et la question du christianisme messianique originel. Mais les connexions ne s'arrêtaient pas là. En effet, la clé figurant sur la couverture anglaise du *Symbole perdu* rappelait remarquablement celle créée spécialement pour Robert Lomas et illustrant un autre de ses ouvrages, *Tourner la clé d'Hiram* (suite de *La Clé d'Hiram*, parue en 2004). Celle-là aussi se caractérisait par la même exacerbation du compas et de l'équerre. Et ce n'est pas fini : ce même Robert Lomas dont nous parlons, aurait inspiré à Dan Brown, aux yeux de certains – dont l'auteur et éditeur maçonnique, Martin Faulks – le personnage de Robert

Langdon. Deux Robert L., en somme, et on sait à quel point DB apprécie ce type de clins d'œil (le fait que le nom Langdon lui-même soit un hommage à John Langdon, le créateur des ambigrammes de *Anges et démons* n'est en rien incompatible avec cette hypothèse).

Ces différents éléments permettaient d'attendre avec une certaine sérénité – mêlée d'une impatience certaine – ce fameux *Symbole perdu*. Tandis que certains, au sein de la fraternité maçonnique, commençaient à s'inquiéter et à se demander à quelle sauce l'Art royal allait-il être mangé après l'*Opus Dei*, le Vatican et autres *Illuminati*, il me semblait que les quelques liens que je croyais percevoir entre Dan Brown et l'écrivain et scientifique maçon Robert Lomas à travers la petite connaissance que j'avais de ce dernier ne laissait rien auguror de particulièrement inquiétant pour la franc-maçonnerie en tant que telle.

Mais nous reparlerons plus loin de tous ces aspects.

En attendant, la parution tant espérée se profilait. Les éditeurs avaient annoncé la date libératrice de la publication anglophone : le 15 septembre 2009. Une date, nous disait-on, qui n'avait pas été choisie au hasard. Le 15 septembre tombait, rappelait-on, trois jours avant le 18 septembre, date de la pose de la première pierre du Capitole par Georges Washington en 1793. Bien ! Et alors ? Pourquoi ne pas avoir choisi de faire paraître *Le Symbole perdu* trois jours plus tard si ce lien avec le premier président américain – et franc-maçon notoire – était si important ? Oui, mais nous répondait-on, 15 septembre 09, cela donne 15 + 09 + 09, soit 33[5]. Nous étions revenu à notre nombre apparaissant sur le sceau de la couverture, un chiffre si important dans la maçonnerie (ou, en tout cas, une certaine maçonnerie). On aurait pu objecter que ce choix de ne prendre que 09 pour millésime de l'année et non 2009 faisait

---

5. Mais pourquoi compter de cette manière ? Pourquoi ne prendre que 09 et pas 2009 ? Si, réellement, il s'agissait de prendre une référence numérologique, le calcul aurait dû être 1 + 5 + 9 + 2 + 9, soit 26. Mais pour obtenir 33, il aurait fallu attendre au moins le 29 septembre... 2056. C'est certain, que cela faisait un peu tard. Quoi qu'il en soit, l'argument numérologique paraît quelque peu étrange et tiré par les cheveux.

un peu arbitraire, comme une justification trouvée après coup. Car après tout, tant qu'à trouver une date voisine du 18 sans que cela soit nécessairement celle-là, le 13 septembre aurait aussi bien fait l'affaire pour donner 33. Et 13, en termes de chiffre symbolique, ce n'était pas mal non plus (si ce n'est que la phobie des Américains à l'endroit de ce nombre n'est plus à démontrer, dans un pays où l'on ne le donne jamais comme numéro de chambre, ni même parfois comme numéro d'étage).

Toujours est-il que, à la date prévue, Robert Langdon est sorti de sa léthargie pour nous entraîner dans une course trépidante à travers Washington et ses monuments phares. Et le succès, comme nous l'avons souligné d'entrée, s'est montré au rendez-vous.

Certes, adulé par les uns, Dan Brown est toujours aussi honni par d'autres... qui ne l'ont pas forcément lu, pas nécessairement interprété comme il devrait l'être, c'est-à-dire un auteur de fiction, qui avance sans fard et en tant que tel, et ne livre pas davantage d'invraisemblances que, disons, Wikipédia, pour ne citer qu'un exemple parmi les plus marquants aujourd'hui, alors même que l'encyclopédie libre n'a pas pour vocation d'abonder dans l'inexactitude. Mais justement, le principe même de cette dernière est d'ouvrir une porte, d'élargir l'esprit, d'entraîner au dialogue, de susciter la rectification... C'est au moins ce que propose lui aussi Dan Brown... et peut-être la franc-maçonnerie.

Le dialogue ! Voilà bien là l'une des clés de son succès planétaire. Certes, l'ancien professeur d'anglais et d'espagnol – et chanteur pop à ses heures – est un habile *page-turner*, un écrivain qui sait capter l'attention avec ses chapitres courts, incisifs, qui poussent à ne reposer le livrer qu'une fois la dernière page – hélas – atteinte. Mais sur le plan de l'intrigue et de la narration, d'autres sont sûrement aussi bons que lui sans rencontrer le même succès[6]. Et s'il faut même considérer les propos pour

---

6. Notons au demeurant que Dan Brown dit humblement de lui-même : « Je ne suis pas William Faulkner. Je ne prétends pas avoir ce talent littéraire. À ceux qui me reprochent de ne pas être un grand styliste, je réponds que mon style est simple, moderne et efficace, ce que mes lecteurs

expliquer l'engouement, ceux-ci ne lui sont exclusifs – loin s'en faut – que ce soit sous l'angle d'essais publiés ou même de fictions. Seulement, une certaine alchimie mystérieuse et médiatique lui a permis d'atteindre les sommets. Et pour les lecteurs – au-delà même du contenu réel – le fait de savoir que l'on va pouvoir discuter, s'enflammer, avec beaucoup d'autres personnes, partageant ou non votre enthousiasme, sur des sujets confinant aux mystères, aux secrets révélés, recèle assuré-ment une part de la recette du succès. Mais ce n'est qu'un ingrédient.

Le *Symbole perdu* atteindra-t-il donc la réussite du *Da Vinci Code*? Ostensiblement, pour un public européen, *a fortiori* français, il manque peut-être quelques paramètres détermi-nants du succès du DVC : l'évocation de personnages familiers comme De Vinci ou Jésus, la dénonciation d'un mensonge/mystification séculaire – réel ou supposé – entretenu par une institution comme le Vatican touchant à la vie quotidienne de millions de gens, la possibilité de voir aisément les lieux de l'intrigue ou de savoir qu'on les a vus ou qu'on pourrait les visiter assez aisément (Louvre, Londres, voire Rosslyn), la réha-bilitation aussi de l'éternel féminin trop longtemps tenu sous le boisseau et étouffé... Ici, avec *Le Symbole perdu* rien de tel :

___

apprécient d'ailleurs » (cité in *Le Journal du Dimanche*, 21/11/2009). Pratiquant l'autodérision, Dan Brown va jusqu'à faire dire à son héros Robert Langdon réalisant la signification du mot « sincère » (venant de *sine cera*, « sans cire ») qu'il a déjà vu ce terme codé utilisé comme ressort narratif « dans un *thriller* médiocre qu'il a lu des années auparavant » (*LSP*, p. 355, f421). Une allusion transparente à... *Forteresse digitale*, de lui-même. Moyennant quoi, il faut sans doute rendre à Dan Brown ce qui lui appartient, à savoir une certaine qualité d'écriture et de style à laquelle ne rendent pas grâce des traductions souvent – toujours! – trop rapides, généralement confiées à des traducteurs (voir les sept traducteurs alle-mands, par exemple, travaillant en moins de quinze jours ou même seulement les français en trois semaines) qui ne connaissent pas le sujet traité et pour lesquels l'absorption au pas de charge d'une masse d'ouvrages ne permet pas de corriger, ni d'éviter les erreurs ou contresens. Nul doute que Dan Brown – *a fortiori* au vu de ses chiffres de vente – fait partie de ces auteurs qui mériteront, un jour ou l'autre, une retraduction complète, voire une édition directement annotée. Mais ce bémol n'a pas nui à son succès, on le sait.

si la franc-maçonnerie nourrit le fantasme, c'est précisément parce qu'elle n'est pas – bien – connue. On ne rencontre pas de personnalités universellement connues, avec des œuvres qui appartiennent à notre vécu et dont la divulgation d'un mystère qui aurait crevé les yeux (l'équivalent de *La Cène*, de Vinci, par exemple, pour le DVC) interpellerait le lecteur ; incontestablement, un George Washington n'aura pas la portée catalysatrice du maître italien ou du messie chrétien. Et la capitale américaine à laquelle il a donné son nom – donc la connaissance de ses monuments – n'est pas aussi accessible pour les Européens que les décors du DVC ou d'*Anges et démons*.

Mais l'objet du présent ouvrage n'est pas d'analyser les recettes de Dan Brown, d'aborder les raisons de son succès, encore moins de les juger. Comme il était signalé dès l'introduction, il s'agit simplement de prendre en compte une réalité née de la parution du *Symbole perdu* : l'ouvrage de Dan Brown a fait naître une nouvelle curiosité, un engouement incontestable pour la franc-maçonnerie. C'est vrai aux États-Unis. Ça l'est également ailleurs. À la suite de l'écrivain américain, les lecteurs ont entrouvert une porte, soulevé peut-être un petit pan du voile – encore faut-il s'assurer qu'il s'agisse bien du bon voile. Et de ce point de vue, partant de l'approche brownienne de l'ordre fraternel, donc de ce qui devient un contexte familier pour des milliers de femmes et d'hommes dans le monde, il a semblé nécessaire d'apporter un éclairage sur la maçonnerie que la fiction ne peut livrer dans la mesure où ce n'est pas son rôle. Un éclairage qui n'est pas destiné à convaincre, à délivrer une quelconque vérité absolue qui n'existe pas ici-bas, mais de partager, de dialoguer, de continuer d'entrouvrir un peu plus la porte que Dan Brown a commencé à pousser.

PARTIE 1

La Porte
Frappez et l'on vous ouvrira

> « Vous savez peut-être qu'il existe dans cette ville une vieille porte ? [...] Et ce soir, professeur, vous allez l'ouvrir pour moi. »
>
> *LSP*, p. 39, f57.

Dans un passage du Nouveau Testament intitulé « Effica-cité de la prière », on lit : « Demandez et l'on vous donnera ; cherchez et vous trouverez ; frappez et l'on vous ouvrira » (Mt 7, 7 ; et Lc 11, 9[1]). Or, sans divulguer pour autant le moindre secret, ces lignes sont reprises presque telles quelles au départ du parcours maçonnique pour décrire, d'une cer-taine manière, le mécanisme et le rythme de celui-ci.

Il a paru opportun de placer la déclinaison de cet ouvrage sous cette triple invitation et cela pour plusieurs raisons.

D'abord, nous venons de le dire, parce qu'elle se trouve à l'aube du cheminement ou de la quête du maçon et qu'elle conditionne son devenir.

Ensuite, parce que, intuitivement, elle va commencer à faire prendre conscience de la pluralité subtile de la maçonnerie qui est à la fois une et riche de nombreux visages. En effet, en observant l'utilisation que les différents rites font de cette for-mule dans leurs rituels respectifs, on approche les nuances de chacun de ceux-ci, leurs richesses respectives, qu'il nous sera donné d'approfondir plus loin. Ainsi, on note que certains rites (le rite Émulation, par exemple) déroulent la formule

---

1. Luc 11, 10 ajoute : « Car quiconque demande reçoit ; qui cherche trouve ; et à qui frappe on ouvrira. » Ces passages de Matthieu et Luc peuvent aussi rappeler le vétéro-testamentaire Deutéronome (4, 29) : « Tu rechercheras Yahvé ton Dieu et tu le trouveras si tu le cherches de tout ton cœur et de toute ton âme. »

dans l'ordre biblique tout en faisant explicitement référence à cette dimension évangélique.

Au Rite Français, il est dit : « Demandez, vous recevrez ; cherchez, vous trouverez ; frappez et l'on vous ouvrira » ou au Rite Écossais Rectifié : « Demandez et l'on vous donnera ; cherchez et vous trouverez ; frappez et l'on vous ouvrira. » Pour justifier cet ordre, le rite d'York, par exemple, complète : « *Question* : Comment expliquez-vous que ce passage s'appliquât à votre situation vis-à-vis de la maçonnerie à ce moment-là ? *Réponse* : J'ai demandé à un ami de me recommander pour que je sois fait maçon. Grâce à sa recommandation, j'ai cherché l'Initiation. J'ai frappé à la porte, et la porte de la maçonnerie me fut ouverte. »

Quant au Rite Écossais Ancien et Accepté (celui qui est plus particulièrement mis en scène dans *Le Symbole perdu*), il se démarque, d'une certaine manière, de la référence biblique en inversant et en complétant la proposition : « Frappez et l'on vous ouvrira la porte ; cherchez et vous trouverez la vérité ; demandez et vous recevrez la lumière. » Au regard de l'ouvrage de Dan Brown, c'est cet ordre et cette formulation que nous avons retenu comme guide de lecture, à la fois, justement, parce que c'est celle du REAA – le Rite Écossais Ancien et Accepté – et parce qu'elle se prête parfaitement au contexte du livre : parti d'une clé (de Salomon, et peut-être aussi d'Hiram) disparue susceptible d'ouvrir une porte, le lecteur s'est mis en quête d'une vérité pour, aux premières lueurs du jour, apercevoir la lumière.

Cette formule illustre parfaitement le propos du présent ouvrage : apporter en nuances, en touches subtiles, une connaissance de la maçonnerie. Sans nul dogmatisme, tout y est symbole, clé que vous devez trouver pour ouvrir une porte – celle du Temple de la loge – qui... n'a pas de serrure. Car tout ce qu'il faut, c'est frapper... Et l'on vous ouvrira.

Chapitre 1

ROBERT LANGDON DANS LES MÉANDRES DE LA WASHINGTON MAÇONNIQUE

> « Même vu d'avion, Washington déga-
> geait une puissance presque mystique. »
> *LSP*, p. 7, f19.

Puisqu'il a été choisi d'approcher les arcanes de la franc-maçonnerie dans les pas de Robert Langdon, commençons par nous intéresser aux péripéties de celui-ci dans la capitale américaine, telles que nous les narre *Le Symbole perdu*. Non pas pour en décortiquer systématiquement le récit, l'expliciter froidement ou en relever les éventuelles approximations – d'autres l'ont parfaitement et plaisamment fait, au premier rang desquels le duo Giacometti-Ravenne[1]. Il ne s'agit naturellement pas d'expliquer ici une histoire limpide – et que certains n'ont peut-être pas encore lue –, et encore moins de la reprendre en la paraphrasant, mais plutôt de procéder par touches impressionnistes, de faire quelques arrêts choisis, comme autant de stations d'un chemin de clés de Langdon dans la *via dolorosa* de sa course-poursuite. Autant d'éclairages qui nous permettront de dresser le décor et d'aborder tranquillement le sujet qui nous occupe. En somme, d'essayer de dissiper quelques ténèbres pour entrevoir la lumière.

Les lecteurs du *Symbole perdu* ont déjà connaissance que, cette fois, il n'est pas question de groupe occulte malfaisant,

---

1. Voir *Le Symbole retrouvé*, Fleuve noir, 2009 ; mais également Alain Bauer et Roger Dachez, *Le Symbole perdu décodé*, Véga, 2009.

de société négative ou criminelle. Pas d'*Illuminati* ténébreux, ni de Vatican égaré dans le mensonge et la mystification planétaire, d'*Opus Dei* meurtrier, ou d'autre collectivité dévoyée. Nous n'avons pas affaire à un affreux franc-maçon déjanté – on aurait pu le craindre et certains l'ont fait en apprenant que la franc-maçonnerie était le cœur du livre –, mais simplement à un personnage archétypal détraqué.

Vous avez dit symbologiste ?

Avant de pénétrer dans le vif du sujet, pour quelque utile rappel, tournons-nous un instant vers notre guide : Robert Langdon *himself*. On le sait, le héros de *Anges et Démons*, du *Da Vinci Code* et du *Symbole perdu* – pour reprendre l'ordre chronologique narratif des récits – est présenté comme professeur de symbologie. Dan Brown nous explique que cette matière universitaire – l'étude ou la science des symboles propres à différents peuples ou cultures en ce qu'ils témoignent de l'intériorité de ces derniers – n'existerait pas[2]. Ce n'est pas tout à fait exact. Certes cette chaire – tout au moins, sous cet intitulé – n'existe pas à Harvard où Langdon serait censé officier, et plus généralement aux États-Unis. Et cette discipline est rarement étudiée de manière autonome, mais plutôt intégrée à d'autres champs d'étude tels que l'anthropologie, l'ethnologie, la sociologie, le comparatisme religieux, voire la théologie. Mais sur le vieux continent européen, on rencontre davantage de professeurs de symbolique, notamment à l'École pratique des hautes études de la Sorbonne (cinquième section, Sciences religieuses, avec des personnalités en activité ou récemment encore actives comme Antoine Faivre, Jean-Pierre Laurant ou Jean-Pierre Brach) pour ne citer qu'elle. Sans qu'il s'agisse nécessairement d'universitaires au sens strict, cette symbolique – ou cette symbologie pour reprendre la terminologie brownienne, qui ne lui est d'ailleurs pas propre – a pu

---

2. Les champs universitaires les plus proches seraient la sémiologie (la science des signes et de leur impact sociétal) et la sémiotique (étude des signes et de leur signification).

être étudiée, voire enseignée par des Carl Gustav Jung, des Max Müller, des René Guénon, voire Claude Lévi-Strauss qui nous a récemment quitté. Quant au Roumain Mircea Eliade, lui aussi éminent spécialiste des symboles, des mythes et des traditions religieuses, il a occupé à partir de 1959 la chaire d'histoire des religions de l'université de Chicago, preuve que ce type de matière symbolique est bien enseigné aux États-Unis. Mieux encore, l'archéologue et préhistorienne américaine d'origine lituanienne Marija Gimbutas, grande spécialiste s'il en est des « civilisations de la Déesse », s'est particulièrement intéressée aux symboles anciens, les a étudiés en détail et enseignés. Très peu de ses œuvres ont été traduites en français, mais Robert Lomas – que connaît bien Dan Brown – a notamment fait état de ses recherches sur les symboles dans *Tourner la clé d'Hiram*[3]. Or avant de devenir professeur honoraire en 1963 à l'UCLA (université de Californie-Los Angeles), elle avait été douze ans chercheuse à... Harvard, l'université même de Robert Langdon.

Dans le domaine proprement maçonnique, question symbologie, pourquoi ne pas citer Jules Boucher et sa *Symbolique maçonnique* ? Et puisque nous parlons de maçonnerie, n'omettons pas de mentionner une matière originale, somme toute au moins aussi singulière que celle que pourrait enseigner le héros de Dan Brown : la maçonnologie. Depuis 1983, il existe une chaire dédiée à cette discipline originale – la chaire Théodore Verhaegen – à l'université libre de Bruxelles (Belgique), dont le professeur Jacques Brengues[4] fut titulaire. Dans les années 1970, ce dernier animait aussi un séminaire de troisième cycle en maçonnologie à l'univer-

---

3. Dans cet ouvrage, alors qu'il vient de nous parler de l'analyse par Marija Gimbutas du chevron comme symbole archétypal de la femme, Robert Lomas établit d'ailleurs un rapport entre l'érudite balte et l'auteur américain : « Sa description a même fait son chemin dans les romans populaires. Le héros de Dan Brown, le docteur Robert Langdon, se voit raconter par Marie Saunière, la conservatrice tout aussi imaginaire du Rosslyn Chapel Trust, que le triangle pointant vers le bas "est le calice qui représente la femme" » (*TCH*, Paris, 2006, p. 202).
4. Fondateur de l'IDERM, l'Institut d'études et de recherches maçonniques, au sein même du Grand Orient de France (Paris).

sité de Rennes 2[5]. Et des centres de recherches actifs sont hébergés dans les universités, espagnole de Saragosse et autrichienne d'Innsbruck[6].

Suivons donc Langdon à travers Washington. Le professeur d'Harvard se rend dans la capitale des États-Unis à la requête de son vieil ami Peter Solomon. Du moins le croit-il. En effet, il vient de recevoir un appel de l'assistant de son mentor, le priant de les tirer d'un mauvais pas en venant, dès le soir même, faire une conférence dans le cadre prestigieux du *National Statuary Hall*, le grand hall des statues au cœur du Capitole[7]. Salomon aurait aimé – à la fois par inclination et pour éviter à Langdon le maximum de complications – que le symbologiste refasse une intervention sur l'architecture symbolico-maçonnique de Washington et, en particulier, de ce prestigieux bâtiment du Congrès à l'intérieur duquel il interviendrait.

Naturellement, Robert Langdon ne pouvait décliner la requête de son ami et maître de *douze* ans son aîné. « Universitaire de premier plan dont les manières humbles tranchaient avec son appartenance à l'une des plus puissantes familles [des États-Unis] » (*LSP*, p. 14, f28), ancien de Yale (l'université de la singulière fraternité estudiantine des *Skull & Bones*, dont le caractère machiavélique et obscur relevait sans doute plus du fantasme que de la réalité[8]), Peter Solomon[9], historien, phi-

---

5. Une quinzaine de DEA et six doctorats seront délivrés dans le cadre de cet enseignement aujourd'hui disparu dans la capitale bretonne. (Kerjean Daniel, *Les Francs-Maçons du Grand Orient de France : 1748-1998, 250 ans dans la ville*, Rennes, Presses universitaires de Rennes, 2005, p. 280).

6. Voir notamment Beaurepaire Pierre-Yves, *L'Espace des francs-maçons : une sociabilité européenne au XVIIIe siècle*, Rennes, Presses universitaires de Rennes, 2003.

7. Chacun des cinquante États de l'Union fournit deux statues de personnalités qu'ils veulent honorer pour être exposées dans cette grande salle circulaire.

8. Yale accueillant les fils de la haute société américaine – qui, par nature, rejoignait en priorité cette fraternité universitaire –, il était logique que ceux-là tissent des liens étroits entre eux avant leurs études, pendant et après, indépendamment de toute appartenance à *Skull & Bones*. Les rapports d'amitié scellés dans le cadre scolaire demeurent l'un des réseaux les plus insécables.

9. Un nom inspiré par Salomon, sa clé (pour faire pendant à Hiram et

lanthrope et milliardaire, dirigeait – en qualité de secrétaire général – la fameuse *Smithsonian Institution*[10], la plus grande réserve de savoir et de trésors culturels en tous genres des États-Unis (et peut-être du monde[11]). Des années auparavant, le jeune Langdon s'était découvert une passion pour les symboles en écoutant une conférence de Salomon dans laquelle ce dernier exposait une « vision éblouissante de la sémiotique et de l'histoire archétypale » (*LSP*, p. 14, f27).

On peut légitimement penser que le nom de Salomon n'est pas choisi au hasard (comme la quasi-totalité des patronymes des héros de Dan Brown) et qu'il était présent dès l'origine du projet de l'auteur américain, lorsque l'ouvrage en devenir s'appelait encore *La Clé de Salomon*. Ce Salomon-là dissimule sans aucun doute une allusion au roi archétypal de la Bible, l'une des lumières symboliques de la franc-maçonnerie. Le bâtisseur du temple de Jérusalem détient assurément une ou des clés de compréhension de l'ordre fraternel et du chemine-

---

à sa propre clé), mais peut-être aussi parce que les initiales rappellent celles du Prieuré de Sion du *Da Vinci Code*.

10. Cette institution, le premier musée des Sciences aux États-Unis, a été créée grâce à la générosité d'un minéralogiste anglais, James Smithson (1765-1829). L'homme avait demandé dans son testament que, si son neveu et seul héritier mourait sans descendance, sa fortune soit remise aux États-Unis d'Amérique « pour fonder, à Washington, sous le nom de Smithsonian Institution, une institution pour l'accroissement et la diffusion du Savoir pour tous les hommes ». Si Dan Brown fait dire à Peter Solomon que ce legs est un vibrant hommage aux pères fondateurs des États-Unis qui voulaient faire de ce pays une nation « fondée sur les principes de la connaissance, de la sagesse et de la science (*LSP*, p. 406, f474), les motifs de cet acte généreux demeurent en réalité encore quelque peu obscurs aujourd'hui. En effet, Smithson ne mit jamais les pieds en Amérique et ne paraît pas avoir eu la moindre correspondance avec un quelconque savant américain, pas plus qu'il ne donna l'impression, de son vivant, d'avoir la moindre empathie à l'endroit du Nouveau Monde et de son devenir. Pour le sujet qui nous occupe, on ne peut toutefois manquer de remarquer que la notion « d'accroissement et de diffusion du savoir pour tous les hommes » est un aspect important du second degré de la maçonnerie, le grade de compagnon.

11. Et qui, par défaut de place (alors que sa superficie est déjà considérable) n'expose, dit-on, qu'à peine 2 % des merveilles que recèlent ses dépôts.

ment de l'individu au sein de celui-ci. Mais, sur un plan plus immédiat (au regard de notre propos), Peter Solomon est lui-même détenteur de clés (qui fonctionnent ou pas, symboliques ou bien réelles), donnant accès à des mystères ou à la résolution d'énigmes. Même son prénom n'est sans doute pas choisi au hasard (un hasard qui n'existe pas, que Dan Brown en ait eu conscience ou non). Peter, c'est Pierre, cette pierre si essentielle en maçonnerie, symbole de l'homme et de son avancement métamorphique (de la pierre brute à la pierre taillée puis polie). Et au-delà, avec Pierre et Salomon, nous avons deux hommes qui, pour ne pas être les personnages principaux de leurs *livres* respectifs, n'en sont pas moins deux piliers majeurs, particulièrement en termes de métaphores maçonniques : Pierre, ce fondement du temple virtuel de l'Église néotestamentaire (cette « Pierre » sur laquelle l'Église chrétienne est bâtie) et Salomon le bâtisseur, fondement du culte du Temple vétéro-testamentaire [12]. Un nom, donc, particulièrement approprié pour un guide clé vers l'intérieur du temple maçonnique.

Un *ouroboros* narratif

Toujours est-il que le soi-disant assistant de Solomon entend, en réalité, attirer Robert Langdon dans un piège avec sa prétendue conférence. Ce dernier le comprend à peine arrivé au Capitole. Là, la main droite cruellement tranchée de son ami l'attend dans la Rotonde, sous la grande voûte du dôme, l'expert es symboles qu'il est identifie immédiatement une « main des mystères », une forme de talisman qui, traditionnellement, incarne une invitation à la quête, à rejoindre une structure occulte.

Cette main, Langdon l'identifie sans peine grâce à la chevalière qui l'orne. C'est celle de Peter Solomon. Or son index

---

12. Et comment ne pas rappeler encore une fois, avec un Dan Brown si friand de ces clins d'œil sémantiques, que les initiales de Peter Solomon sont aussi celles... du Prieuré de Sion, la fantasmatique organisation au cœur du *Da Vinci Code*.

désigne la gigantesque fresque qui orne le plafond voûté, *L'Apothéose de Washington*, par Constantino Brumidi.

En un mot, comme on le notera régulièrement tout au long de cet ouvrage, on réalise que la finalité de la quête est en germe dès l'origine. Tout est là. Cette main, au centre de la Rotonde, avec son index et son pouce pointés vers la peinture, est comme un point dans le cercle – avec toutes les significations sous-jacentes que nous verrons, mais qu'il est trop tôt pour aborder –, mais aussi un axe dressé vers cet oculus dans le plafond (l'œil/point dans le cercle réfléchissant cet autre œil/*oculus*), représentant une *apothéose*, autrement dit et littéralement la transformation de l'homme en dieu. Et au terme de sa course, Langdon prendra conscience du message ultime de la *Parole perdue*, la dimension divine latente ou potentielle de l'homme, tout en contemplant un autre axe, l'obélisque du monument Washington. Alors il revient encore une fois vers l'*Apothéose* de ce même Washington, pour remarquer, à cet instant, que la composition de la fresque elle-même, sous forme de deux cercles concentriques de personnages, est comme un autre *point dans le cercle* (*LSP*, p. 503, f587). En somme, *Le Symbole perdu* ressemble à un *ouroboros* symbolico-alchimique, un serpent qui se mord la queue, ramenant le héros de Dan Brown à son point d'origine pour comprendre le véritable sens du « secret perdu », cette divinité de l'humain.

Mais n'anticipons pas, car entre ces deux points extrêmes du dernier *opus* de Dan Brown – qui, en réalité finissent donc par se confondre, fusionner – se met en place une course haletante d'une douzaine d'heures afin de retrouver et sauver le malheureux Peter Solomon. Tout au long de cette course à travers Washington, Langdon aura à résoudre quelques énigmes, décrypter une poignée de codes – en moyenne, moins d'ailleurs, en termes de nombre et de complexité, que dans ses aventures précédentes. En un certain sens, dans *Le Symbole perdu*, il paraît même davantage subir les péripéties auxquelles il est confronté qu'agir sur celles-ci. Certes, il ponctue cette balade nocturne dans Washington de ses éclairages érudits, mais ce n'est pas là le cœur de l'action. Au final, on est même en droit de se demander si toute cette course-poursuite avait un sens, si l'intervention de Langdon était nécessaire alors même qu'il n'apportera en définitive rien, pour ainsi dire, que Peter Solomon n'ait su déjà. De ce fait, le « vilain » de l'histoire, Mal'akh, n'aurait pas eu besoin de faire appel au professeur de Harvard : les secrets détenus par Peter Solomon suffisaient amplement. Et si celui-ci avait assez de courage pour ne rien divulguer par lui-même, pourquoi lâcher à son tortionnaire le nom de son ami Langdon et le précipiter dans une aventure qui aurait pu lui être fatale ? Pourquoi ? Peut-être simplement parce qu'il faut voir ce *Symbole perdu* comme une allégorie de l'initiation de l'homme de Harvard, une mise en scène sur douze heures, comme entre un midi et un minuit symboliques. Nous y reviendrons dans le prochain chapitre.

Langdon voyage, pérégrine, passe par toutes sortes d'épreuves, en profite pour découvrir ou réveiller des connaissances liées à l'Ordre initiatique qu'il ignorait ou avait oublié. Des connaissances aussi – surtout – sur lui-même.

Alors ainsi, sous cet angle initiatique du récit, on en oublie les quelques invraisemblances. Au contraire, elles peuvent même prendre leur juste part dans la logique paradoxale du cheminement. La quête de Langdon ne servirait à rien ? Il ne découvrirait rien d'autre qui ne soit déjà su de Peter Solomon ? Mais c'est que le véritable objet de la quête, c'est la quête elle-même, le parcours. Et c'est ainsi que le chercheur – lecteur ou héros – se transforme, se métamorphose.

Dan Brown va vite. On le sait, il a réputation de ne point laisser de répit. Pas de répit pour les protagonistes, pas de répit pour le lecteur qui n'a pas le temps de s'appesantir sur les invraisemblances. La quête de Langdon a-t-elle un sens ? On a vu que la question pouvait se poser. Au gré du récit, nous nous retrouvons confrontés à différents illogismes, à quelques incongruités ou facilités narratives. Et pourquoi Langdon accepte-t-il si facilement de venir faire cette conférence sans avoir le moindre contact avec son ami ? Comment un homme tatoué comme Mal'akh peut-il aussi facilement dissimuler ses tatouages en plein jour avec un simple maquillage ? Comment se fait-il que Langdon, claustrophobe jusqu'à en avoir presque le tournis dans le tunnel du centre d'accueil du Capitole, voire dans les sous-sols de ce même bâtiment du Congrès, n'est plus gêné par cette même phobie dans d'autres circonstances autrement plus traumatisantes comme son passage dans le boyau du tapis roulant de la bibliothèque du Congrès, voire, naturellement, dans son caisson-cercueil ? Et pourquoi la CIA est-elle concernée par cette affaire, alors même qu'elle ne devrait pas intervenir – en tant que service de renseignement extérieur – sur le sol américain, ce qui serait du ressort d'un organisme de sécurité intérieure comme le FBI[13], voire la NSA[14] ? Certes, on apprend vers la fin du récit que son directeur de la « Compagnie » apparaît sur une vidéo gênante. Gênante ? Vraiment ? Aux États-Unis où la maçonnerie demeure largement répandue et dans les mœurs, qui serait réellement atterré de voir une poignée de hauts responsables américains en semblables circonstances ou de voir révélée une appartenance qui pouvait paraître hautement probable aux yeux de beaucoup ? Les fraternités étudiantes avec leurs rituels encore plus pittoresques sont bien connues, sans parler des *Shriners* et de leurs parades colorées. À tous points de vue, la maçonnerie américaine a toujours été plus démonstrative que les autres. Alors certes, une telle vidéo peut être quelque peu embêtante, mais probablement pas de nature à entraîner un cataclysme dans l'opinion et encore moins une intervention de la CIA illégale sur le plan structurel intérieur des États-Unis. Ce motif ressemble à un prétexte tiré par les cheveux qui n'explique pas ni ne justifie un tel déploiement de forces avec troupes, véhicules et hélicoptères sans qu'aucun autre organisme gouvernemental ne s'offusque. Et quitte à servir de prétexte, on peut se demander si l'implication de la CIA ne visait pas simplement à trouver une occasion d'évoquer incidemment la fameuse sculpture Kryptos[15], abritée à l'intérieur du siège de la « Compagnie » à

---

13. *Federal Bureau of Investigation*, le principal organisme de police judiciaire fédéral, en charge du contre-espionnage et de la sécurité intérieure.

14. *National Security Agency*, en charge, notamment, de la surveillance de toutes les communications sensibles, qu'elles soient d'origine militaire, commerciale, gouvernementale ou personnelle, et qui aurait fort bien pu – et dû – intercepter les renseignements censés avoir engendré l'intervention de la CIA et d'Inoue Sato dans *Le Symbole perdu*.

15. En forme de S vue du dessus. S comme Secret... ou simplement Sanborn.

Langley. Annoncée à l'heure des balbutiements du projet comme l'un des éléments majeurs du nouveau récit de Dan Brown – probablement fasciné quand même par ce défi de l'esprit que représente l'œuvre de Jim Sanborn et du crypto-graphe Edward Scheidt –, on constate, avec le recul, qu'elle n'a plus la moindre incidence sur la structure même du *Symbole perdu* et n'apparaît que sous la forme très artificielle de l'une des nombreuses digressions érudites du roman[16]. Sans plus. Et sans CIA impliquée, il n'y aurait probablement même pas eu la possibilité de l'insérer. Dont acte.

À la lecture du *Symbole perdu*, on ne relève que peu d'erreurs factuelles – donc peu de matière à controverses. (Simultané-ment, comme beaucoup l'ont fait remarquer dès le *Da Vinci Code*, cette capacité à prendre des distances avec la réalité est tout de même une liberté du romancier.) Interrogé par Giacometti et Ravenne (dans *Le Symbole perdu retrouvé*, p. 157), Brent Morris, ce dignitaire de la juridiction Sud du REAA déjà mentionné en note 2, n'en a relevé que cinq :
– Il existe deux Suprêmes Conseils du REAA aux États-Unis et non pas un comme le laisse entendre Dan Brown.
– Le chef du Suprême Conseil est le Souverain Grand Commandeur (*Sovereign Grand Commander*; titre qui fut notamment celui d'Albert Pike), et non Suprême Vénérable Maître (*Supreme Worshipful Master*).
– Dans la *House of the Temple* (la Maison du temple, siège de la juridiction Sud du REAA), il n'est pas possible d'aperce-

---

16. « Kryptos était une œuvre d'art... mais c'était aussi une énigme », se plaît à écrire Dan Brown (*LSP*, p. 474, f552). La sculpture n'a été qu'un vaste écran de fumée tout au long de la lente et longue gestation du *Symbole perdu*. Dans la plus pure tradition brownienne du lâchage d'indices vains, elle n'a fait que détourner l'attention des curieux du véritable dessein de l'auteur. Comme le souligne Brent Morris, un maçon américain de très haut rang (un 33e degré du REAA qui a même été vénérable de la prestigieuse loge de recherche anglaise des Quatuor Coronati), interrogé par Giacometti et Ravenne dans *Le Symbole retrouvé* (p. 157), Kryptos « n'a aucun lien avec la franc-maçonnerie ». Ce n'est qu'un jeu intellectuel pour la CIA et aucune personne étrangère à la Compagnie n'y a accès – même Dan Brown n'aurait pu en approcher.

voir l'autel en ouvrant les portes de la salle du temple au sommet de l'édifice.

– Et dans cette même *House of the Temple*, on ne peut passer dans l'entrée directement depuis la porte de l'ascenseur.

– Enfin, comme beaucoup l'ont souligné, il n'existe pas de cérémonie en REAA où l'on boit dans un crâne humain (nous y reviendrons au chapitre 2).

En somme, rien de bien conséquent.

Toutes ces parenthèses, ces invraisemblances, ces légèretés (comme la fusion Moloch-Mal'akh que nous verrons plus loin) sont donc finalement bien vénielles, voire intentionnelles. Et peu importe. Là n'est pas l'important. Beaucoup ne lisent pas nécessairement Dan Brown pour voir narrée une histoire cohérente ou particulièrement construite – même si elle peut l'être –, mais pour que l'auteur américain paraisse dévoiler des secrets, révéler deux ou trois petites choses au hasard des pérégrinations de son héros. Au bout du compte, ça marche. Le récit fonctionne. On se prête au jeu. Et c'est aussi ça la magie de Dan Brown. Car même les légèretés glissées çà et là peuvent devenir ludiques et sources de plaisir. Peu de choses apparaissent en réalité gratuites chez lui et tout participe d'un jeu gigantesque à niveau de réalité multiple, un univers « drapé dans le voile de l'allégorie et illustré par des symboles » (ce qui n'est rien moins qu'une des définitions rituelles de la francmaçonnerie. On y arrive !).

Finalement, à l'instar de ce que l'on vient de voir pour l'*Apothéose de George Washington* ouvrant et refermant *Le Symbole perdu*, nous nous apercevons que tout progresse chez Dan Brown en circonvolutions, en cercles concentriques dans l'orbite desquels des symboles sont disséminés, parfois cachés, parfois invisibles – mais le plus souvent en pleine lumière ce qui est la meilleure des cachettes. Symboliquement, il nous semble gravir un escalier à vis, des marches en spirale sans que l'on sache si elles nous font monter ou descendre. C'est en un sens la signification exacte de l'escalier tournant que Langdon identifie sous la pyramide symbolique (*LSP*, p. 429, f500) une fois que les symboles apparus sous la face inférieure de la minipyramide (bien physique celle-là) ont été ordonnés grâce au carré magique de Benjamin Franklin. Et même là encore, on ne sait si cet escalier descend (ce qu'on peut croire de prime abord, si l'on considère une pyramide à l'égyptienne) ou monte (si la forme pyramidale – comme on le découvre plutôt – désigne la partie supérieure de l'obélisque du monument Washington). Dans nombre d'écoles de mystères ou autres sociétés initiatiques – au premier rang desquelles, la franc-maçonnerie –, l'escalier à vis caractérise l'un des principaux sentiers d'acquisition du Savoir et de la Connaissance qui lui fait suite.

Justement, en parlant de Savoir et de Connaissance, nous avons probablement là l'une des clés d'entrée du *Symbole perdu* (à dire vrai, une clé qui s'applique à bon nombre d'ouvrages – et notamment de romans, justement, « à clés » –, mais en particulier à celui qui nous occupe). À un premier niveau, une part de ce que décline Dan Brown relève du « savoir », d'une connaissance que l'on pourrait qualifier d'« encyclopédique » et relevant de l'« avoir », comme l'indique Irène Mainguy. Et l'autre dimension participe de la « connaissance », c'est-à-dire de l'expérience, de l'approche du principe, autrement dit de l'« être » (ou de l'« étant »). La connaissance est ce qui nous fait approcher du « Principe de l'universel ». En théorie, le savoir est communicable quand la connaissance est incommunicable. Alors, certes, ici, dans *Le Symbole perdu*, nous parlerons de la connaissance avec un petit c. Mais il y a bien de cela : d'un côté, des idées transmises par Dan Brown à son lectorat et, de l'autre, un mécanisme que l'auteur met en place pour que l'auteur s'approprie un cheminement, une envie d'avancer sur un certain chemin qui lui sera propre et peut-être insoupçonné.

Avant d'aborder plus loin ce qui fait le cœur de notre propos – la franc-maçonnerie elle-même dans son principe –, évoquons néanmoins ces quelques aspects relevant du savoir, mais qui confinent en préalable à notre thématique ou permettront d'en éclairer des aspects.

Une pierre dans le jardin de Washington ?

En refermant le *Symbole perdu*, on sait incontestablement que l'histoire nous a parlé de la franc-maçonnerie, sans finalement que l'on sache grand-chose de son fonctionnement, de son histoire. Mais Dan Brown nous a promenés dans une bonne partie de Washington en nous baladant d'édifices en édifices au long d'une piste qui nous paraissait toute maçonnique. Par moments, il était même possible de se demander si certains rebondissements n'étaient pas arrachés à la hâte pour justifier une sorte de *tour-operating* de la Washington – supposée? – maçonnique : ainsi des passages par la *Freedom Plaza* ou Franklin Square et son temple des *Shriners*. Même l'analyse picturale du dollar bien connue – surtout des antimaçons et théoriciens du grand complot de tous poils – peut participer de ce brossage systématique des clins d'œil maçonniques susceptibles d'être repérés dans et autour de Washington, sans pour autant qu'ils soient foncièrement indispensables au déroulé de la course-poursuite. (Nous reviendrons sur ces éléments dans le chapitre 4 qui aborde la question des rapports entre États-Unis et franc-maçonnerie.)

Sur ce plan, il y a lieu de parler avant tout de Washington – la ville –, véritable protagoniste du récit de par son omniprésence. En une nuit, *Le Symbole perdu* nous entraîne notamment des tréfonds au sommet du Capitole, dans la bibliothèque du Congrès, passe par les centres de recherche de la *Smithsonian Institution*, fait un tour du côté de la cathédrale nationale, s'arrête sans s'attarder du côté du George Washington Masonic National Memorial d'Alexandria, des monuments Lincoln et Jefferson de Washington, traverse Freedom Plazza et Franklin Square, nous fait monter à l'intérieur de l'obélisque du Washington Monument sur le *National Mall* de la capitale, pour ne citer que quelques étapes de ce gigantesque jeu de pistes.

Une croyance populaire veut faire du plan de la ville de Washington ainsi que de ses principaux édifices emblématiques des créations maçonniques. Qu'en est-il vraiment?

S'il est incontestable que George Washington lui-même était franc-maçon comme quelques-uns de ses collègues fondateurs des États-Unis d'Amérique et des signataires de la Déclaration d'indépendance de 1776, cela ne fait pas pour autant de l'Union une création maçonnique. Au nombre de ces mêmes pères fondateurs, on comptait aussi quelques antimaçons résolus pour qui l'institution fraternelle était une organisation bri-

tannique à laquelle appartenait trop de leurs adversaires officiers sur le champ de bataille.

Certes, différentes représentations de George Washington
en grand décor maçonnique existent le montrant notamment
poser la première pierre de quelques-uns de ces bâtiments
notoires de l'histoire des États-Unis. Mais Washington
demeure dans l'inconscient comme un grand bâtisseur, le
visionnaire et metteur en œuvre d'une nation où tout était à
faire et où il commença à tout faire. Si la pose de la première
pierre réelle ou symbolique d'un édifice est un événement très
important en franc-maçonnerie, elle l'est également depuis des
temps immémoriaux dans la société dans son ensemble. Mais
nul doute qu'elle revêtait un caractère exceptionnel et marquant pour le frère George Washington, que, de ce fait, il
s'investit personnellement dans cette pose première chaque
fois qu'il le lui fut possible et qu'il le fit avec ses attributs
maçonniques comme les portraits en ont conservé la mémoire.
Il n'y a guère là à s'en offusquer dans un pays où cette forme
d'ostentation a toujours été coutumière et où ce type d'ouverture d'esprit et de non-dissimulation est constitutif de ce qu'ils
sont, et de l'élan de liberté et d'affranchissement de la tutelle
de l'Angleterre qui a présidé à leur création.

Pour autant, rien n'indique particulièrement que, ni le plan
des édifices, ni le tracé même de la ville de Washington, soient
maçonniques. C'est la Constitution des États-Unis de 1787
qui crée la capitale fédérale presque *ex nihilo* sur la rive du
Potomac. Un concours va être lancé et le vainqueur est le
jeune Pierre Charles l'Enfant – qui n'a pas 35 ans. En 1791, le
projet est lancé, mais le caractère irascible du Français va rapidement l'exclure de sa mise en œuvre. Le chantier est repris
par Andrew et Joseph Ellicott, assisté de Benjamin Banneker
(un brillant astronome et fabricant d'horloges, fils et petit-fils
d'esclaves[17]). Or, ni l'Enfant[18], les Ellicott, ni Banneker

---

17. En 1814, une grande partie des édifices majeurs déjà en place, dont
le Capitole, seront incendiés lors d'une offensive des troupes britanniques
désireuses de venger la destruction de York, leur capitale du Haut-Canada
(aujourd'hui Toronto).
18. Contrairement à ce que dit Dan Brown (*LSP*, p. 29, f44).

n'étaient, *a priori*, francs-maçons. Ce n'est donc pas la franc-maçonnerie qui a guidé leur main. Au demeurant, les tracés rectilignes, les quadrillages précis, les récurrences de carrés et d'angles clairement tracés, sont un héritage manifeste des traditions de l'Antiquité romaine qui imprégnaient largement la société d'alors dans son entier.

Ainsi, quant à la dimension strictement maçonnique des bâtiments approchés par Robert Langdon ou les autres protagonistes du *Symbole perdu*, on ne peut donc être certain que des édifices strictement fraternels – au sens large – à savoir le temple des *Shriners* (qui n'est pas *stricto sensu* un ordre maçonnique) de Franklin Square et le Mémorial maçonnique de Washington à Alexandria [19].

Et si James Smithson était bien identifié comme maçon (ce que *Le Symbole perdu* ne spécifie d'ailleurs pas tout en laissant même plutôt entendre qu'il aurait pu être un proche des pères fondateurs, ce qui n'était pas le cas), les bâtiments de l'Institution dont il fut le bienfaiteur n'ont rien de spécifiquement maçonnique [20].

Au passage, disons un mot de l'épisode de la cathédrale nationale, non pas tant pour évoquer son architecture que la personnalité du prêtre, le doyen Galloway, que rencontrent Robert Langdon et Katherine Solomon. Certains ont pu s'étonner de l'implication d'un religieux dans les plus hauts degrés de la maçonnerie. En réalité, bien que ce ne soit pas

---

19. À propos de celui-ci, signalons que ce bâtiment hésitant entre le temple grec, la ziggourat babylonienne ou la pyramide (construit entre 1923 et 1932), abrite notamment un musée à la gloire du premier président des États-Unis, mais il est également le siège de la loge n° 22 Alexandria-Washington, celle-là même qui accueillait en son sein George Washington. Son autre particularité est d'être entretenue par l'ensemble des Grandes Loges des États-Unis, alors que la pratique maçonnique américaine veut qu'un bâtiment de l'Ordre soit à la charge de la seule Grande Loge dans la juridiction de laquelle il se trouve.

20. Sur toutes ces questions de l'architecture « maçonnique » de Washington – qui n'est pas le propos de ce livre –, je renverrai encore une fois le lecteur vers *Le Symbole retrouvé*, de Giacometti-Ravenne, *op. cit.*, *Le Symbole perdu décodé*, de Bauer et Dachez, *op. cit.*, voire le plus anecdotique *Guide maçonnique de Washington*, de James Wasserman (préface d'Alain Bauer), Paris, Éd. Véga, 2009.

précisé dans *Le Symbole perdu*, la cathédrale nationale[21] de Washington appartient au clergé épiscopalien. Il s'agit donc d'un édifice protestant. Le doyen Galloway est donc lui aussi protestant. Or cette branche du christianisme n'a jamais entretenu avec la franc-maçonnerie les rapports conflictuels que le Vatican a imposés à l'ordre fraternel. De ce fait, et en particulier dans les pays anglo-saxons et germaniques, les pasteurs sont nombreux à pratiquer l'Art royal.

Amusant... mais pas vraiment convaincant

Langdon raconte que, l'année précédente, un de ses jeunes étudiants lui avait présenté un plan de Washington surchargé de lignes qui s'entrecroisaient. Celles-ci étaient censées démontrer que les artères de la capitale reproduisaient des motifs (pentacles sataniques, compas et équerres maçonniques, tête de Baphomet...) et donc que les fondateurs maçons de la ville suivaient de sombres desseins. CQFD ! À cela, le héros de Dan Brown répondit : « Amusant, mais pas vraiment convaincant » (*LSP*, p. 26, f41).

La thèse n'est pas nouvelle. Quasiment dès les lendemains de la Révolution américaine, certains (qu'il faut, à dire vrai, quasi exclusivement, parmi les théoriciens de l'intolérance et du Grand Complot mondial, donc les antinomies premières de la franc-maçonnerie et de son esprit de tolérance, de liberté et d'universalité) ont commencé à vouloir voir une empreinte de la maçonnerie sur la jeune nation balbutiante (et le même

---

21. Voulue par Washington, mais seulement votée en 1893, commencée en 1907 sous la présidence de Théodore Roosevelt, elle ne fut achevée qu'en 1990. Comme le mentionne Dan Brown (*LSP*, p. 296, f355), on y trouve effectivement une étrange gargouille représentant la silhouette de Dark Vador (ou Darth Vader pour lui laisser son nom original tellement plus poétique). Dans les années 1980, le magazine *National Geographic* avait lancé un concours pour choisir certains motifs de sculpture destinés à décorer l'édifice. Concernant la représentation du « mal du futur », un jeune garçon du Nebraska, Christopher Rader, avait soumis un dessin représentant le héros sombre de la saga *Star Wars*. Et sa proposition avait été retenue.

constat pourra être fait en ce qui concerne la Révolution française ; les mêmes causes entraînant les mêmes effets). Certes, comme on l'a vu, la franc-maçonnerie n'est pas absente du paysage nord-américain, pas plus qu'elle ne le sera des événements qui secouèrent la France dans les dernières années du XVIIIᵉ siècle et les premières du suivant.

Une esthétique symbolique imprégnait l'ancien monde comme le nouveau sur lesquels soufflait un vent de liberté qu'avait fait naître le siècle des Lumières. Naturellement, cette esthétique symbolique comme cet esprit de liberté se retrouvaient dans la franc-maçonnerie, mais pas seulement chez elle. Tout un ensemble de courants philanthropiques, libéraux – pour ne pas dire libertaires – s'en prévalaient aussi. Ainsi, la recherche historique a depuis longtemps démontré que l'influence maçonnique sur les Révolutions française et américaine était pour le moins exagérée, si ce n'est totalement infondée. Des francs-maçons éclairés, il y en avait dans chaque camp. Et il n'était nul besoin d'appartenir à une loge pour rêver d'indépendance et d'affranchissement à l'endroit des oppressions. Au contraire, le cadre des loges, la possibilité parfois de permettre aux belligérants de dialoguer en leur sein, a pu, à l'occasion, limiter les violences, permettre de sauver des vies. Et, à l'inverse, on sait aujourd'hui que le fait que les hommes de théâtre n'aient pas eu accès à la franc-maçonnerie au XVIIIᵉ siècle, a pu déchaîner l'ire de personnages comme les révolutionnaires Collot d'Herbois ou Fabre d'Églantine qui s'en prirent tout particulièrement aux francs-maçons.

Et même si l'on avait pu démontrer que la « griffe » de la franc-maçonnerie avait bien présidé aux destinées des États-Unis et de ses préalables, encore faudrait-il supposer une véritable malignité, une sombre volonté malfaisante, pour s'en offusquer. Ce qui resterait encore davantage à prouver. Au demeurant, même si cet esprit de construction et de fraternité maçonnique avait réellement été présent à l'origine, cela ne signifierait pas davantage qu'il ait nécessairement perduré au long des années et que les successeurs des pères fondateurs n'aient pas pris d'autres orientations.

On peut tout faire dire aux symboles et Dan Brown en est une parfaite démonstration. On peut tout leur faire dire, ce qui ne signifie pas, que, *in fine*, il n'y ait pas un véritable sens à découvrir (qui procède souvent du choix des symboles retenus justement, alors qu'on en laisse d'autres de côté).

Les théoriciens du Complot et de l'Amérique « maçonnique » vous diront qu'il y a 13 étoiles sur le Grand Sceau des États-Unis, treize flèches dans une serre de l'aigle et un rameau d'olivier à treize feuilles dans l'autre, treize bandes rouges et blanches sur l'écu, treize lettres à la devise *e pluribus unum*, au recto du sceau, et *annuit coeptis*, au verso (laissant, dans le même temps de côté, du moins sur le plan numérologique, la formule *Novus Ordo Seclorum*, qui compte dix-sept lettres...), la pyramide tronquée a treize niveaux de blocs, le chiffre latin inscrit au bas de la pyramide donnerait 1776 et, en réduction, un autre chiffre clé de la franc-maçonnerie, le 3^{22} (1 + 7 + 7 + 6 = 21 et 2 + 1 = 3), etc. Et dans le soubassement du Capitole, Robert Langdon découvrira treize petites cellules (*LSP*, p. 146, f185). Cette omniprésence du treize suggèrerait une influence « diabolique ». Il faudrait d'abord démontrer la symbolique négative de ce chiffre qui, s'il peut paraître néfaste à certains, est tout à fait propitiatoire pour beaucoup d'autres. Rien que dans le système duodécimal qui prévaut encore aujourd'hui chez les Anglo-Saxons (et qui était donc celui des pères fondateurs), le 13 n'avait pas cette noire dimension. Au contraire, il représentait le retour à l'unité après le 12, l'accomplissement, l'acte gratuit et généreux (ce que l'expression populaire « 13 à la douzaine » a conservé). Et surtout, voir quelque chose d'obscur derrière cette insistance du treize dans les symboles majeurs et premiers des États-Unis, c'est oublier que les États fondateurs étaient au nombre de... treize. De même que 1776 est la date de la Déclaration d'indépendance. Et c'est tout cela qui fut représenté sur le Grand Sceau (au demeurant, conçu par l'artiste d'origine suisse, Pierre-Eugène Du Cimetière – américanisé en Du Simitière –

---

22. La symbolique du 3 est effectivement très importante en maçonnerie et s'articule autour de la figure du triangle. Il y a trois grandes lumières, trois petites aussi, trois piliers, trois officiers pour diriger une loge... Et les frères sont souvent surnommés « frères trois points », d'après un mode d'abréviation qui leur est coutumier.

qui n'était apparemment pas, lui non plus, franc-maçon). Il n'y avait là rien d'obscur ou de diabolique puisque c'était simplement la restitution de faits objectifs (ou alors, il faudrait vraiment imaginer la présence, là-haut, d'un Grand Architecte malicieux qui se serait ingénié à mettre toute cette structure en place...).

S'il y avait eu, en tout cas, volonté de conspiration ou intention « magique », on est en droit de se demander pourquoi les choses auraient-elles été aussi ostensibles.

Oui, peut-être peut-on tout faire dire aux symboles (dans une certaine limite). Mais ce qui importe c'est qu'ils ouvrent des portes, et surtout, qu'ils invitent à la discussion, au dialogue. Ce sont des balises sur un chemin que l'on est libre d'emprunter ou non. Un chemin qui ne peut que grandir l'être si tant est qu'on veuille bien le suivre et, en aucun cas, s'en servir pour nuire à son prochain ou encore moins l'avilir.

À propos, pour baliser le sien, Dan Brown a utilisé 133 chapitres. Comme une façon d'aller du premier au trente-troisième degré. Et la réduction de 133 donne sept (1 + 3 + 3). Une manière de dire que tout est « juste et parfait » ? Décidément, on peut vraiment tout faire dire aux chiffres et aux symboles.

APARTÉ
Mal'akh, ange déchu ou démon annonciateur ?

> « Je suis venu obscurcir la lumière [...]. C'est mon rôle. [...] La destinée de Katherine est d'allumer cette torche. La mienne de l'éteindre. »
>
> *LSP*, p. 54, f72.

Dans *Le Symbole perdu*, à défaut d'une organisation criminogène, Dan Brown nous offre un « vilain » quasi archétypal, à côté duquel nous ne pouvions passer sans nous arrêter un instant. Cet homme tatoué presque entièrement des pieds à la tête rappelle à bon nombre d'amateurs de *thrillers* un autre « monstre » au corps semblablement peint : le Francis Dolarhyde, du *Dragon rouge*, de Thomas Harris (et du film éponyme de Brett Ratner, avec Ralph Fiennes dans le rôle de Dolarhyde et Anthony Hopkins dans celui de cannibalissime Hannibal Lecter). Les deux psychopathes se sont fait représenter sur la chair des motifs à caractère mystico-religieux : l'assassin de Harris a choisi une adaptation du Grand Dragon rouge et la femme vêtue de soleil, de William Blake[23], tandis que Mal'akh s'est recouvert de symboles balisant son chemin vers ce qu'il croit être la Puissance.

Les ressemblances s'arrêtent là. Si Dolarhyde – personnage falot et schizophrène, victime de tortures infligées par sa grand-mère dans son enfance – répond à des pulsions meurtrières incontrôlées, le meurtrier de Dan Brown issu d'une famille de la haute société a connu une enfance choyée à défaut d'être particulièrement aimé. Et en fils de bonne famille, il a entrepris un parcours « hors piste » qui l'a entraîné sans doute plus loin qu'il ne l'aurait voulu. Pas de sévices dans la prime enfance, donc, chez Mal'akh, pas de schizophrénie – tout au moins, pas de la même façon que chez Dolarhyde –, mais davantage de mégalomanie et une névrose de l'abandon qui alimentera sa soif irrépressible de vengeance.

Littéralement, Mal'akh ne sera pas représentatif de la maçonnerie. Si même, il se fait recevoir dans l'ordre fraternel et s'il devient un maçon dévoyé, ce n'est pas tant dans une démarche antimaçonnique que pour se venger de son père, Peter Solomon, haut dignitaire de la franc-maçonnerie – qui, quelles que soient ses intentions et aussi bonne fussent-elles, y a presque tout *sacrifié*, y compris sa progéniture. Même le désir du fils d'acquérir le « Pouvoir », de découvrir le « Secret ultime », participe davantage d'une volonté de montrer à son géniteur qu'il peut être meilleur que lui sur son propre terrain, plutôt que d'une véritable aspiration à la puissance ou même d'une réelle intention de nuire à qui que ce soit au-delà de son cercle familial restreint.

Mais on peut deviner que rien n'est gratuit chez Dan Brown. Et c'est là, en ce que Mal'akh révèle de la personnalité de son père, comme son reflet obscur, qu'il mérite quelques instants d'attention.

---

23. Cette peinture, *The Great Red Dragon and the Woman Clothed in Sun*, fait partie d'une série de quatre réalisées par le peintre-poète anglais entre 1805 et 1810 pour décliner la thématique du Grand Dragon rouge de l'Apocalypse : les trois autres œuvres étant *Le Grand Dragon rouge et la femme vêtue du soleil/The Great Red Dragon and the Woman Clothed with the Sun*, *Le Grand Dragon rouge et la Bête de la Mer/The Great Red Dragon and the Beast from the Sea*. Nous ne sommes finalement pas très loin des thèmes chers à Mal'akh.

Mal'akh naît Zacharie Salomon (diminutif Zach, voir *LSP*, chap. 51), fils de Peter et, par là, héritier de l'une des plus grosses fortunes des États-Unis. Si le prénom Zacharie signifie littéralement « L'Éternel se souvient », il faut peut-être davantage aller chercher le motif du choix de ce nom du côté du prophète biblique qui le portait. Si on ne connaît pas grand-chose de lui, on sait tout au moins que le livre qui lui est attribué annonce les temps messianiques[24], mais plus encore, pour le sujet qui nous intéresse, qu'il participa activement à la reconstruction du temple de Jérusalem, après la captivité à Babylone.

D'une certaine manière, Peter Solomon manifestait par cette attribution du prénom Zacharie les grandes ambitions qu'il fondait sur son fils. En outre, ce dernier est un louveteau (terme sous lequel on désigne les fils de maçon). Or il est intéressant de remarquer qu'en anglais (langue originelle – qu'on le veuille ou non – de la franc-maçonnerie spéculative moderne), ce mot louveteau se dit *lewis*, substantif qui se traduit également par « levier » (un instrument essentiel de la maçonnerie symbolique, sans lequel rien de majeur ne pourrait se construire réellement).

Zach Salomon va choisir une voie toute autre et, en prenant en main sa vie, il se rebaptise pour stigmatiser cette nouvelle orientation. D'abord, il opte pour le prénom Andros. Il ajoute aussi un patronyme Dareios. Pour Dan Brown, ce nom signifie le « guerrier (Andros) riche (Dareios) » (*LSP*, chap. 57).

Mais, en grec, Andros (qui a donné un prénom comme André), c'est surtout l'« homme[25] ». Après les hautes aspirations spirituelles du père, le jeune homme réintègre sa dimension humaine pour renaître : de l'esprit, il se reconcentre sur le corps qu'il va cultiver, modeler, tel un nouveau démiurge de la corporéité. Mais ce passage par le corps – et l'humain, pas encore « trop humain » – n'est qu'une étape. Au jour venu, lorsqu'il se présentera devant son

---

24. Voir notamment Za 9, 9 ; 11, 12-13 ; 12, 10 ; 13, 6. Les chapitres 1 à 8 contiennent une série de visions relatives à la venue du peuple de Dieu. Les chapitres 9 à 14 rapportent les visions concernant les « derniers jours », le rassemblement d'Israël, la dernière grande guerre et la venue du Messie.

25. En guise de clin d'œil (ou peut-être un peu plus que ça), entre Zach et Andros, l'intéressé a aussi été le « prisonnier 37 », chiffre que Dan Brown n'a, encore une fois, probablement pas choisi au hasard. Si l'on regarde du côté de la symbolique des nombres, l'homme (l'Andros) a toujours été associé au nombre 5. Ainsi, si l'on vient « enfermer » celui-ci dans sa cellule du 37, on obtient un intéressant 3 – 5 – 7 qui a un sens déterminant dans le parcours du franc-maçon.

créateur terrestre pour réclamer son dû, sa vengeance, ce n'est pas un *Ecce Homo* (« Voici l'homme ! *Andros* ! ») qu'il veut mettre en scène, mais un *Ecce Angelo*, voire un *Ecce Diabolo*. Ce qui, pour lui, est en quelque sorte la même chose et Dan Brown ne fera que l'attester. Et cette évidence s'impose, nous dit précisément l'auteur du *Symbole perdu*, lorsque le jeune homme tombe sur *Le Paradis perdu*, de Milton [26]. En lisant ce dernier, nous explique Dan Brown, Andros découvre la figure de Moloch, le « grand ange déchu », le guerrier démoniaque qui combat la lumière (*LSP*, p. 289, f347). Et il transforme le nom en Malak'h en découvrant qu'il s'agit là de la forme ancienne du nom.

Seulement, contrairement à ce que laisse entendre Dan Brown, Mal'akh n'est pas littéralement une forme ancienne de Moloch, même si, hypothétiquement, ils peuvent avoir une racine archaïque commune. On sait que l'hébreu ne comporte que des consonnes et que c'est l'oralité qui ajoute les voyelles. Mais le choix de celles-ci fait plus qu'apporter généralement des nuances. En outre, dans le cas qui nous intéresse ici, la différence entre Mal'akh (en hébreu, מַלְאָךְ) et Moloch (en hébreu, מלך) est davantage qu'une question de voyelles. Si, dans l'imaginaire collectif, Moloch désigne une créature divine relativement terrifiante, un dieu terrible, sombre, auquel on sacrifiait les premiers-nés en les jetant dans un brasier, le nom lui-même (la racine hébraïque *mlk*) signifie simplement « roi » (ou « maître », ce qu'on retrouvera dans *Melchisédech*, par exemple ; le roi ou le maître de Justice). D'ailleurs, *Le Paradis perdu* de Milton lui-même présente Moloch comme un « roi horrible ».

En revanche, Mal'akh, c'est l'« envoyé de Dieu » (d'après la racine hébraïque ל-א-ך, « envoyer »), un ange pas nécessairement déchu. On a là, cette fois, affaire à un être beaucoup plus lumineux, l'un ne se confondant donc pas dans l'autre (au moins de prime abord).

---

26. Sans vouloir faire de raccourci trop étourdissant, il y a d'ailleurs peut-être plus qu'une certaine homophonie entre *Symbole perdu* et *Paradis perdu*. Comme Zach va trouver son nouveau nom et le sens de sa destinée dans le texte du poète aveugle, ne serait-ce pas dans ce même texte que Dan Brown a puisé la matière de son ouvrage et la réorientation de celui-ci de *La Clé de Salomon* au *Symbole perdu* ? La manifestation de cette divinité de l'homme – que Brown veut voir comme l'une des clés de cette « parole/ symbole » perdu – se caractérisant par cette liberté de choix élémentaire entre le Bien et le Mal – les deux cohabitant dans l'individu ?

Que Zach-Andros ait choisi Moloch comme nom marquant sa nouvelle personnalité paradoxale participe de la logique : dans un cadre d'inversion de valeurs, Moloch, c'est le dieu qui dévore les premiers-nés, comme Peter Solomon a, selon son fils, volontairement sacrifié son aîné. Et pour exorciser ce sacrifice, faire payer le père, Zacharie l'adopte. Ou plutôt, il choisit Mal'akh, affectant par là une modification sémantique qui ne relève pas seulement de la nuance fortuite. Moloch/Peter, le vrai sombre (dans les yeux de Zach) a voulu dévorer son fils. Mais c'est Mal'akh, l'ange de lumière (en quelque sorte, Lucifer, c'est-à-dire littéralement le « porteur de Lumière ») qu'envoie l'Éternel (parce que celui-ci – comme l'indique le prénom Zacharie, rappelons-le – n'oublie pas ; Il *se souvient*) pour venger le sacrifice indigne. De Mal'akh à Zacharie, la boucle se referme, tel un *ouroboros*, un serpent qui se mord la queue – motif que l'on retrouvera de manière symptomatique et ostensible, au sommet du crâne, dans les tatouages de Mal'akh. Familier de ce genre de circonvolutions symboliques, Dan Brown a donc probablement fait en toute connaissance de cause cette fusion Mal'akh/Moloch qui pourrait paraître une erreur au premier abord. De cette manière, il souligne cette ambiguïté, ce glissement potentiel du bien au mal, de la lumière à la ténèbre, du blanc au noir, qui repose sur d'infimes éléments.

ZAch/Mal'akh, le louveteau, a une connaissance suffisante de la franc-maçonnerie chère à son père pour savoir comment l'atteindre, comment le vaincre. Il sera son reflet, son inverse, l'« adversaire[27] » que le nouveau maçon initié aperçoit, derrière lui, dans le miroir, et qui n'est autre que lui-même. Quand le père est lumière, le fils sera obscurité et *vice versa*, dans une permanente démarche paradoxale. Ainsi, le jeune homme sait que, pour Peter Solomon, il est une maxime fondamentale : *Ordo ab chaos*, « du chaos naît l'ordre ». Aussi va-t-il s'ingénier à inverser cette formule pour détruire son père. De l'ordre doit naître le chaos, considère Mal'akh, les ténèbres doivent succéder à la lumière (*LSP*, p. 289, f347). Et de cette façon, il fait de son corps une œuvre d'art et ordonne parfaitement, scrupuleusement, l'univers autour de lui… pour mieux le détruire. Après avoir modelé son corps (voire dénaturé en s'émasculant au nom de sa démarche « spirituelle ») et l'avoir décoré, il met en forme son espace de travail, son *sanctum*

---

27. L'adversaire, c'est le Tentateur, celui qui vous attire dans des voies injustes et imparfaites. Et littéralement, en hébreu, le « Tentateur », c'est… Shatan.

sanctorum, en vertu de mesures précises : un carré de douze pieds pour la pièce (« Les signes du zodiaque sont douze, comme les heures du jour et les portes du ciel ») avec, au centre, une table de sept sur sept (« Sept sont les sceaux de l'Apocalypse et sept les marches du Temple. ») Et ainsi de suite. Un éclairage coloré évolutif au gré des influences horaires prend même sa place dans l'ensemble (*LSP*, p. 301, f361).

Le chapitre 77 du *Symbole perdu* nous relate la progression de Mal'akh dans son chemin obscur. La mise en ordre extérieure de soi par les tatouages est partie d'une volonté parfaitement profane de dissimulation des cicatrices par des motifs. Les tatouages finiront par lui recouvrir intégralement le corps à l'exception, au sommet du crâne, d'un petit espace circulaire de chair vierge entouré d'un *ouroboros*, où il entend tracer le signe ultime une fois qu'il l'aura identifié. Quant au reste du corps, on sait notamment que des serres d'aigle décorent ses pieds, que ses jambes représentent les deux anciennes colonnes de sagesse bibliques, Jakin et Boaz, que ses hanches et son ventre forment le porche du pouvoir mystique et que ses organes génitaux massifs portent des symboles tatoués de sa destinée. Un phœnix à deux têtes barre sa poitrine. Un assemblage de symboles s'articule sur le visage et, donc, un serpent se mordant la queue complète cette architecture charnelle en entourant la tonsure de peau nue au sommet du crâne. (*LSP*, p. 268-269, f323-4). Il a fait de son corps un temple dévoyé de la spiritualité maçonnique chérie par son père et donc honnie par lui-même.

Mais avant d'aboutir à cela, très vite, il nous a été raconté comment l'homme découvre les textes anciens de la magie sombre jusqu'au maître moderne de la « voie de la main gauche », Aleister Crowley, pour nourrir sa réflexion. Il tient là le moyen de sa vengeance en espérant « devenir divin, ou sacré » à travers le sacrifice (ce dernier terme signifiant littéralement cela, venant étymologiquement de *facere*, « faire », et *sacer*, « sacré »).

À partir de ces textes, il se donne des principes moteurs comme : « Le sang est ce qui sépare la lumière des ténèbres » (*LSP*, p. 287, f345) ou : « Toute métamorphose spirituelle est précédée par une métamorphose physique » (*LSP*, p. 268, f323). Des principes souvent vrais mais qu'il va interpréter d'une manière dévoyée ou systématiquement destructrice qui l'entraîneront vers le gouffre. Ainsi, par exemple, au tout départ de ce périple, intervient un épisode en apparence anodin. Un soir, un corbeau pénètre dans l'appartement de Zach/Mal'akh et s'y retrouve piégé. Le jeune homme y voit là un signe. Peut-être. Mais lequel ? Lui, pense qu'il doit sacrifier le volatile et il s'exécute. Or, s'il est bien un animal symbolique de l'initiation et de la mise en œuvre initiale du Grand Œuvre alchimique, c'est bien le corbeau (même si le monde moderne l'a quelque peu oublié pour ne plus voir dans le *corvus* qu'un oiseau de mauvais augure). Dans les temps anciens, de nombreux peuples considéraient les corbeaux comme sacrés et les plus grands dieux de certaines mythologies – comme le Nordique Odin-Wodan ou le Celtique Lugh – en faisaient leurs oiseaux sacrés fétiches[28]. Mais surtout, dans diverses sociétés initiatiques – à commencer par l'une des principales, le mithraïsme –, le grade initial était celui de « corbeau », en grec *korax*. Dans cette religion de Mithra[29] qui comptait sept grades, si l'on sacrifiait éventuellement un taureau, voire d'autres animaux, il n'était pas question de tuer le représentant de l'un des degrés et, *a fortiori* pas le premier.

En un sens, il s'est détruit lui-même en exécutant symboliquement le corbeau sans se libérer pour autant. Mais en réalité, le vrai sacrifice dont il était le protagoniste avait commencé des années auparavant et son père en était l'agent. En effet, par deux fois déjà, Peter Solomon l'a sacrifié ou failli le tuer plus ou moins intentionnellement : une première fois en l'abandonnant à son sort dans une prison turque, dans laquelle le jeune disparaîtra « officiellement » et Zach mourra « symboliquement » dans son individuation. Puis revenu se venger de sa famille, il sera mis en fuite par son père – ignorant à qui il a affaire – qui lui tirera dessus à bout portant – sur le « pont de Zach » – et laissera le corps partir à la dérive dans la rivière (*LSP*, chap. 51 et 57).

Mais chaque fois, Zach/Mal'akh a survécu et « ressuscité ». Par conséquent, il lui reste à faire l'expérience du sacrifice ultime : mourir de la main de son père, tel Isaac censé être immolé par Abraham. Mais cette fois, ce n'est pas Yahvé qui ordonnera au patriarche de sacrifier son fils, c'est ce dernier – devenu lui-même

28. Parlant des voyages de ses deux corbeaux, Huginn (littéralement la « Conscience ») et Muninn (la « Mémoire »), qui sont ses principaux messagers auprès des hommes, Odin dit : « J'ai peur qu'Huginn ne revienne pas, mais c'est pour Muninn que je m'inquiète le plus. » Quel corbeau Mal'akh sacrifie-t-il ? La Pensée présente ou la Mémoire de ses origines ?
29. Celle de l'empereur Constantin et inspiratrice par de nombreux aspects – notamment structurels – du futur christianisme constantinien.

« divin » dans une dernière apothéose – qui ordonnera à son géniteur de le tuer. En une nouvelle inversion, Moloch le sombre, l'« horrible roi » dévoreur d'enfant s'est transformé en agneau sacrificiel.

Et à cette fin, Mal'akh se serait même procuré le propre couteau qui aurait servi à l'*akedah* (le sacrifice, ou plus littéralement, la ligature) d'Isaac, taillé (et non pas « forgé » [version française], puisqu'il est modelé dans une pierre météorite) il y a plus de 3 000 ans (*LSP*, p. 445 f519).

Et à cette troisième tentative, Mal'akh succombera bien, mais pas de la main de son père qui aura refusé, à la dernière seconde, de commettre l'infanticide suprême. Alors qu'il attendait que s'abatte sur lui le « fer du ciel » (surnom du couteau météorite noir, telle une obsidienne), c'est le verre du ciel – des milliers d'éclats acérés tombant d'une verrière pulvérisée comme autant d'étoiles lumineuses – qui le transpercera mortellement.

Toute cette affaire de Mal'akh apparaît finalement comme la dérive et la destinée fracturée d'une malheureuse personnalité abandonnée à son sort et à ses névroses. Et si, comme nous l'avons dit d'emblée, elle peut sembler n'avoir de rapport avec la maçonnerie qu'à la marge, en tant que moyen de faire souffrir le père prétendument coupable, certains éléments de ce drame peuvent nous ramener ou nous faire penser toutefois à des aspects fondamentaux de la philosophie maçonnique.

Zach/Mal'akh est intéressant dans ce qu'il nous révèle en creux, en miroir, de son père, maçon qui se veut impeccable. Impeccable il l'est assurément – pour autant qu'on puisse l'être – dans le cadre du temple, mais peut-être n'a-t-il pas manifesté ce même esprit à l'extérieur alors que la lumière qui a éclairé les travaux de la loge doit « continuer de briller dans le maçon afin qu'il achève au-dehors l'œuvre commencée dans le temple ». Or l'un des premiers devoirs qu'un maçon doit respecter à l'extérieur – un devoir qui prime même, dit le rituel, sur ses devoirs de loge –, c'est l'entretien de sa famille, l'attention accordée aux descendants comme aux ascendants. Or de ce point de vue, Peter Solomon a manifestement oublié une partie de ses obligations familiales au profit de son idéal maçonnique et Mal'akh lui renvoie ce reflet sombre de lui-même qu'il aurait préféré occulter. Par trois fois, il a frappé ou failli frapper son fils, comme les trois mauvais compagnons ont agressé le maître Hiram, l'architecte du temple de Jérusalem, pour lui arracher ses secrets. Il s'agit là de l'un des mythes fondamentaux de la franc-maçonnerie.

En ayant voulu révéler au monde des secrets du temple par le biais d'une vidéo clandestine, Mal'akh endosse le rôle du parjure ; rôle que joue, lors de l'initiation d'un nouveau maçon, le dernier apprenti entré. Mais malgré cela, parce qu'il est son fils, Zach/ Mal'akh demeure le miroir des manquements du père. Peter Solomon n'a pas tenu son rôle ; il n'a pas su utiliser « de manière juste et parfaite » le levier/louveteau pour construire un nouveau temple. Et la voûte étoilée s'est effondrée sur lui.

Alors peut-être est-ce pour racheter en partie cette faute qu'il révèle une partie du secret de la « parole perdue » à Robert Langdon, son *fils* spirituel.

Chapitre 2

LE CABINET DE RÉFLEXION :
LA FRANC-MAÇONNERIE SELON DAN BROWN

« Il existe certaines réalités ésotériques,
que vous percevrez comme des mythes,
parce que vous n'avez pas été correctement
initié et préparé pour les comprendre. »
LSP, p. 193, 1230.

Presque parvenu au terme du *Symbole perdu* (p. 472, 1556),
Peter Solomon demande à Robert Langdon de se bander les
yeux comme un futur apprenti avant de l'emmener vers
l'endroit où se trouve la « Parole perdue ». Devant l'étonnement ou la réserve de son interlocuteur et pour toute explication, le secrétaire général de la Smithsonian Institution lâche
simplement : « [C'est] mon secret. Mes règles. » Car assurément, d'un strict point de vue de la confidentialité, l'occultation de la vue de Langdon ne se justifie en rien. Ce qu'il serait
susceptible de voir n'a guère de caractère sensible : dès que la
lumière lui serait rendue, il n'aurait aucune peine à comprendre – et c'est ce que Peter Solomon désirait – qu'il se
trouvait au sommet de la basilique du Washington Monument. Et même s'il édifice est son administrativement mili-
tarisé, il n'y avait assurément pas de secret à respecter à
l'intérieur de l'ascenseur situant au faîte de la colonne (typi-
quement, Non, toit –). L'objet de son guide – se se instituait que
par le « rituel ». Les secrets – si secret il y a – ne participent que

1. Coiffe par une pierre sommitale de 3 300 (55 × 100) livres.

Chapitre 2

LE CABINET DE RÉFLEXION :
LA FRANC-MAÇONNERIE SELON DAN BROWN

> « Il existe certaines réalités maçonniques
> que vous percevrez comme des mythes
> parce que vous n'avez pas été correctement
> initié et préparé pour les comprendre. »
> *LSP*, p. 193, f239.

Presque parvenu au terme du *Symbole perdu* (p. 472, f550), Peter Solomon demande à Robert Langdon de se bander les yeux comme un futur apprenti avant de l'emmener vers l'endroit où se trouve la « Parole perdue ». Devant l'étonnement ou la réserve de son interlocuteur et pour toute explication, le secrétaire général de la *Smithsonian Institution* lâche simplement : « [C'est] mon secret. Mes règles. » Car assurément, d'un strict point de vue de la confidentialité, l'occultation de la vue de Langdon ne se justifie en rien. Ce qu'il serait susceptible de voir n'a guère de caractère sensible : dès que la lumière lui serait rendue, il n'aurait aucune peine à comprendre – et c'est ce que Peter Solomon désirait – qu'il se trouvait au sommet de l'obélisque du Washington Monument[1]. Et même si l'édifice est zone administrativement militarisée, il n'y avait assurément pas de secret à repérer à l'intérieur de l'ascenseur amenant au faîte de la colonne égyptienne. Non, tout – à l'esprit de son guide – ne se justifiait que par le « rituel ». Les secrets – si secret il y a – ne participent que

---

1. Coiffé par une pierre sommitale de 3 300 (33 × 100) livres.

d'une démarche nécessairement intériorisée et personnelle sans incidence directe sur le monde profane – si ce n'est, potentiellement, par l'illumination de l'individu qui joue le jeu. Pour lui laisser entrevoir une partie de ses secrets, Solomon avait besoin de diriger son ami Langdon dans la voie de la maçonnerie en profane « demandant à être admis aux mystères ».

Dan Brown dit ne pas être franc-maçon. C'est fort possible. Tous les dignitaires de l'Ordre interrogés par les différents médias depuis la sortie du *Symbole perdu* confirment qu'il n'appartient manifestement pas à la franc-maçonnerie américaine. Néanmoins, tout lecteur de son dernier roman en date sait déjà que la cinquantaine de dernières pages de l'ouvrage ressemble à ce qui pourrait être un plaidoyer *pro domo* sans ces dénégations. (Mais, précisons tout de suite que cet enthousiasme et ce respect à l'endroit de la maçonnerie ne sont pas en soi une preuve d'appartenance. Si l'on me permet une remarque personnelle, j'y retrouve beaucoup du point de vue que j'ai exprimé à son propos pendant des années en tant que profane, sans avoir la moindre intention, alors, de franchir la porte basse). Ce qui est certain aussi, c'est que, à l'instar de la démarche « rituélique » de Peter Solomon, l'ensemble du livre est émaillé de petites allusions plus ou moins discrètes, nuancées, parfois un peu plus appuyées, à la maçonnerie. Certes, elles ne permettent pas d'avoir une vue d'ensemble précise de ce qu'est l'Art royal ou le Métier, pour prendre d'autres noms qu'on lui prête. Mais puisque le choix a été fait d'utiliser la clé du *Symbole perdu* pour entrouvrir la porte du temple, il est souhaitable de s'intéresser un instant à la vision de la franc-maçonnerie selon Dan Brown.

Mise en ordre

En préalable, avant d'aborder davantage le fond, disons un mot de la forme qui a aussi sa pertinence ici. Beaucoup ont déjà fait observer que *Le Symbole perdu* paraissait plus structuré que les précédents *opus* de Dan Brown, que la poursuite était plus haletante et que la quête avait un sens plus affirmé. Paradoxalement, Robert Langdon semble quelque peu en retrait au regard de ses aventures antérieures. Il subit plus qu'il n'agit. Son intervention dans la résolution des énigmes ne se manifeste fréquemment qu'à la marge alors que tous les éléments ont déjà été assemblés par d'autres que ce soit notamment Warren Bellamy, l'architecte du Capitole[2], le révérend Colin Galloway de la Cathédrale nationale ou, surtout, la chercheuse Katherine Solomon, la sœur de Peter. Langdon se retrouve confronté à moins d'énigmes à résoudre que dans le *Da Vinci Code* ou *Ange et Démons* et des énigmes assurément moins complexes.

Pour tout dire, il donne clairement l'impression d'être promené dans Washington pendant douze heures autant par Mal'akh que par un groupe de maçons qui ont quelque chose à révéler et paraissent tous plus ou moins dans la confidence. Sur un plan formel, la course-poursuite de Langdon ressemble beaucoup à l'initiation d'un profane avec ses questions-réponses, ses doutes, ses confrontations à soi-même, ses passages dans des lieux sombres et de réflexion, ses voyages... Même le temps imparti, cette période de douze heures, abonde dans ce sens alors que, traditionnellement, une tenue – c'est-à-dire une réunion – de premier degré se déroule symboliquement de midi à minuit. Et cette scène déjà évoquée du voilement des yeux superfétatoire de Langdon à la fin de l'ouvrage avant de lui rendre la lumière va dans le même sens.

Mais reprenons quelques éléments du voyage de Robert Langdon dans Washington – tel que nous le propose Dan Brown – pour comprendre – ou partager – comment il s'engage dans un parcours maçonnique. Il ne s'agira ici ni d'être exhaustif, ni d'être affirmatif en tous points[3]. Dans tous les cas

---

2. Cette fonction majeure intègre non seulement les questions d'entretien et de maintenance de tous les bâtiments du complexe du Capitole, mais aussi la supervision de tout ce qui se passe dans son périmètre, à commencer par les cérémonies. L'architecte est désigné par le président des États-Unis pour dix ans reconductibles.

3. On me pardonnera aussi de me cantonner à une symbolique des plus exotériques au regard de la maçonnerie, à un exposé de la démarche plus que de la lettre, afin de ne pas déflorer trop du mystère et affadir le charme – au sens littéral – de l'initiation pour ceux qui voudraient en entreprendre le chemin. (Ce qui est aussi une façon de faire croire qu'on sait... quand, en réalité, on ne sait rien. Comme tout cherchant.)

et quelle que soit l'interprétation ou la motivation de Dan Brown, nous avons affaire à une vision romanesque. Mais c'est aussi en cela qu'elle est intéressante pour notre propos. L'initiation – et en particulier celle de l'apprenti maçon – s'adresse à l'intériorité. Elle renvoie à la personne initiée, à son vécu passé et présent, à ses aspirations. Ainsi, l'un des premiers travaux qu'il aura à accomplir en maçonnerie sera de présenter ses impressions d'initiation devant ses frères et/ou sœurs. D'un individu à l'autre, elles ne sont jamais les mêmes et l'expression de celles-ci profitent aussi bien à celui qui les énonce qu'à ceux et celles qui les écoutent. On a là encore une manifestation du *e pluribus unum,* du « un à partir de plusieurs ». Ou son contraire puisque tout est dans tout, mais la finalité participe bien de l'unité.

Et ici, autour de cette aventure allégorique de Langdon, nous sommes bien au cœur de cette problématique de l'initiation avec pour point d'orgue une mise en ordre ou une structuration de soi (anecdotiquement – et probablement inconsciemment –, si l'on a déjà relevé ailleurs une forme d'incohérence narrative liée à la claustrophobie du héros qui disparaît au gré de l'histoire, on peut imaginer que cette progression dans la voie de l'harmonisation des déséquilibres intérieurs confine à la « guérison » de ceux-ci. C'est sans doute aller ici au-delà de l'intention de Dan Brown, mais c'est l'avantage du symbolisme de permettre ces interprétations. Et par symbolisme, je fais référence ici davantage à l'école littéraire du même nom incitant le lecteur à accomplir la moitié de l'œuvre d'interprétation créative qu'au domaine de l'étude des symboles *stricto sensu*).

De midi à minuit

Commençons par dresser le cadre. Nous venons de dire un mot de l'intervalle temporel que dure la poursuite de Robert Langdon : douze heures qui nous renvoient au midi-minuit d'un temps de tenue maçonnique. Certes, *Le Symbole perdu* ne s'écoule pas de midi à minuit, mais l'important n'est pas cette caractérisation précise sur l'horloge, mais bien ces douze heures, la durée de l'intervalle. Ainsi, ailleurs dans le rituel, on nous dit aussi, en un certain sens, que le maître de la loge ouvre les travaux en même temps que le soleil se lève à l'est et que les travaux sont refermés lorsque l'astre plonge derrière le couchant à l'occident. On est bien là encore dans cette division duodécimale du jour qui était propre aux civilisations anciennes – notamment à Rome –, où la journée était divisée en douze heures, indépendamment de leur durée réelle variable au cours de l'année.

Robert Langdon connaît l'importance du temps sur la construction de la personne, ce qu'il nous rappelle chaque fois qu'il fait allusion à sa montre Mickey Mouse offerte par ses parents à l'occasion de son neuvième anniversaire[4]. Régulièrement, il explique que ce gadget de l'enfance le pousse à relativiser. Elle est comme un retour permanent à l'essence, aux valeurs primordiales de l'innocence des premiers temps, de même qu'en maçonnerie, le frère ou la sœur sont régulièrement incités à retourner dans l'« intériorité de la terre », dans ce moment privilégié de réflexion dans le cabinet éponyme, avant même d'avoir franchi les portes du temple.

Au-delà même de ce cadre temporel de douze heures, la course-poursuite s'inscrit entre deux gnomons, deux axes pointés vers le ciel à défaut de donner littéralement l'heure et qui jalonnent le récit : cette « main des mystères » dressée sur le sol de la rotonde du Capitole avec l'index et le pouce pointés vers le ciel de l'*Apothéose de Washington* ; et l'obélisque du Monument Washington. Dans la cohérence de la démarche, on sait aussi que cette « main des mystères » est un symbole traditionnel invitant un individu à entreprendre une quête, à ouvrir une porte. En quelque sorte, cette douloureuse dextre du mentor de Langdon est la vraie « clé de Salomon », une clé susceptible d'ouvrir une porte sans serrure. Quant à l'obélisque du terme de la quête, il peut aussi faire penser à celui

---

4. Le neuf n'est peut-être pas le chiffre le plus sacré de la maçonnerie (même s'il correspond au 3 × 3), mais il l'est dans bon nombre d'autres traditions. Et il a surtout une grande importance pour tout ce qui concerne la mise en ordre de l'univers : voir la valeur fondamentale de la table de 9 ainsi que le renvoi à l'équerre et à son angle de 90°.

qu'Adoniram construira sur l'ordre de Salomon afin de contenir le cœur du grand architecte assassiné, Hiram, et devenir
par là un maître parfait sous le signe de l'homme accompli, le
cinq. Par la mort d'Hiram, les secrets authentiques ont été
perdus et c'est bien cette « parole perdue » qu'il s'agit de
retrouver et que peut symboliser ce cœur, objet de quête.
Lorsque Langdon prend connaissance de ce secret dans l'antre
de l'obélisque de Washington, c'est un peu ce cœur allégorique qu'il approche.

Vu du ciel, le Washington Monument a quelque chose
d'un « point dans le cercle » (même si l'allée du Seaton Park,
au milieu de laquelle il se dresse tient plus de l'ovale que du
rond), un symbole mis en valeur par Dan Brown dans son
livre et cher aussi à Robert Lomas, l'auteur de *La Clé d'Hiram*
(et potentiel inspirateur, rappelons-le, de Robert Langdon).
Certes, pour Pierre Mollier, le directeur de la bibliothèque et
des archives du Grand Orient, le « point dans le cercle » n'est
pas un symbole maçonnique[5]. Mais c'est oublier qu'il occupe
notamment une place importante dans le rite Émulation, particulièrement pratiqué par la Grande Loge Unie d'Angleterre[6], ainsi que dans d'autres rites où, à divers grades, il
désigne le point à partir duquel un maçon ne peut s'égarer.
Ce point dans le cercle est semblable au Graal – objet de
quête ultime – au milieu de la Table ronde avec toute la
symbolique afférente. Mais le détailler nous entraînerait bien
au-delà des limites de cet ouvrage. Contentons-nous ici de
mentionner que, dans le regard brownien, cet axe/point dans
le cercle peut renvoyer à un autre ensemble similaire : celui de

---

5. Voir son interview dans *Le Symbole retrouvé*, de Giacometti et
Ravenne, p. 82.

6. Où il apparaît notamment sur le flanc de l'autel du tableau de loge
de premier degré. Il est dit que « dans toutes les loges dûment consacrées et
régulièrement constituées, il est un point, situé à l'intérieur d'un cercle,
autour duquel aucun frère ne peut faillir ». Robert Lomas évoque particulièrement cette symbolique du point dans le cercle dans *La Science secrète
de l'initiation maçonnique*, Dervy, 2010. Il est vrai que Pierre Mollier ne
semble pas goûter l'auteur de *La Clé d'Hiram*, alors que, pourtant, il est
aisé d'apprécier l'un comme l'autre – Mollier comme Lomas – dès lors que
l'on comprend qu'ils se placent dans une optique différente.

l'obélisque planté au centre de la place Saint-Pierre du Vatican[7].

Trois étages vers la lumière

Et s'il ne fallait qu'un élément pour stigmatiser l'importance de ces axes/gnomons dans le récit de Dan Brown où rien n'est fortuit, il suffit de penser à l'ouverture du premier chapitre du *Symbole perdu*. Là, l'auteur nous amène sur la tour Eiffel de Paris, sans aucun rapport apparent avec notre histoire exclusivement washingtonienne[8]. Langdon rêve tandis que son avion approche de la capitale américaine. Et ce songe ne paraît avoir d'autre importance que de souligner la valeur de ces colonnes symboliques en ouverture et fermeture du livre. Pour le sujet qui nous retient présentement, la tour Eiffel n'est résolument pas un choix fait au hasard. S'il continue d'y avoir débat sur l'appartenance ou non de Gustave Eiffel à la franc-maçonnerie (probable au demeurant), il est incontestable que la construction de la « dame de fer » reçut le soutien de toute la communauté maçonnique de l'époque, trop contente de rivaliser avec le Sacré-Cœur chrétien édifié à la même époque. Cette tour-fanal avec son phare rotatif éclairant le monde au sommet possède tout d'une tour lumineuse symbolique maçonnique. En outre, son aspect ternaire avec ses trois étages a souvent été mis en parallèle avec les trois degrés primordiaux de la maçonnerie : apprenti, compagnon, maître. Que ce dessein ait été celui de ses créateurs ou non, il n'en demeure pas moins que cette imagerie est présente dans l'inconscient collectif et on

---

7. Sanctrus Petrus, saint Pierre. Et Pierre en anglais, c'est Peter, un prénom, naturellement, non choisi au hasard par Dan Brown pour son Peter Solomon (qui partage les mêmes initiales que le Prieuré de Sion, comme déjà mentionné). Mais Peter Solomon, PS, vu comme le reflet de saint Pierre, SP ? Voilà bien des pistes browniennes propres à exercer la sagacité du lecteur...

8. Signalons en passant un petit lien entre le Monument Washington et la tour Eiffel : le premier, achevé en 1884, fut, l'espace de cinq années, l'édifice le plus haut du monde (169 mètres) avant la construction de la seconde en 1889 (313 mètres à l'origine, sans l'antenne installée plus tard).

peut penser que c'est à celle-ci que Dan Brown a pensé en la plaçant à l'ouverture de son livre.

Mais revenons au commencement. Bien avant d'en arriver à la « main des mystères » de la rotonde, Robert Langdon a franchi sa « porte basse », le tunnel d'accès à l'entrée des visiteurs du Capitole dans lequel il a ce léger accès de claustrophobie. Puis il va sommairement poursuivre son ascension, telle une montée des trois niveaux de la tour Eiffel, vers le sommet de l'initiation. D'abord, il va entamer son périple dans un noir cabinet situé sous le Capitole, comme dans l'antre de la terre. Là, il commencera son apprentissage : apprendre à utiliser ou à rassembler les outils dont il aura besoin pour poursuivre sa quête. Et, dès cet instant, il aura tout en main pour avancer. Puis il traversera la bibliothèque du Congrès et abordera les bâtiments de la *Smithsonian Institution*, où sont précieusement conservés les trésors de la connaissance et de la pratique des sciences et arts libéraux, ces indispensables compagnons du chemin maçonnique. Il lui appartiendra ensuite de faire l'expérience la plus ultime et la plus douloureuse de son parcours : celle de la mort. Enfermé dans un cercueil rempli d'eau – tel un liquide amniotique –, Robert Langdon va mourir. Et seule la maîtrise de ses peurs lui permettra peut-être de renaître. Telles sont trois étapes majeures qu'il aura affrontées comme trois étages d'une tour Eiffel virtuelle pour parvenir à la lumière au sommet.

Visite l'intérieur de la terre

Approfondissons donc – le terme est de circonstance –, ces quelques aspects principaux de la franc-maçonnerie selon Dan Brown. Et suivons directement pour cela Robert Langdon dans les soubassements du Capitole. Là, pas d'erreur possible quant à l'interprétation :

> « Le faisceau de la lampe n'éclairait que faiblement la paroi du fond, mais il était suffisant pour souligner les contours d'une tête blême et macabre qui les observait à travers des orbites sans vie. Un crâne humain.

Il était posé sur une table de bois branlante adossée au mur. Deux fémurs humains étaient placés à côté de lui, ainsi qu'une collection d'objets méticuleusement ordonnés comme sur un autel : un vénérable sablier, un flacon de cristal, une bougie, deux coupelles remplies d'une poudre pâle et une feuille de papier » (*LSP*, p. 149, f189).

Robert Langdon n'a pas manqué de remarquer une faux lugubre contre le mur ainsi que l'odeur caractéristique du soufre – la poudre présente dans l'une des deux coupelles de la table, l'autre étant remplie de sel.

– Il y a des petites cellules ressemblant exactement à celle-là dans le monde entier, lance-t-il à l'intention d'Inoue Sato, la directrice interloquée du service de Sécurité de la CIA qui l'accompagne (*ibid.*).

De fait, le professeur de symbologie a reconnu un cabinet de réflexion maçonnique, cette petite pièce plongée dans la pénombre, à peine éclairée d'une bougie, dans laquelle le candidat médite quelques heures en attendant son initiation. Et pour confirmer qu'il s'agit bien d'un cabinet de réflexion, la formule VITRIOL est tracée sur le mur. Ces *sept* lettres forment un acronyme dissimulant la phrase : *Visita Interiora Terrae, Rectificandoque Invenies Occultum Lapidem*. Visite l'intérieur de la terre et, par rectification, tu trouveras la pierre cachée (*LSP*, p. 157, f199[9]).

Brown/Langdon décrit les symboles qu'il trouve dans ce cabinet comme la tête de mort – la *caput mortuum* –, le soufre et le sel, le sablier, la bougie... Autant d'éléments, explique-t-il à la femme de la CIA, qui insistent sur le caractère éphémère de la vie et incitent le maçon – en réalité, surtout le candidat à

---

9. Cette traduction – la plus commune – est celle avancée par Robert Langdon (à cette nuance près, accessoire, qu'il n'écrit que *rectificando* et non *rectificandoque*, omettant par là la conjonction « et »). Il en existe d'autres et notamment *Visita Interiorem Terrae, Rectificandoque Invenies Operae Lapidem*, Descend dans les entrailles de la terre et, en distillant, tu trouveras la pierre de l'Œuvre. On trouve même la formule spagyrique VITRIOLUM, davantage associée à une symbolique du 9 et non plus du 7 et ajoutant à la phrase précédente deux lettres pour *Veram Medicinam*, la « Vraie médecine ».

l'initiation – à réfléchir à sa propre mortalité. Tous évoquent la lente transformation de l'homme, sa décomposition qui doit le mener à l'illumination et à la connaissance.

Effectivement, dans cette minuscule cellule sombre, l'aspirant maçon est invité à méditer sur ces questions relatives à la mort et à rédiger une forme de testament de sa vie profane, à faire le bilan de lui-même. Tout cela face à un miroir dans lequel il n'entrevoit que sa silhouette indistincte à la lueur timide de la bougie. Bientôt, il sera retrouvera dans le temple, sous le regard de ses futurs pairs. Mais pour l'instant, il est encore dans l'antre de la terre-mère, sous son propre regard, face à ses fantasmes/fantômes.

Confronté à l'étonnement d'Inoue Sato devant les symboles mortuaires exposés dans le réduit obscur, l'enseignant d'Harvard ne peut s'empêcher de penser au *Symboles des francs-maçons*, du regretté Daniel Béresniak[10], dont il recommandait la lecture à ses élèves et qui suscitait de leur part des réactions semblables. Ce livre contient, dit-il (et c'est exact), de belles reproductions de cabinets de réflexion qui ont incontestablement nourri la description brownienne. Et comme, il est en vente parfaitement libre et accessible aux profanes, Dan Brown n'a donc pas dévoilé de grand secret en décrivant l'intérieur d'un cabinet de réflexion[11].

Au demeurant, en ce qui concerne la notion de secret, nous verrons plus loin qu'il n'y en a guère, du moins pas dans une forme extérieure et collective. Sur ce qui est du contenu même de l'enseignement et de la philosophie maçonnique, il n'y a

---

10. Au passage, on pouvait se demander s'il n'y avait pas transposition de traduction et si, dans la version française du *Symbole perdu*, la mention d'un ouvrage français bien connu n'avait pas été substituée à un titre anglais moins familier dans la version originale. Eh bien, non. Même dans *The Lost Symbol*, le livre mentionné est bien celui de Daniel Beresniak sous son titre anglais, *Symbols of freemasonry*.

11. Précisons qu'il s'agit d'un cabinet de réflexion du Rite Écossais Ancien et Accepté. Chaque rite a ses subtilités, ses symboles. Et certains, comme le rite Émulation, ne mettent généralement pas en place cette étape du cabinet de réflexion ; le candidat attend simplement dans une salle attenante le moment de se présenter devant la porte du Temple en compagnie d'un officier.

plus grand-chose à révéler : tout a peu ou prou été publié (mais qui dit publié, ne veut pas forcément dire – et même rarement – assimilé). Le vrai secret – nous ne le répéterons jamais assez – participe du vécu et de l'expérience individuelle indicible manifestée dans l'intériorité de son être. Et de ce point de vue, le parcours commence bel et bien dans ce cabinet de réflexion, dans cet instant privilégié, où l'on n'est déjà plus tout à fait profane, mais pas encore maçon. D'ailleurs, dans la mesure où la loge est dite s'étendre du « zénith au nadir », autrement dit du plus haut du ciel jusqu'au plus profond de la terre, on peut supposer que ce lieu symboliquement dans les entrailles du sol se trouve sous la loge, donc à l'intérieur de celle-ci. Certes, la question peut faire débat. Mais retenons que nous avons affaire à un cabinet de *réflexion*, que le candidat y est seul face à lui-même et que de sa détermination, de son attitude en cet instant, de son ouverture à l'endroit de ce qu'il vient faire et trouver en loge, peut conditionner une grande partie de la suite de son aventure maçonnique. Dans cabinet de réflexion, il y a bien... « réflexion », d'où la présence symbolique du miroir, et d'où, surtout, l'idée de méditer, de réfléchir, de commencer à se questionner et à être questionné, de se préparer à se remettre en cause, à être ouvert à l'échange et au dialogue, et à renoncer à ses préjugés.

Dépouillé de tous métaux

Déjà, en cet instant, avant même de pénétrer dans le cabinet, il vous a été demandé de remettre vos « métaux » à l'officier de la loge venu vous accueillir. Ces métaux, ce sont bien évidemment déjà les signes ostentatoires de votre statut social. C'était hier les insignes de grades civils ou militaires, les médailles, les armes aussi (en somme tout ce qui était susceptible d'apporter la discorde, le « fer » en loge). C'est aujourd'hui, l'argent, les bijoux, tout autre signe de distinction sociale. Mais ces métaux, facteurs potentiels de tension, ce sont justement aussi ses préjugés, ses idées préconçues ou arrêtées. Vous n'avez plus de métal sur vous – plus de vil « fer » en tous les cas – mais c'est votre esprit qui devient métal, que vous allez commencer à aiguiser, à ciseler ; un esprit qui devra tendre vers l'or de la connaissance. Et c'est ainsi que vous le soumettez à questionnement. Avec vos deux heures d'attente en moyenne dans cette quasi-pénombre, vous en aurez le temps. Que faut-il écrire sur ce testament maçonnique que l'on vous demande de rédiger ? Comment répondre aux quelques questions qui vous sont posées pour vous aider ? À quoi vont servir ces documents ? Seront-ils lus ? Est-ce que ce que je vais écrire peut avoir une incidence sur mon admission ou non au sein de la franc-maçonnerie ?

Et, rapidement arrivent d'autres questions : que viens-je faire ici ? Qu'est-ce qui m'attend ? Vais-je être encore soumis à des épreuves ? Puis-je encore être refusé si j'échoue à celles-ci ? Ai-je eu raison d'entreprendre cette démarche ? Que veut dire cet enfermement ? Est-ce que tout cela est bien raisonnable ? Tous ces symboles de mort, ces mises en garde que je lis sur les murs, ont-ils un sens réel ? Ne devrais-je pas partir en courant ? Puis ce sont les sens qui commencent à se troubler, certains (l'ouïe notamment) s'amplifient. D'autres (la vue par exemple) s'atténuent. La lueur de cette bougie n'a-t-elle pas baissé depuis tout à l'heure ? Est-ce que je ne me voyais pas mieux dans ce miroir quelques instants plus tôt ? Et ce verre d'eau placé là à mon intention, est-ce que j'ai le droit, voire le devoir, de le boire ou fait-il partie de cette mise en scène comme tous les autres objets ? Et ainsi de suite. Avec les questions, l'esprit se régénère et, avec cette régénération, une sorte d'euphorie s'empare de vous, état d'être qui fera dire à bon nombre de frères ou de sœurs que l'on se sent presque toujours galvanisé en sortant d'une tenue, presque incapable de dormir après cela, mais prêt à entreprendre d'improbables tâches.

En quelques lignes brossant à grands traits l'intérieur du cabinet de réflexion, sans vraiment rien révéler de crucial, Dan Brown a mis en place l'amorce de ce questionnement, de cette disponibilité d'esprit qui permettra à Robert Langdon de mener sa propre quête à bien.

Ce passage dans ce réduit est déterminant pour tout le reste du parcours. Il l'est pour le franc-maçon comme pour le héros du *Symbole perdu*, car tout y est en germe (preuve que, d'une façon quasi certaine, en ce qui concerne le futur maçon, ce cabinet se trouve bien déjà dans l'enceinte de la loge et que celui qui y pénètre se trouve déjà intégré dans l'égrégore de cette dernière ; qu'il n'est pas encore maçon, mais plus profane, et que, si l'initiation va bien à son terme, cette étape du cabinet obscur sera rétrospectivement intégrée de plein droit dans son parcours maçonnique.

Constamment – et particulièrement dans ce Rite Écossais Ancien et Accepté qui fait l'objet du livre de Dan Brown, mais pas seulement –, le maçon est invité par la formule VITRIOL évoquée à revenir dans l'intérieur de la terre pour se rectifier, c'est-à-dire sans arrêt corriger sa position, se remettre d'aplomb. Et tout cela afin de retrouver la « pierre », en somme, soi-même. C'est une invitation à repenser régulièrement à cette fraîcheur des premiers pas, des premiers instants.

Dégrossir la pierre

Et pour insister sur l'importance de cette prime étape, j'aimerais relater une anecdote qui ne révélera guère d'éléments sur l'intérieur de l'ordre fraternel, mais qui me semble déterminante du parcours maçonnique et de son mécanisme. Au cours de sa période d'apprentissage, l'un de mes amis a traité trois sujets de planches. Or, sans que les différents officiers qui les lui avaient confié en aient eu conscience – mais il n'est pas de hasard –, celles-ci correspondaient à trois incongruités ou singularités qui s'étaient produites lors de son initiation (et c'étaient les trois seules identifiées). Je m'explique : sa première planche a précisément porté sur la formule VITRIOL ; pourtant, le jour de son passage dans le cabinet de réflexion l'officier préparateur avait oublié de dévoiler la formule[12] (alors que mon ami en connaissait la présence théorique). Pour sa deuxième planche, il lui était demandé par quoi il avait été introduit en loge. Or, justement, ce jour-là encore, un autre officier avait frappé un nombre impropre de coups sur l'huis.

---

12. Plusieurs rites utilisant le même cabinet avec des symboles différents, VITRIOL n'est pas toujours apparent.

Deuxième incongruité. Et le troisième travail effectué avait pour thème les métaux. Seulement, ce frère n'en avait pas sur lui : ni montres, ni bijoux, ni argent qui avait été laissé dans son manteau. À peine avait-il autour du cou un petit morceau d'ambre, une résine végétale, donc, et point un métal. C'est tout de même ce petit attribut qu'il laissa, mais qui n'était pas *stricto sensu* métallique. Comme le relevait cet ami, les surveillants qui lui avaient donné ces planches n'avaient pas conscience ou connaissance de ces détails de son initiation. Mais, d'une certaine manière et sans le savoir, ils lui avaient donné les trois sujets qui allaient lui permettre d'en parler dans ses interventions et, donc, de rétablir l'axe droit. Ainsi n'est-il pas de mauvaise voie, pas de mauvaise initiation ou de mauvaise exécution du rituel : il n'est que des occasions de toujours, individuellement, s'efforcer de rester dans l'axe. Et, toujours, le travail nous ramène aux origines, notamment à ce cabinet de réflexion.

L'ordre naît du chaos

In fine, comme le souligne fréquemment Dan Brown/Langdon dans *Le Symbole perdu*, l'ordre naît du chaos. *Ordo ab Chaos*. Cette formule qui trône au pinacle de la voie maçonnique prend bien sa racine à la porte même du temple. Il n'y a pas de chaos, mais simplement de l'ordre imparfait. Ce sont bien les aspérités, les défauts qu'il nous faut dégrossir à la surface de la pierre brute – que nous sommes – qui nous permettent d'avancer. Si, dès le départ, la pierre était déjà parfaitement polie, si tout était parfaitement en ordre, comment avancerions-nous ? Comment progresserions-nous ?

C'est cette façon de triompher du sort, de chevaucher le tigre, comme on dirait en Orient, ou d'épouser la vague, de vaincre l'adversité, qui est la vraie victoire ou tout au moins l'amorce d'un enrichissement intérieur.

Langdon a été guidé vers ce « cabinet de réflexion » – ce treizième caveau du secteur SBB des sous-sols du Capitole – par la « main des mystères », ce message archaïque lui ouvrant la porte d'une quête à entreprendre, lui lançant une invitation à participer aux mystères. Maintenant qu'il est passé par cet intérieur symbolique de la terre où tout son devenir est présent en germe et en symboles (et notamment sa mort virtuelle), il va pouvoir entamer son parcours (si ce n'est que, à la différence d'un candidat franc-maçon, il n'a sans doute pas choisi d'entreprendre ce voyage. Mais choisit-on vraiment ?).

Comment mourir ?

Dès l'ouverture du *Symbole perdu* (p. 3, f13), Dan Brown note que « Le Secret est "Comment mourir ?" » Plusieurs fois, cette remarque revient dans la bouche ou le mental de Mal'akh. À défaut d'être « LE » secret de la franc-maçonnerie, c'est au moins la problématique centrale du fils de Peter Solomon. Certes, la question de la mort occupe une place majeure en maçonnerie comme dans bon nombre de religiosités, spiritualités ou écoles de sagesse. On devine aisément – le cabinet de réflexion en a déjà été une démonstration – qu'elle est au cœur de la démarche, qu'il y a en jeu une forme de transsubstantiation de l'individu. Alors certes, la question du « comment mourir ? » peut en quelque sorte se poser (même si ce n'est pas nécessairement en ces termes ou avec ce caractère lapidaire). Or, s'il n'y aura pas nécessairement *une* bonne réponse à apporter à cette question (à chaque individu de trouver la sienne), on peut comprendre qu'il y en a de mauvaises. C'est en tous les cas ce que suggère Dan Brown.

Préférant détruire pour des motifs stériles et neutralisants plutôt que construire, Mal'akh choisira cette mauvaise voie, avant d'être finalement transcendé et libéré par l'*amour* de son père – lui-même fils d'une veuve.

En quelque sorte, le jeune homme a cherché ses réponses en dehors de lui-même au lieu d'aller les puiser dans son intériorité en profitant de ses expériences de mort approchée.

Sur le plan de la mort symbolique maçonnique, Dan Brown évoque, au chapitre 117, la cérémonie du troisième degré qui met en scène (il est inutile de mettre ici un conditionnel tant ce rituel est bien connu) l'assassinat d'Hiram, l'architecte du temple de Jérusalem. « C'était le rituel de la mort – le plus sévère de tous les degrés –, le moment où l'initié était contraint "d'affronter le défi ultime de sa propre disparition" » (*LSP*, p. 435, f507).

Mais, en un certain sens, le lecteur demeure en retrait, passif, en se contentant d'assister à quelque chose sans nécessairement adhérer. De notre point de vue narrato-initiatique, les scènes qui voient Robert Langdon se faire enfermer dans un cercueil sont beaucoup plus intéressantes. « Pas de lumière. Pas de son. Ni de sensation. Seul un vide infini et silencieux. […] Il était détaché de son corps. Libre. Le monde physique avait cessé d'exister. Le temps aussi. Il n'était plus que pure conscience maintenant… Une entité désincarnée suspendue dans le vide d'un vaste univers » (*LSP*, p. 399, f467).

On ne dira jamais assez que cet épisode du cercueil rempli de « liquide respirable » – à base d'émulsion de perfluocarbures, appelé « liquidation ventilienne totale » – n'a guère de justification du point de vue du récit, quels que soient les motifs avancés, hors d'une raison rituelle. Pourquoi Mal'akh aurait-il eu besoin de se donner tant de mal, de mettre en place un dispositif aussi complexe et onéreux pour un résultat qui, somme toute, aurait pu s'obtenir de manière bien plus aisée ? Pourquoi, également, laisser à Langdon la possibilité de survivre dans un liquide « respirable » et ne pas l'avoir noyé directement si telle était bien la finalité du meurtrier ?

Encore une fois, dans la perspective de Brown – et la sienne seule –, il était assurément nécessaire de faire passer le professeur par cette sorte d'initiation « profane » après son étape dans le cabinet de réflexion et son parcours de connaissance. Lorsque Langdon est enfermé dans le caisson, on peut considérer qu'il expérimente une initiation réelle – cérémonielle, diraient certains ritualistes – à défaut d'être initiatique, donc régulièrement consacrée dans les formes. Alors qu'il se *sent* ou se croit mort, il aperçoit une grande lumière après les ténèbres de la tombe, un « soleil aveuglant » : « Des rayons de lumière incandescente transpercèrent l'obscurité jusqu'à embraser son esprit » (*LSP*, p. 412, f481).

La lumière est partout. Langdon croit apercevoir un visage qui le fixe au milieu de cette clarté. « Le visage de Dieu ? » se demande-t-il. Puis, les ténèbres reviennent. Il perçoit des

« voix étouffées... des mots inintelligibles. Il y avait des vibrations maintenant... Comme si le monde était sur le point de s'effondrer » (*ibid.*, p. 414, f484). On dirait le témoignage d'un candidat à une initiation qui tente de percevoir les bruits, les sons, autour de lui, alors qu'il est aveuglé par un voile ou un bandeau.

Alors des mains le saisissent pour le ressortir du cercueil, comme si des mains inconnues utilisaient la prise des cinq points de la maîtrise (ou du compagnonnage, selon les appellations) pour l'extraire de sa tombe lors du rituel.

« Il se sentait comme un nouveau-né sorti du ventre de sa mère » (*ibid.*, p. 414, f485).

Après la connaissance, la renaissance.

Mais, comme le note Dan Brown, si cet état de « mort » virtuelle est terrifiant en soi, le véritable traumatisme désorientant et déstabilisant provient de ce processus de « renaissance » lorsque le sujet revient au monde des sens avec ses lumières aveuglantes, ses sons assourdissants, l'air froid envahissant les poumons...

Une fois passé par le cabinet de réflexion et avoir fait cette expérience mortifère, Robert Langdon était donc apte à recevoir de Peter Solomon les secrets de la Parole perdue.

APARTÉ
Le verre était dans le crâne et regardait Mal'akh

Au regard de la franc-maçonnerie et de son rapport à la mort, s'il est bien une scène du *Symbole perdu* qui a marqué les esprits, c'est celle où l'on voit le candidat à l'élévation Mal'akh boire dans un crâne, ce que Dan Brown appelle la « Cinquième Libation ». Et plusieurs raisons font qu'elle a retenu l'attention. D'abord, elle apparaît dès l'entrée du roman, dans le bref prologue. Ensuite, son côté potentiellement macabre a forcément suscité des réactions. Par ailleurs, dans la quête affirmée des éventuelles erreurs factuelles présentes dans l'ouvrage de Dan Brown, cette scène est apparue comme une fantaisie sans lien avec la réalité, une anomalie ne s'intégrant pas dans le rituel du Rite Écossais Ancien et Accepté, qui est le rite formant le cœur du *Symbole perdu* et dont la *Maison du temple* – où est censée se dérouler cette initiation – est le siège pour la juridiction Sud des États-Unis. Et quasiment pour le monde entier en sa qualité de premier Suprême Conseil du Rite de l'Histoire.

Qu'en est-il ? Déjà une première question se pose : de l'initiation à quel degré s'agirait-il dans *Le Symbole perdu* ? La même scène se reproduit dans le prologue et le chapitre 117. Jamais il n'est précisé de quelle cérémonie on parle. Or, si des éléments peuvent nous laisser penser dans le prologue que ce rituel pourrait être simplement le troisième, celui de maître, au chapitre 117, il est ostensible (p. 435, f508) que l'on a affaire à un autre rituel puisque, après ce troisième degré sommairement décrit, il est clairement dit que la scène suivante se déroule un autre jour (sans pour autant de précision quant au degré du rituel d'initiation). Or, au chapitre 2 (p. 11, f23), Mal'akh se remémore, trois semaines plus tôt, son initiation au trente-troisième degré et l'on devine aisément qu'il s'agit bien de celui-là.

Même si le parcours maçonnique aux États-Unis est beaucoup plus court qu'en Europe, on pourra déjà s'étonner que Zach/ Mal'akh ait franchi si rapidement les différents stades pour parvenir au sommet du cursus, sans que l'on sache vraiment ce qui a pu motiver une telle faveur. Mais ce n'est qu'un point accessoire ici.

Dans le chapitre 117 toujours, Dan Brown nous fait suivre un accéléré de différentes cérémonies maçonniques filmées clandestinement par Mal'akh à l'occasion de ses initiations et franchissements de grades (surtout les trois premiers, puis cette supposée initiation finale au degré ultime). Bien sûr, l'auteur propose des scènes censées être plus spectaculaires d'un point de vue romanesque (surtout quand on ne voit pas les images réelles). Et elles sont décrites de manière suffisamment vague pour aussi bien ne donner aucune information et ouvrir à toutes les élucubrations.

En ce qui concerne cette consommation dans un crâne, disons d'emblée – comme cela a été observé par la quasi-totalité des commentateurs – qu'elle n'appartient pas au Rite Écossais Ancien et Accepté tel qu'il est pratiqué aujourd'hui (et tel qu'il l'a été depuis son origine, même si l'on ne peut jamais être certain à cent pour cent qu'un inspiré, quelque part, n'ait pas eu envie d'introduire ponctuellement des innovations. Mais il n'y en a trace). Alors que rien ne s'opposerait à ce que l'on autorise à Dan Brown une totale liberté d'invention littéraire, certains ont tout de même voulu creuser pour comprendre si ce rituel n'avait pas un fond de réalité. Et pour ce faire, beaucoup ont avancé le rite de Cerneau.

En deux mots, le Français Joseph Cerneau, né dans l'Yonne en 1763, serait arrivé aux États-Unis au début du XIXᵉ siècle en se prétendant détenteur de patentes lui donnant droit de créer loges et rituels (je passe sur les détails formels dans la mesure où nous ne sommes pas encore rentrés dans le vif du sujet de la franc-maçonnerie structurelle). Toujours est-il que, en dehors de toute obédience régulière, il crée son propre rite dit de Cerneau et tente de s'approprier irrégulièrement tous les droits et pouvoirs des Suprêmes Conseils du Rite Écossais Ancien et Accepté balbutiants[13]. Disons tout de suite que ses rites déviants n'auront eu qu'une existence éphémère[14] et – rappelons-le – irrégulière, mais il n'en demeure pas moins que ce « cerneauisme » a alimenté une bonne partie de la littérature antimaçonnique, notamment l'archi-recopié *Scottish Rite Masonry Illustrated*, du révérend Jonathan Blanchard, 1887-1888. La page du site du *Scottish Rite* américain consacrée au *Symbole perdu* reprend cette idée, en considérant que le livre de Blanchard est la source de Brown[15].

De leur côté, tout en ayant, eux aussi, évoqué l'hypothèse Cerneau[16], Giacometti-Ravenne rapportent[17] les propos d'un historien français de la maçonnerie – qu'ils ne nomment pas (selon le souhait de celui-ci, mais pourquoi cet anonymat quant à une question quelque peu anodine ?) – et qui se souvenait de l'utilisation d'un crâne humain – en l'occurrence – celui de... Jésus-Christ ! – dans une Loge des Écossais trinitaires[18] du milieu du XVIIIᵉ siècle.

---

13. Voir notamment Jean-André Faucher et Achille Ricker, *Histoire de la franc-maçonnerie en France*, Nouvelles Éditions latines, 1967.

14. Même si, de manière épisodique, certains ont parfois prétendu en détenir des patentes dans la maçonnerie dite de marge (*fringe masonry*), comme feu Robert Ambelain.

15. Sur cette question du Rite de Cerneau, je renvoie volontiers à une synthèse brève et limpide du toujours passionnant blog maçonnique, de Jiri Pragman : http://www.hiram.be/Rite-de-Cerneau_a3175.html, avec tous les liens afférents vers des sites appropriés.

16. *Le Symbole retrouvé*, p. 71.

17. *Ibid.*, p. 70.

18. Système d'essence très chrétienne et même catholique qui fit supposer – à tort – une influence jésuite. Il était constitué de quatre grades (Maître anglais, Grand Écossais, Grand Architecte Écossais, Écossais trinitaire) et fut en partie intégré aux 25ᵉ – Chevalier du Serpent d'Airain – et 26ᵉ grade – Prince de Mercy, ou Écossais trinitaire – du REAA. Ce grade n'est plus transmis que par communication et n'intègre pas (ou plus)

Mais toutes ces recherches quant à l'origine de cette scène du crâne et à son existence ou non dans la maçonnerie régulière omettent pour la plupart un détail : Dan Brown cite explicitement sa source. Il fait dire à Langdon qu'il a entendu parler de ce rite dans une lettre de John Quincy Adams (dans ses *Letters on Masonic Institution*), qui fut le sixième président américain, mais surtout un antimaçon acharné, chef du parti antimaçonnique[19]. Si on lit Adams, cette « cinquième libation » aurait été un élément du rituel d'initiation de Chevalier Templier du rite américain, appelé – surtout hors des États-Unis – rite d'York (mais formant également une maçonnerie autonome constituant une forme de système de hauts grades dans le prolongement du *Holy Royal Arch*, la « Sainte Arche royale »).

Dans l'appendice de ses *Letters on masonic initiation*, Boston, 1847, p. 278, Adams dit clairement que sa version du serment de Chevalier Templier[20] vient d'une édition de Boston de Avery Allyn, *Ritual of Freemasonry*, 1831, p. 236. Le président antimaçon décrit, en tous les cas, la cérémonie et en rapporte l'essentiel du texte où l'on boit effectivement dans un crâne.

Donc, en toute occurrence, quand Dan Brown attribue à une cérémonie de 33e degré du REAA cette affaire de libation dans un crâne, en se référant à l'ouvrage d'Adams et à cette cinquième libation, il induit en erreur – sciemment ou non – puisque l'ancien président américain parle explicitement de la cérémonie de création d'un chevalier templier (dans un rite maçonnique qui, s'il n'est pas le REAA, est, au demeurant, parfaitement régulier).

Giacometti et Ravenne font allusion à une discussion avec un frère du York canadien qui aurait vécu une semblable cérémonie

---

de consommation dans un crâne – tout au moins depuis son intégration dans le cursus du REAA.

19. Et curieusement, pour l'essentiel au nom de la laïcité dont il était l'un des grands partisans contre les maçons qui auraient été des partisans de la Bible. Lui-même prêta serment en devenant président non sur la Bible comme ses homologues, mais sur un recueil de la Loi.

20. Qu'il va développer p. 281 et suivantes et dans laquelle il est bien question de cette « libation crânienne ». (Cet ouvrage a été réédité en 1851, à Cincinnati, sous le titre *Letters and Opinions of the Masonic Institution*, avec quasiment le même texte, mais un foliotage différent. Ainsi, le passage sur la cinquième libation se trouve p. 273-274 et non plus p. 281-282 comme dans l'édition de 1847. Les textes de ces deux éditions sont aisément trouvables, notamment sur Internet. Voir *Google books*, par exemple).

d'initiation au degré de Chevalier Templier[21]. Mais si ce frère canadien mentionne bien la consommation dans un crâne, il ne parle que de trois libations – une à saint Jean Baptiste, une à saint Jean l'Évangéliste et une au maître inconnu.

Or, sans même aller chercher Quincy Adams[22], il suffit de se reporter au rituel de Chevalier Templier du York tel qu'il est pratiqué en Amérique pour trouver encore aujourd'hui la trace de cette consommation dans un crâne – maintenant, est-il réellement pratiqué ? C'est à voir ! Il est toujours bien fait mention de cinq libations et le texte correspond en tous points à ce qu'en décrit Adams[23]. La cinquième – la « libation scellée » – est portée, comme l'indique l'Éminent Commandeur (ou parfois Éminent Précepteur), « de la manière la plus solennelle et la plus impressionnante ». Et il enchaîne : « On ne saurait trop nous rappeler que nous naissons pour mourir et cette cinquième libation est un symbole de cette coupe amère de la mort que nous partagerons tous un jour, tôt ou tard, et à laquelle même le Sauveur du monde n'a pu échapper[24]. » Et, après avoir prononcé la formule de serment, le candidat boit le vin versé dans le crâne. Si, effectivement, la personne à qui est porté le toast n'est pas explicitement citée, il est dit que « ce vin pur est bu en témoignage de la croyance en la mortalité du corps et de l'immortalité de l'âme ». On peut penser aussi que le destinataire de cette libation est le Sauveur.

---

21. Qu'il présente curieusement comme le neuvième degré en occultant un grade de l'Arche royale (cité pourtant, celui de maçon de l'Arche royale, mais non intégré dans la numérotation) et les trois degrés « cryptiques ».

22. Certains commentateurs – dont j'apprécie au demeurant le travail – n'ayant manifestement pas réussi à trouver ce passage dans l'ouvrage d'Adams, alors qu'il figure bien aux pages indiquées plus haut.

23. La première portée à « notre ancien grand maître, le roi Salomon, roi d'Israël », la seconde « à notre ancien Grand Maître Hiram, roi de Tyr », la troisième « à la mémoire de notre ancien Grand Maître opératif, le fils d'une veuve, qui perdit la vie en défendant son intégrité », la quatrième à « Simon de Cyrène, qui fut forcé de porter la croix ». Et ces quatre-là sont bus dans un récipient « normal ». *Revised Knight templarism illustrated, a full and complete illustrated ritual of the Six degrees of the council and commandery, comprising the degrees of Royal master, Select master, Super excellent master, Knight of the red cross, Knight templar and knight of Malta,* Ezra A. Cook publications.inc, PO Box 796, Chicago, Ill., 1961, p. 215 et 220. (Texte toujours d'actualité.)

24. *Ibid.*, p. 227.

Quoi qu'il en soit, dans un rituel rappelant en un certain sens et par divers aspects la Cène, donc, la consommation du corps fût-ce sur un plan allégorique, peut-on vraiment s'effaroucher de l'emploi d'un crâne en lieu et place d'un autre récipient pour permettre de comprendre le message – notamment celui de la mortalité des êtres – de la manière la plus marquante ?

Précisons tout de suite que, en France, le grade de Chevalier Templier tel qu'il est principalement pratiqué (c'est-à-dire en tant que haut grade du rite Émulation) porte sept libations – et non pas cinq –, toutes explicitement adressées à quelqu'un et aucune n'implique de boire dans un crâne[25]. Au cours de ce rituel, il y a bien un crâne qui est présent. Mais celui-ci trône sur la chaire, avant d'être, à un certain moment, promené dans la main gauche d'un officiant tandis que sa dextre tient un cierge.

Par ailleurs, pour en revenir au Rite Écossais Ancien et Accepté évoqué par Dan Brown, des crânes figurent – sans doute sous l'influence des rites de Memphis-Misraïm – au grade de vengeance du chevalier Kadosh du REAA, c'est-à-dire le 30e. Mais là encore, ils sont présents, mais personne ne boit dedans (encore que, répétons-le, on ne peut jamais avec certitude affirmer que certaines loges n'aient pas poussé, exceptionnellement, le rituel dans cette direction). Rappelons encore que le crâne a sa place première, dans le parcours du maçon, dès l'intérieur du cabinet de réflexion (pour les rites qui en ont un), là encore comme symbole de la mortalité physique.

Maintenant, boire dans un crâne dans un contexte ritualo-spirituel n'a rien de particulièrement effrayant et encore moins de

---

25. **1re** : « À la mémoire de Moïse, Oholiab et Betçaléel, les trois Grands Maîtres qui présidèrent la Loge Sainte. »

2e : « À la mémoire de Salomon, roi d'Israël, d'Hiram, roi de Tyr et d'Hiram Abif, les trois Grands Maîtres qui présidèrent la Loge Sacrée. »

3e : « À la mémoire de Zorobabel, le prince du peuple, d'Aggée le prophète et de Josué, fils de Jotsédech, le Grand Prêtre, les trois Grands Maîtres qui présidèrent la Grande Loge ou Loge Royale. »

4e : « À la mémoire de saint Jean le Baptiste, le précurseur du Christ. »

5e : « À la mémoire de saint Jean l'Évangéliste, l'Apôtre bien-aimé de Notre Seigneur, qui acheva par sa connaissance ce que saint Jean Baptiste avait commencé par son zèle. »

6e : « À la pieuse mémoire de tous les vaillants Chevaliers qui scellèrent leur foi de leur sang, sous la bannière de la Croix. »

7e : « À tous les Chevaliers du Temple, où qu'ils soient dispersés sur la surface de la terre et des eaux. »

condamnable. Il n'y a assurément pas là matière à vouer Dan Brown aux gémonies pour avoir pris cette liberté romanesque en introduisant ce rituel, dans son récit. Comme le dit le frère canadien interlocuteur de Giacometti et Ravenne : « J'ai bu dans un crâne et alors ! »[26] De nombreuses religions le pratiquent, à commencer par les Tibétains, pour faire notamment méditer sur la mort et la fragilité de la condition terrestre[27].

---

26. *Op. cit.*, p. 73.
27. Je cite précisément les Tibétains pour l'avoir moi-même fait dans ce contexte du bouddhisme tibétain – sans autre état d'âme que cette méditation sur la condition humaine. Parmi les instruments de musique utilisés aussi dans la musique rituelle tibétaine, il est fréquent que l'on se serve de fémurs humains en guise d'instruments à vent.

Lettre de Dan Brown à la juridiction Sud du Suprême Conseil du REAA (6 octobre 2009)

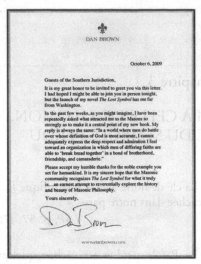

Messieurs de la juridiction Sud,

C'est un grand honneur pour moi d'être invité à m'adresser à vous par cette lettre. J'avais espéré pouvoir me retrouver en personne parmi vous ce soir, mais le lancement de mon roman *Le Symbole perdu* m'éloigne de Washington.

Au cours des toutes dernières semaines, comme vous pouvez l'imaginer, on m'a fréquemment demandé ce qui m'attirait tant chez les maçons au point d'en faire le thème central de mon livre. Ma réponse est toujours la même : dans un monde où les hommes se battent pour déterminer quelle est la définition de Dieu la plus exacte, je ne parviendrai jamais à exprimer pleinement tout le profond respect et l'admiration que j'éprouve à l'endroit d'une organisation au sein de laquelle des individus de fois différentes sont capables de « rompre le pain ensemble », unis par un lien de fraternité, d'amitié et de camaraderie.

Je vous prie d'accepter mes humbles remerciements pour le noble exemple que vous donnez à l'humanité. J'espère sincèrement que la communauté maçonnique percevra *Le Symbole perdu* pour ce qu'il se veut être… une tentative sincère et respectueuse d'exploration de l'histoire et de la beauté de la philosophie maçonnique.

Lettre publiée sur le site du *Supreme Council, Ancient & Accepted Scottish Rite, Southern Jurisdiction, USA* (http://www.scottishrite.org/ee.php ?/scottishrite/internal/dan_brown/)

Chapitre 3

DE LA CLÉ D'HIRAM À CELLE DE SALOMON,
À LA RECHERCHE DU SYMBOLE PERDU

> « La clé de notre avenir scientifique [...]
> est cachée dans notre passé. »
>
> *LSP*, p. 57, f76.

> « La Parole perdue est cachée quelque
> part. »
>
> *LSP*, p. 439, p. 512.

Décidément, Dan Brown parviendra toujours à surprendre. Avec *Le Symbole perdu*, ce n'est pas tant le sujet – la franc-maçonnerie – qui étonne, ni même le fait que celle-ci n'ait pas le mauvais rôle contrairement aux craintes – ou aux espoirs – de certains, mais la forme adoptée ; une forme qui confine au plaidoyer (qui passerait volontiers pour *pro domo,* si l'auteur appartenait à la franc-maçonnerie). Que penser – et qu'ont pensé ses déjà millions de lecteurs – de la quasi-cinquantaine de dernières pages qui s'abandonne presque à une oraison lyrique des vertus de l'ordre fraternel tant pour l'individu que pour la société tout entière ? *Connais-toi toi-même... L'homme a oublié qu'il était divin... L'Amour... La Fraternité... La Tolérance... L'exaltation de la Sagesse, de la Force et de la Beauté...* Autant de nobles principes que Dan Brown souligne et associe à la franc-maçonnerie. Comme l'écrivent Giacometti et Ravenne, avec *Le Symbole perdu*, « on est bien loin des amours supposées d'un fils de charpentier et d'une pseudo-prostituée [comme dans le *Da Vinci Code*]. Cette fois, il ne s'agit pas moins que de faire de l'homme un dieu » (*Le Symbole perdu retrouvé*, p. 238).

Ange ou Démon ?

Certes, tel le Merlin de l'*Excalibur* de John Boorman, qui est un « rêve pour certains et un cauchemar pour d'autres », Dan Brown pourra passer alternativement pour un ange ou un démon. Assurément, tous ceux qui ont pu se voir prêter le mauvais rôle dans le *Da Vinci Code* ou *Anges et Démons* ne le porteront pas nécessairement au pinacle (encore que l'on puisse observer que ces livres ne leur ont pas nécessairement fait de mauvaise publicité ou tout au moins qu'ils ont su utiliser ces ouvrages dans un sens qui leur soit profitable). À l'inverse, la franc-maçonnerie doit-elle se réjouir du traitement qui lui a été réservé dans *Le Symbole perdu* ? De toute évidence, et quel que soit l'avis que l'on a sur le contenu du livre en particulier et son auteur en général – ou si l'on pense qu'il donne une image erronée de l'ordre fraternel –, une présentation aussi positive ne peut faire de tort. On peut se souvenir d'un cas quelque peu semblable dans les années 1950-1960. À cette époque, un nombre considérable de personnes se sont intéressées avec ferveur au bouddhisme et, spécifiquement, au bouddhisme tibétain après avoir lu *Le Troisième Œil*, de Lobsang Rampa. Cet ouvrage était censé être un exaltant témoignage de première main écrit par un authentique lama. Or, très vite on sut que l'ouvrage avait été écrit par Cyril Hoskin, un Anglais qui n'avait jamais mis les pieds au Tibet et ne parlait pas tibétain. Pour autant, *Le Troisième Œil* a continué pendant des années de drainer des personnes vers la porte des temples bouddhistes où elles ont pu frapper et découvrir la réalité de cette foi... D'un mal – ou disons d'une imposture – était né un bien.

Sans conteste, on assiste d'ores et déjà à un mouvement semblable dans la foulée du *Symbole perdu*, particulièrement aux États-Unis (le mouvement est assurément moins ressenti en Europe, mais il existe quand même). Dès sa parution, quantité de lecteurs ont contacté les obédiences ou leurs sites Internet pour s'informer, voire directement demander à rejoindre la franc-maçonnerie. Après la lecture du Dan Brown, il appartenait au lecteur de trouver les bonnes informations et aux organisations maçonniques de les fournir et de corriger ou compléter les éléments du *Symbole perdu*. Mais, en ayant souligné le fait que l'enseignement de la maçonnerie était un message de fraternité, de connaissance, de tolérance et d'ouverture d'esprit, on peut considérer que Dan Brown n'avait pas délivré une information trop erronée.

Alors devait-on s'étonner de cette orientation brownienne ? À dire vrai, dès qu'il fut annoncé que la prochaine aventure de Robert Langdon aurait pour titre *La Clé de Salomon* et pour sujet la franc-maçonnerie, je n'ai pu m'empêcher de songer à une influence potentielle – vrai ou purement fantasmée – de Robert Lomas. Pour qui connaît les ouvrages du coauteur de *La Clé d'Hiram*, d'une part, et le *Da Vinci Code*, de l'autre, les connexions semblaient évidentes – et assurément plus évidentes dans le détail que l'éventuel lien superficiel entre le livre de Dan Brown et *L'Énigme sacrée*, des Baigent et Leigh et Lincoln. Le procès que ces deux derniers ont intenté à Dan Brown et Random House et perdu en 2006 (puis en appel en 2007[1]) a parfaitement démontré que l'influence de leurs travaux sur le *Da Vinci Code* n'est qu'accessoire[2] alors que celle

---

1. Échec judiciaire qui peut avoir eu une incidence sur les problèmes cardiaques de Richard Leigh qui ont entraîné sa mort fin 2007 ? Accessoirement, Leigh était le frère de Liz Greene, auteur de nombreux livres sur l'astrologie et, dès 1980 (donc avant *L'Énigme sacrée*), d'un roman sur la descendance de Jésus, *The Dreamer of the Vine*, Bodley Head, Londres (Liz Greene était au demeurant la compagne de Michael Baigent à cette époque).

2. Mais parfaitement admise par Dan Brown qui avait même voulu leur rendre hommage dans le livre en utilisant leurs noms respectifs pour l'un des personnages, Leigh Teabing (Teabing étant l'anagramme de Baigent). Seulement, Teabing étant l'un des « mauvais », l'hommage n'a pas dû être correctement perçu. Michael Baigent est lui-même notoirement franc-maçon et rédacteur en chef de l'une des principales revues maçonniques mondiales, *Freemasonry today*. Il présente ainsi ce magazine sur le site de ce dernier : « *Freemasonry today* est un magazine unique : c'est une revue maçonnique indépendante, éditée par des francs-maçons pour

de *La Clé d'Hiram* était plus conséquente[3]. Dans ce dernier livre, Robert Lomas (et son coauteur Christopher Knight) approfondissait l'histoire singulière de la chapelle écossaise de Rosslyn, sa construction (dans laquelle se rendent Robert Langdon et Sophie Neveu à la fin du *Da Vinci Code*). Si Dan Brown n'en fait pas mention dans son propre ouvrage, Lomas et Knight voulaient voir dans les circonstances du chantier de cette chapelle l'une des origines structurelles de la future organisation de la maçonnerie. Tant les grades (apprentis, compagnons et maîtres) que les salaires symboliques du futur ordre fraternel spéculatif auraient eu une existence parfaitement tangible lors de la construction de cet étrange sanctuaire. Notons que cette chapelle avait été construite entre 1441 et 1490 à l'initiative de l'un des grands d'Écosse, William Saint-Clair de Roslin, issu d'une famille originaire de Norvège, puis de Normandie et qui s'était distinguée lors des croisades. Or, en 1601, une charte, dite précisément Saint-Clair, structura le « Métier » de la maçonnerie opérative écossaise en déclarant

---

célébrer tant le riche héritage dont nous pouvons profiter, que la Fraternité mondiale que nous représentons. Mais il est aussi rédigé à l'intention de non-maçons qui s'intéressent à la franc-maçonnerie et à son aspiration centrale qui, depuis fort longtemps, est parfaitement exprimée par les paroles de l'ancien oracle de Delphes : "Homme, connais-toi toi-même" » (http://www.freemasonrytoday.com/public/about-us.php). Un « Connais-toi toi-même » que Dan Brown n'aura pas manqué de mettre lui aussi en exergue dans son *Symbole perdu*.

3. Voir notamment l'interview de Robert Lomas dans le présent ouvrage et en particulier la question 4. Il est par ailleurs opportun de noter que Henry Lincoln, le troisième auteur de *L'Énigme sacrée* (et presque l'initiateur du projet, puisque, journaliste, il avait commencé à s'intéresser à Rennes-le-Château et aux mystères qui l'entouraient dès 1969), a refusé de s'engager dans la démarche de ses deux camarades. Dans un documentaire, *The Man behind the Da Vinci Code Revealed* (diffusé le 10 mai 2006 sur Channel Five), il explique qu'il n'a pas voulu s'associer à la procédure parce que les idées développées dans *L'Énigme sacrée* n'ont rien d'original en soi. Question procès, un autre auteur, Lewis Perdue, accusait lui aussi Dan Brown d'avoir plagié son *Da Vinci Legacy*, de 1983 (où il était même question d'un *Da Vinci Codex*) et son *Daughter of God*, de 2000. Le juge lui donna tort en considérant que les idées soi-disant empruntées étaient suffisamment généralisées pour appartenir au domaine public.

que les Saint-Clair de Roslin avaient été ses Grands Maîtres depuis des temps immémoriaux. Et c'est en vertu de ce texte – et, par ricochet, de cette tradition – qu'un autre William Sinclair de Roslin (le nom s'était alors anglicisé), descendant direct du bâtisseur de la fameuse chapelle, devint, en 1737, le premier Grand Maître de la Grande Loge d'Écosse.

En outre, dans *Le Livre d'Hiram* (paru quelque temps avant le *Da Vinci Code*), ces mêmes Knight et Lomas ont particulièrement souligné l'importance du principe féminin (notamment caractérisé à travers les âges par des figures comme la Romaine Vénus ou la Nordique Freya) à l'origine des différents systèmes spirituels ou initiatiques, donc certains conduiront, pour une part, à la constitution de la franc-maçonnerie moderne. Inutile de rappeler, probablement, l'importance de ce principe féminin et de son exaltation dans le livre de Dan Brown.

Robert L. comme Langdon... ou Lomas ?

Toujours est-il qu'au regard des bruits circulant, il y avait tout lieu d'imaginer une estime mutuelle entre Dan Brown et Robert Lomas – ce que les quelques extraits du procès rapportés dans l'interview de ce dernier font encore une fois sentir. La rumeur prétendait aussi que Robert Langdon et Robert Lomas ne faisaient pas que partager un prénom et des initiales communes[4], mais que l'un avait bel et bien inspiré le personnage de l'autre[5]. Robert Lomas lui-même s'amusait de cette supposition sans l'infirmer ni la confirmer. Interrogé à ce propos, on le verra même répondre plaisamment que, quitte à

---

4. Le nom Langdon en revanche est, théoriquement, une référence à John Langdon, l'auteur des ambigrammes de *Anges et Démons*. Mais cet hommage n'empêche pas, par ailleurs, l'identification des deux Robert L.

5. Voir notamment l'interview par Peter Gower de Martin Faulks, un des responsables de la vénérable maison d'éditions Lewis Masonic : « From Darkness to Light : An interview with Brother Martin Faulks of Lewis Masonic », *The Ashlar*, n° 23, septembre 2004, Circle Publications, Glasgow. Voir aussi un article sur un site de la BBC anglaise :

http://www.bbc.co.uk/bradford/content/articles/2006/07/12/freemasonry_da_vinci_code_feature.shtml choisir, il aurait préféré que « son rôle » soit interprété par Mel Gibson plutôt que par Tom Hanks[6].

Si certains des ouvrages de Robert Lomas sont des best-sellers, y compris en France, à commencer par *La Clé d'Hiram*, il demeure relativement peu connu du grand public. Scientifique rigoureux, universitaire spécialiste des statistiques, il est aussi franc-maçon. Épris de recherche et de vérité, il a cherché à retourner aux sources de la maçonnerie et de ses mystères initiatiques et a fait état de ses travaux dans ses différents livres écrits seul ou en collaboration. Seulement, ses découvertes – notamment sur le personnage d'Hiram ou sur les prémisses écossaises de la maçonnerie – n'ont pas toujours été du goût des hautes sphères de la maçonnerie, en particulier de la Grande Loge Unie d'Angleterre. Officiellement au moins. Il est certes de bon ton de critiquer ouvertement Robert Lomas... et de le lire dans l'intimité tout en l'utilisant comme point de départ pour approfondir ses connaissances de la maçonnerie. Et quelques-uns de ses plus grands contempteurs ne sont pas de ses moindres lecteurs dans le privé.

Dans tous les cas, et quel que soit l'avis réel que l'on ait sur ses écrits et idées, il est une chose que l'on ne peut nier : c'est son honnêteté, sa générosité intellectuelle et fraternelle et la pureté de son engagement maçonnique. Toutes choses qui devraient au moins lui assurer le respect et la bienveillance de ses frères.

Ainsi, au regard de ces relations ostensibles entre l'universitaire anglais et l'auteur américain, il y avait tout lieu de s'attendre à un traitement au moins pas trop négatif de la franc-maçonnerie à défaut d'être favorable – traitement favorable qui, au demeurant, sera celui réservé au final.

Des clés à tourner

En découvrant le titre même annoncé par Brown pour sa prochaine aventure de Langdon, *La Clé de Salomon*, ainsi que le thème, la franc-maçonnerie, impossible de ne pas songer à

---

6. Voir Marconi Mitch, « The Da Vinci Code Inspiration Wanted Mel Gibson, Not Tom Hanks », *The Post Chronicle*, 19 mai 2006.

ces échanges entre l'Américain et l'Anglais et à *La Clé d'Hiram*
de ce dernier. En outre, et totalement indépendamment de
l'auteur du *Da Vinci Code* et de ses projets, Robert Lomas était
précisément en train de terminer au même moment un livre
intitulé *Turning the Salomon Key*, soit *Tourner la clé de Salomon*
(inédit en français). Il s'agissait du second volet d'une trilogie
des *Tourner la clé...*, après *Tourner la clé d'Hiram* et avant
Tourner la clé templière (ce dernier, *Turning the Templar Key*,
lui aussi inédit en français). Dans *Tourner la clé de Salomon*,
Lomas étudiait en particulier l'engagement maçonnique de
George Washington et la symbolique de la capitale à laquelle il
a donné son nom. Plus spécifiquement – et certains diront et
ont dit « plus étrangement » de la part d'un scientifique –, il
s'intéressera à l'astrologie maçonnique et à l'influence de cette
symbolique astrale sur le premier président des États-Unis et
son programme de construction. On en trouve assurément
quelque écho dans *Le Symbole perdu*.

   Ainsi lorsque Mal'akh dit à Langdon que, selon Peter
Solomon, il serait le seul à pouvoir ouvrir la porte (*LSP*, p. 39,
f57), difficile de ne pas voir planer derrière le héros de Dan
Brown, l'ombre de l'universitaire anglais qui en a ouvert tant
avec ses « clés ».

   Au petit jeu des supputations, on pouvait aussi se demander si le nouvel épisode Langdonien n'allait pas se déployer
autour du quartier de Rosslyn, à la périphérie de Washington
sur l'autre rive du Potomac. Il y aurait ainsi eu une forme de
continuité entre le *Da Vinci Code* et le futur *opus*. Si par
homophonie de titres, *La Clé d'Hiram* inspirait réellement
cette histoire, allait-on aborder l'origine de la maçonnerie,
Hiram et Salomon, peut-être même la venue des Templiers
proscrits sur les rivages américains après la persécution par le
roi de France Philippe IV dit le Bel pour certains et le Félon
pour d'autres ?

   Rien de tout cela. Comme chacun sait, *La Clé de Salomon*
est devenue *Le Symbole perdu*. Et il n'est pas question de la
mythologie de la franc-maçonnerie. Mais plus que chercher
d'éventuelles influences sur les détails et le contenu du roman
(même si, assurément, on retrouve quelques éléments de
Turning the Solomon Key/Tourner la clé de Salomon, toutefois,

au regard du sujet, des deux ouvrages, il est bien évident que l'on allait retrouver des données similaires dans le *thriller* comme dans l'essai sur la symbolique washingtonienne.

Non, je dirais que c'est davantage dans le ton, dans l'imprégnation maçonnique du *Symbole perdu*, dans cette façon d'aborder des matières qui se veulent très sérieuses – voire scientifiques – avec une forme de détachement serein qui laisse la porte ouverte à toutes les supputations, exalte le lecteur qui veut croire, respecte celui qui préfère douter –, que l'on retrouve soit une imprégnation lomasienne, soit au moins une ressemblance d'approche et d'atmosphère.

Lorsque Robert Lomas part à la recherche d'Hiram dans *La Clé d'Hiram* ou des fondateurs de la Royal Society et notamment de Robert Moray dans *L'Invisible Collège*, la quête érudite confine fréquemment à l'enquête policière, au polar, voire au roman d'aventure avec Moray. Beaucoup n'ont pas manqué de le remarquer (avec fréquemment une différence de perspective chez les uns et les autres : certains choisissant de stigmatiser pour cette raison la recherche du scientifique anglais tandis que d'autres préférant au contraire saluer la performance de l'auteur qui, tout en conservant un propos sérieux, précis, sait nous rendre ses personnages attachants et ses développements enthousiasmants).

Sciences d'hier et de demain

On retrouve cet esprit dans *Le Symbole perdu* (comme, au demeurant, dans les précédentes aventures de Robert Langdon) à travers les digressions « scientifiques » et l'introduction de sciences « parallèles » dans le développement de l'intrigue. Mais c'est particulièrement prégnant dans ce dernier livre de Dan Brown. Après l'antimatière dans *Anges et Démons*, la science est omniprésente en arrière-plan dans *LSP*. La noétique est ce champ d'investigation scientifique (dernier terme que beaucoup veulent encadrer dans ce contexte de guillemets) explorant notamment les capacités d'action de l'esprit humain sur la matière. En d'autres termes, cette néoscience entend examiner comment la volonté humaine – plus ou moins contrôlée (et c'est là qu'intervient tout le travail de recherche) – peut affecter la matière physique.

Dans *Le Symbole perdu*, le personnage de Katherine Solomon est une des principales chercheuses de l'Institut des sciences noétiques, l'organisme qui étudie ce domaine. L'Institut existe réellement. Il a été créé en 1973 par l'ancien astronaute de la mission Apollo 14, Edgar Mitchell – lui-même franc-maçon – et l'industriel milliardaire Paul N. Temple[7].

Pourtant, si le sujet de l'antimatière en soi était intrinsèque à l'intrigue d'*Anges et Démons* – notamment par la puissance destructrice qu'elle suscitait et qui justifiait que des terroristes voulant l'utiliser pour détruire le Vatican soient mis en échec – la noétique n'influe pas directement sur l'histoire. Supprimez-la et rien ne sera fondamentalement modifié dans la résolution de l'enquête de Robert Langdon. Les digressions noétiques ne sont que des parenthèses permettant éventuellement de souffler dans une course-poursuite trépidante, mais vous pouvez allègrement sauter ces chapitres sans que cela nuise à la compréhension de l'histoire (ce que, manifestement, beaucoup de lecteurs moins investis dans le côté plus docte de Dan Brown ont fait, si l'on s'en tient à la lecture des différents blogs sur le sujet du *Symbole perdu* dans les différentes langues).

Or si ce thème de la Noétique n'affecte pas l'intrigue, elle n'en est pas moins essentielle dans l'ensemble que constitue *Le Symbole perdu*. Au regard du volume de texte qu'elle représente dans le roman, nul doute que, dans le regard de Dan Brown, elle ne peut être simplement rangée au rayon des accessoires. Elle peut même être la vraie « clé – ou pour reprendre la terminologie médiévale, la clavicule – de (Katherine?) Salomon ». Ce nom de « Clavicule de Salomon » a été donné à tout un ensemble de grimoires magico-alchimiques du Moyen Âge vers les XIIIe-XVe siècles. Si leur nom les attribue symboliquement à l'ancien roi Salomon, ces textes sont assurément d'auteurs du Moyen Âge et, parmi les noms les plus avancés, on a parlé de l'occultiste allemand Henri Cornelius Agrippa de Nettesheim

---

7. Qui finance par ailleurs la Fellowship Foundation, un groupe intégriste chrétien américain qui compte parmi ses membres des personnalités influentes du monde politique américain.

(1486-1535) et Albert le Grand[8] (entre 1193 et 1206-1280). Si les *clavicules* sont censées contenir des secrets issus de l'Ancienne Égypte, le terme lui-même veut dire « petite clé » (du latin, *clavicula*). Concrètement, il s'agit des clés permettant d'accéder à la science secrète et à la connaissance... ce que d'aucuns ont pu confondre avec une quête de richesses qui étaient avant tout intérieures.

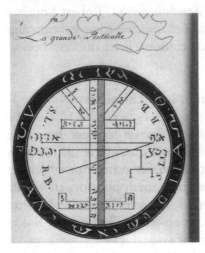

Finalement, ces *clavicules* médiévales n'étaient encore qu'une fausse piste puisqu'elles n'apparaissent pas dans *Le Symbole perdu*, sauf à les interpréter comme une invitation à voir une science parallèle – une sorte de lointaine descendante de ces alchimistes du Moyen Âge – comme la clé des « choses cachées », la porte d'entrée vers ce que Dan Brown entendait mettre en lumière, en particulier cette meilleure connaissance de soi qui est l'un des fondements de la franc-maçonnerie.

Et c'est là que nous allons pouvoir revenir à Robert Lomas que nous n'avions finalement pas quitté. Ces aventuriers de la science que sont les partisans et chercheurs de la noétique ont quelques ressemblances, dans leur approche et leur réflexion, avec, non seulement ces érudits philosophes-mages-alchimistes-astrologues du Moyen Âge que nous venons d'évo-

---

8. Le dominicain théologien et philosophe Albert le Grand, ou plus précisément aujourd'hui, saint Albert (canonisé en 1931, en même temps qu'il était consacré « Docteur de l'Église »), maître de Thomas d'Aquin, avait manifestement des centres d'intérêt moins « orthodoxes ». On lui prête notamment quantité de travaux de magie ou d'alchimie. Et si les deux plus célèbres grimoires associés à son nom, le *Petit Albert* et le *Grand Albert*, ne sont pas de lui, ils reposent probablement sur ses travaux. Enseignant dans le Quartier latin de Paris, il a laissé son nom à certains lieux comme la place Maubert (contraction de « Maître Albert »).

quer, mais surtout avec les pionniers de la *Royal Society* londonienne. Cette dernière est probablement la plus prestigieuse des Académies des sciences au monde et la plus ancienne de celles encore en activité aujourd'hui. Elle a compté au nombre de ses membres aussi bien des Isaac Newton et Benjamin Franklin hier que des Stephen Hawking aujourd'hui (et quelques éminents ancêtres de Peter Solomon, nous dit Dan Brown, dans le chapitre 3 du *Symbole perdu*). Robert Lomas a consacré un passionnant ouvrage, *L'Invisible Collège*, beaucoup trop méconnu et négligé, sur sa création à la fin du XVIIe siècle.

Le Collège invisible, Newton et les alchimistes

La fondation de cette *Royal Society* est souvent présentée comme l'acte de baptême de la science moderne. Il est intéressant de noter que cette institution fut avant tout créée – et royalement financée – non spécifiquement pour des motifs de recherche scientifique pure, mais stratégico-militaire. À cette époque, l'enjeu pour les États, et en particulier les Pays-Bas et la Grande-Bretagne qui voulaient se partager le monde et ses mers, donc, se doter de la flotte la plus performante, était de parvenir à fixer la longitude pour se repérer sur les océans.

Pour faire court, à la demande de Charles II d'Angleterre, un noble Écossais mâtiné d'espion et d'aventurier[9], Robert Moray, réunit autour de lui un ensemble de personnages chargés de réfléchir à cette question (et qui parviendront à en trouver la solution, mais ceci est une autre histoire que l'on peut retrouver avec délice dans le livre cité ci-dessus). Or il faut savoir différentes choses. En novembre 1660, lorsque naît la *Royal Society*, l'Angleterre sort à peine de sa guerre civile et du régime parlementariste de Cromwell qui a largement saigné et divisé le peuple. Le roi Charles II n'est remonté sur le trône que le 29 mai de cette même année (on mesure d'ailleurs par là à quel point la création de ce groupe de réflexion scientifique est une priorité pour le souverain). Pourtant, des douze

---

9. Il avait notamment espionné pour le compte des « services secrets » de Richelieu.

membres fondateurs et pratiquement en nombre égal, ceux-ci sont issus des deux camps, les royalistes et les parlementaristes de Cromwell. Après avoir été portés au pinacle, certains se retrouvent disgraciés, voire dans la misère. Mais un lien semblait les unir tous : ils avaient appartenu ou avaient évolué autour d'une structure informelle appelée le « Collège invisible ». On prête à l'ancien chancelier Francis Bacon[10], par ailleurs philosophe et scientifique, la création de ce cénacle. Ce dernier était censé rassembler des esprits éclairés et cherchants dans ce que l'on pourra appeler la mouvance rosicrucienne. Ce sont ces mêmes personnages que l'on retrouvera quelque temps plus tard au sein de la franc-maçonnerie balbutiante, en un temps où celle-ci ne peut encore être littéralement qualifiée de spéculative, mais où elle n'est assurément plus opérative (c'est-à-dire rassemblant des hommes du métier). On a d'ailleurs au nombre des fondateurs de la *Royal society*, les deux personnages présentés comme les plus anciennes références de francs-maçons attestés sur le sol anglais : Robert Moray, la cheville ouvrière de la « Société royale », réputé être le premier maçon initié – dans une loge militaire écossaise itinérante et alors en poste à Newcastle – en Angleterre, le 20 mai 1641, et Elias Ashmole, qui mentionnera dans son journal son initiation à Warrington, le 16 octobre 1646 (ce qui sera la première initiation documentée). Ashmole est au demeurant l'un des membres de la Royal Society les plus intéressants pour notre propos qui doit nous ramener à la science noétique. Si le monde moderne connaît davantage les noms de Newton, Franklin, Christopher Wren ou Robert Boyle, parmi les membres du premier siècle de la *Royal Society*, Ashmole fut peut-être à son époque le plus renommé de ses fondateurs, bien qu'on l'ait largement oublié dans le grand public. De fait, il n'était pas scientifique au sens où on l'entendrait aujourd'hui, mais bel et bien alchimiste (et, en outre, astrologue, historien, politicien...). Or, en cette heure de naissance de la prestigieuse institution, cette alchimie passait pour la science

---

10. À qui on prête souvent beaucoup – pas forcément à tort – et notamment la rédaction d'une bonne part des œuvres de William Shakespeare.

« sérieuse [11] ». Au sein de ce groupe, les chercheurs de pointe étaient les alchimistes, tandis que les expérimentateurs (qui deviendront, en réalité, les vrais fondateurs de la science moderne) passaient pour des amateurs tout juste bons à créer de petites expériences – spectaculaires toutefois – pour amuser les nobles et les inciter à financer la *Royal Society* (et donc, ne l'oublions pas, la recherche vitale et stratégique sur la longitude). Ce sont pourtant ces petits « tours », à peine plus estimés alors qu'un numéro de prestidigitation, qui seront la base de la science d'aujourd'hui (expériences sur le vide, sur la gravité, etc. [12]). Quasiment tous, à l'époque, étaient alchimistes, à commencer par le grand Isaac Newton, un personnage emblématique de cette époque et des balbutiements de la Royal Society et de la maçonnerie [13]. Pendant longtemps, certains le supputaient, mais beaucoup se refusaient à voir dans le grand scientifique un adepte de ces théories considérées aujourd'hui comme « fumeuses ». Or la découverte relativement récente de ses papiers personnels, en 1936, ne laisse plus aucun doute quant à cette dimension alchimique de Newton et, qui plus est, quant à l'importance que l'homme accordait à cette pratique. Adulé le jour, grand scientifique, physicien, mathématicien, le savant était donc la nuit alchimiste, astrologue, fasciné par l'ésotérisme et l'irrationnel aux confins de la magie... et misanthrope [14]. Une quasi-schizophrénie. Dan Brown y fait

---

11. Rappelons, toutefois, si besoin est que le mot alchimie vient de l'arabe *al-kimiya*, ce qui donnera tout simplement plus tard le mot « chimie ».

12. Et pour plus d'informations, continuons de renvoyer le lecteur intéressé vers *L'Invisible College*, de Robert Lomas.

13. Qui, comme le rappelle Dan Brown, avait adopté le pseudonyme *Jeova Sanctus unus*, le Seul Dieu saint.

14. Au chapitre 133 du *Symbole perdu*, alors que toute l'intrigue se résout et que Robert Langdon et Katherine Solomon dissertent sur les pensées créatrices et destructrices, ils pensent au Collège invisible et à la *Royal Society* et se souviennent du conseil donné par le jeune Newton, en 1676, à Robert Boyle en lui recommandant de garder le « plus grand silence » sur leurs recherches secrètes. « Elles ne peuvent être communiquées, à moins de provoquer un immense dommage pour le monde » (*LSP*, p. 502, f584, mais déjà citée p. 128, f163). Newton parlait précisément de leurs recherches alchimiques (lettre à Boyle citée dans B.J.

d'ailleurs allusion dans *Le Symbole perdu* (p. 128, f163), tout comme il évoque les fondateurs de la *Royal Society* et ses précurseurs du Collège invisible (notamment dans les chapitres 30 et 131).

Alchimistes d'aujourd'hui

Sans porter de jugement sur le fond de la science noétique, on comprend qu'il y a entre celle-ci et les premiers temps de la prestigieuse *Royal Society* des parallèles à établir qui ne font que tracer une nouvelle ligne de convergence entre les deux Robert, Lomas et Langdon. D'abord au XVIIe siècle, les futurs grands scientifiques de l'histoire furent perçus comme au mieux des amuseurs, au moins dans leur pratique empirique qui mènera à la science moderne. Tous développaient déjà de grands intérêts pour les matières de l'esprit, de la recherche intellectuelle et de la philosophie. Quels que soient les résultats ultimes de leurs investigations, la démarche des membres de l'Institut des sciences noétiques peut paraître semblable à celle des pionniers de la *Royal Society*...et semblablement raillés.

Par ailleurs, notamment dans plusieurs de ses ouvrages écrits seul, Robert Lomas s'est lui aussi particulièrement intéressé à ces pouvoirs de l'esprit et, notamment, aux facultés les plus extrêmes de celui-ci. Il évoque notamment cette recherche dans *Tourner la clé d'Hiram*. Dans ce livre, après avoir expliqué les raisons qui l'ont amené en franc-maçonnerie et avoir raconté avec brio ses premiers pas dans l'ordre et ses franchissements de grade, il expose toutes les questions que ce parcours a suscitées. Déjà, il a cru remarquer que les curieux rituels, les postures étranges, les déplacements en loges, semblaient induire de surprenants résultats en matière de potentialité intellectuelle. Et en bon scientifique, il a voulu approfondir ce sujet et en vérifier la validité. Cette quête l'a entraîné vers les travaux de personnes comme l'éthologiste et théoricien de l'évolution Richard Dawkins (inventeur de la notion de

---

T. Dobbs, *The Foundations of Newton's Alchemy*, Cambridge University Press, 1984).

même[15]) et surtout le champ de la neurothéologie (néoscience constituée notamment à partir des travaux d'Eugene d'Aquili et Andrew Newberg).

Si l'on est en droit de contester le caractère systématique et – par certains aspects – désacralisant de la recherche neuro-théologique qui en est encore à ses prémisses, il n'en est pas moins vrai qu'elle a déjà permis de faire des pas considérables dans la compréhension d'une partie du phénomène religieux et de ses mécanismes[16].

De la même manière, cet approfondissement a conduit Robert Lomas à s'intéresser à la question des expériences dites « paroxystiques » (en anglais, *peak experiences*), c'est-à-dire des circonstances extrêmes amenant une modification soudaine des états de conscience, pour atteindre ce que d'aucuns ont pu appeler la « Conscience cosmique ». Il s'agit en somme d'une forme de sur-état, au-dessus de la conscience de soi et partagée par de nombreux mystiques de l'histoire ou… des adeptes de pratiques spirituelles ou initiatiques comme les francs-maçons. C'est en tous les cas cette hypothèse qu'a voulu valider Robert Lomas. Et après *Tourner la clé d'Hiram*, c'est dans *Le Secret de l'initiation maçonnique* qu'il a livré l'état de ses recherches. Au terme d'un périple qui lui aura permis d'aborder les aspects les plus profonds de l'initiation, il livre en parallèle l'aboutissement de ce cheminement maçonnique et les constatations réalisées sur la conscience cosmique par des hommes comme Richard Maurice Bucke[17].

Il n'est pas le lieu ici de discuter du bien-fondé des écrits de Robert Lomas qui a, en tous les cas (personne ne devrait pouvoir le lui contester), le mérite d'ouvrir de passionnants champs de réflexion, notamment dans des matières peu étudiées par les maçonnologues et touchant notamment à la

---

15. Le même (néologisme construit à partir de l'idée de gène et de mimétisme) est un élément propre à une culture et qui se transmet par des moyens non génétiques.

16. Gageons que cette approche des neurothéologiens ne saurait déplaire à Robert Langdon qui avoue avoir un problème avec la question de la foi (p. 502, f586). Il est un scientifique pur et dur qui a besoin d'asseoir ses convictions sur du tangible… comme Robert Lomas.

17. Voir son livre, *Conscience cosmique : une étude de l'évolution de l'esprit humain*, écrit en 1901 et cité en bibliographie.

question de la franc-maçonnerie pratique ou vécue. Et il n'est donc pas davantage le lieu d'évoquer plus avant leur contenu qui ne pourrait être que survolé (puisque ce n'est pas le sujet du présent ouvrage) et caricaturé sur des sujets qui prêtent largement à débat. Mais je ne saurais trop recommander leur lecture pour, au moins, inciter à un vivifiant débat qui devrait être l'esprit de tout maçon cherchant.

La clé de Robert L.

Ici même, l'objet de ce bref exposé sur les travaux de Robert Lomas n'avait pour vocation que de tracer ces éventuelles lignes de connexion supposées entre lui et le héros de Dan Brown. Il ne saurait être question d'affirmer avec force la parfaite identification des deux, ce qui n'aurait d'ailleurs pas de sens et ce que personne ne pourrait réellement faire (Robert Lomas lui-même dit observer, mais ne se permettrait pas d'en demander la confirmation à Dan Brown, ce qui n'aurait aucun intérêt, quelle que soit la réponse). Un personnage de fiction se nourrit à de nombreuses sources et, même si Lomas était une source d'inspiration pour l'érudit symbologiste d'Harvard, gageons que celui-ci emprunte au moins autant de traits si ce n'est probablement bien davantage à Dan Brown lui-même.

Mais l'examen des points de convergence théoriques entre les deux Robert devait permettre d'éclairer certains aspects du *Symbole perdu* et, par-delà peut-être, de la franc-maçonnerie. De ce fait, la personnalité de l'universitaire anglais, de par ses intérêts et travaux sur la *Royal Society*, les champs des sciences parallèles du mental et de l'esprit, rendent cohérente l'insertion de cette science noétique dans *Le Symbole perdu*. Au terme du *thriller* et au regard de ce qu'expose Peter Solomon, le lecteur est censé comprendre que la franc-maçonnerie est une fraternité en recherche, tolérante, ouverte sur le monde et la connaissance, où l'on devine que l'utopie créatrice est un moteur, et que cette utopie non seulement est réalisable, mais que l'histoire a montré qu'elle avait été réalisée (voir l'instauration de la démocratie, de l'abolition de l'esclavage...). La création de la

Royal Society elle-même, en tant que fille du rosicrucien Collège invisible de Bacon, participait, elle aussi, de cette utopie.

Or, bien souvent, l'utopie est un rêve qu'on pressent réalisable, mais pour lequel la société n'est pas encore prête et qu'il faut donc envelopper dans l'allégorie et le symbole pour en amorcer la concrétisation. N'est-ce pas là réminiscent d'une définition rituelle de la franc-maçonnerie, que Lomas au demeurant se plaît à répéter dans ses ouvrages : un « système de morale particulier, enseigné sous le voile de l'allégorie, au moyen de symboles » ? La franc-maçonnerie se présenterait ainsi comme une société idéale, fraternelle, tolérante, se voulant le modèle de la société future dans son entier, éprise de concorde et d'harmonie, où chaque individu se concentrerait sur la connaissance de soi et, au-delà, sur celle de la science et de la nature. C'est en quelque sorte la philosophie qui ressort des livres de Robert Lomas et celle qui transpire des derniers chapitres du *Symbole perdu*, où la science, fût-elle encore empirique et utopique, est la porte de la connaissance et du développement de soi et du monde – ce qui semble relativement évident, même si elle n'est pas la seule porte à y donner accès –, mais que la franc-maçonnerie bien pensée, bien vécue et bien pratiquée en est une voie royale. L'un des ressorts de ce présupposé apparaît très tôt d'ailleurs dans l'ouvrage, lorsque Peter Solomon affirme que « la clé de notre avenir scientifique [...] est cachée dans notre passé. » (*LSP*, p. 57, f76). Une phrase que Robert Lomas pourrait fort bien prononcer. Et la science noétique, cette « improbable fusion de la physique des particules modernes et du mysticisme ancien » (*LSP*, p. 203, f249), cette science destinée à retrouver la « sagesse des anciens » (*LSP*, p. 493, f574), occupe une place de choix dans cette logique.

Moyennant quoi, cette volonté de mieux comprendre les racines du passé pour mieux appréhender le présent et l'avenir est omniprésente dans l'œuvre de Robert Lomas. Si l'on ne trouve pas spécifiquement l'expression de cet intérêt dans *Le Symbole perdu*, on en perçoit toutefois l'écho sous divers aspects. Citons notamment[18] la récurrence de l'œil – notam-

---

18. On pourrait aussi parler de l'origine de l'invocation Amen, venant du dieu Amon, mentionnée par Mal'akh, alors qu'un télévangéliste fait

ment en liaison avec la pyramide – et de l'oculus (cette ouverture de toit laissant passer la lumière) dans le livre de Dan Brown. Si ces symboles sont effectivement présents en franc-maçonnerie, ils n'ont pas forcément toute l'importance que, parfois, les antimaçons voudraient leur donner. Ainsi, cet œil sur le Grand Sceau des États-Unis et, par ricochet, sur le dollar américain, n'est pas la preuve d'une influence maçonnique (cet œil serait bien davantage un symbole chrétien dans ce contexte, celui de Dieu voyant tout). Et ce n'est pas tant la pyramide que le triangle qui importe en maçonnerie. En revanche, il est encore une fois certain que Lomas s'est particulièrement arrêté sur cette idée d'oculus ou de lucarne, ainsi que sur les traditions égyptiennes dans sa recherche d'Hiram.

La lumière de l'oculus

Dans une acception paradoxale bien propre à la maçonnerie, l'oculus se manifeste symptomatiquement sous deux formes majeures dans *Le Symbole perdu*. Chaque fois, la lumière viendra par l'oculus, mais une fois elle sera symbole de vie et dans l'autre cas symbole de mort. Dans la première scène, Langdon se trouve prisonnier dans son cercueil liquide. Or une petite fenêtre-œilleton s'entrouvre. Une grande lumière inonde l'intérieur du caisson et il entrevoit indistinctement un visage qui sera celui de sa libératrice et de son salut. C'est par cette lumière, on l'a vu, que le héros de Dan Brown va renaître dans une sorte de mise en scène rituélique de la renaissance du maître. En revanche, dans la *Maison du temple*, alors que

---

répéter le « Notre Père » à une foule (*LSP*, p. 358, f424). Knight et Lomas l'évoquent dans leurs ouvrages, précisément en rapport avec cette prière (voir notamment *La Clé d'Hiram*). En revanche, lorsque Brown transforme une pyramide en croix (voir *LSP*, p. 320, f382), on pourrait voir un lien avec Robert Lomas dans cette transmission de l'Égypte au christianisme. Seulement, Dan Brown fait du crucifix un symbole quasi exclusivement chrétien (même si, mentionne-t-il à juste raison, il existe des maçons juifs, musulmans, bouddhistes, hindous et d'autres «qui n'ont pas de nom pour leur Dieu»). Mais la croix n'est assurément pas un symbole spécifiquement chrétien. Son vrai sens est ailleurs.

Mal'akh s'apprête au sacrifice ultime, une immense clarté tombe de nouveau de l'oculus implanté dans le plafond. Là encore, la lumière envahit l'intérieur du temple. Seulement, cette fois, cette lumière et cet oculus seront synonymes de mort.

Certes, dans certains rituels (notamment au rite Émulation), il est clairement rappelé qu'une lucarne solitaire était percée au-dessus de la porte dans le mur oriental du Saint (le Hekhal) du temple de Jérusalem et qu'elle seule dispensait la lumière « divine » à l'intérieur du lieu. Mais ce détail n'apparaît somme toute guère dans le rite auquel s'intéresse particulièrement Dan Brown, le Rite Écossais Ancien et Accepté qui est celui (ou en tous les cas moins que dans d'autres rites et sans toute l'importance que lui concède l'auteur du *Symbole perdu*).

Or Lomas (dans ses livres avec Christopher Knight) a souligné le caractère symbolique majeur de ces lucarnes dans nombre de sanctuaires, à commencer par les plus anciens. Tout en ayant rappelé et étudié cette présence d'une lucarne dans le mur est du Temple de Jérusalem, Knight et Lomas (notamment dans *Le Livre d'Hiram*) vont en retrouver la trace dans des rituels ou des temples archaïques, comme, par exemple, dans le tumulus de Newgrange en Irlande. On pourrait parler aussi des fameuses tombes à coupoles de Mycènes, en Grèce (les trésors dits d'Atrée, d'Agamemnon, etc.), dont l'entrée est, elle aussi, surmontée d'une monumentale ouverture en forme de triangle. Toujours est-il que ces petites lucarnes implantées dans des entrées de sanctuaires ou de nécropoles ont un évident rapport avec le concept de vie/mort/renaissance. Ainsi, à Newgrange, la lumière passant par la lucarne ne vient frapper symboliquement le mur arrière du tumulus (encore un lieu de mort) et donc le « réveiller » qu'au moment du solstice d'été.

L'image de cette ouverture laissant passer la lumière se répète effectivement dans le symbole de la pyramide tronquée : si celle-ci apparaît comme la représentation de l'homme en devenir, toujours sur un chantier à achever, elle incarne aussi cette idée d'ouverture, de lumière venant d'en haut, du principe supérieur quel qu'il soit, et pénètre par cet oculus pour aller éclairer les entrailles.

Et pour rester dans cette thématique de la lumière, comment ne pas aussi remarquer une citation spécifique à laquelle Dan Brown doit accorder suffisamment de sens pour la faire revenir deux fois dans son livre (p. 314, f376, et p. 508, f594) : « Il n'est rien de caché qui ne sera connu et rien de secret qui ne sortira à la lumière. » Or si cette phrase attribuée à Jésus[19] clôt quasiment le *Symbole perdu* (cette seconde fois, Brown dit simplement qu'elle est d'un « grand prophète »), elle est la citation en exergue de... *La Clé d'Hiram*, de Robert Lomas[20].

La dernière clé

S'il ne fallait qu'un dernier élément pour conforter cette association entre Robert Langdon/Dan Brown et Robert Lomas, comment ne pas s'étonner de la singulière ressemblance entre la clé illustrant la couverture de l'édition anglaise du *Symbole perdu* (puis, depuis, l'édition française[21]) et la clé d'Hiram qui a été spécialement créée pour l'universitaire anglais et qui illustre plusieurs de ses ouvrages depuis *Tourner la clé d'Hiram* ? Celles-ci associent les symboles du compas et de l'équerre avec la clé. Étonnant choix, à dire vrai, dès lors que l'idée de clé a disparu du titre du roman et que les clés ne sont, de prime abord, pas si importantes que ça dans l'histoire. Ne faudrait-il pas y voir là, précisément, un clin d'œil subtil de Dan Brown à son compère Lomas ?

---

19. Reprise de Luc 8, 17 et 12, 2 ; Matthieu 10, 26.

20. Ce qui n'a pas échappé à ce dernier qui s'en amuse. Voir son interview en fin du présent ouvrage, question 3.

21. Alors que l'édition américaine n'a pas de clé, mais montre le Capitole (comme les autres éditions) ainsi qu'un sceau de cire avec le nombre 33, le phénix à deux têtes et la formule *Ordo ab Chao*.

La Clé d'Hiram

Page 110 : épinglette reprodui-
sant la clé d'Hiram, créée pour
Robert Lomas.

Ci-contre : les éditions anglaise
et française de *Tourner la clé
d'Hiram*, où l'on voit nette-
ment ce motif de clé avec
équerre et compas.

Ci-dessous : les éditions américaine, anglaise et française du
Symbole perdu (avec une clé
similaire pour ces deux dernières).

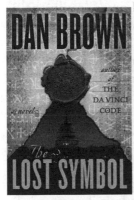

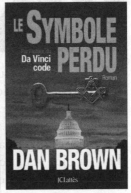

Il y a naturellement un caractère assez ludique (mais bien
conforme à la démarche brownienne) dans l'idée de confondre
Robert Lomas et Robert Langdon, même si quelques arguments, comme nous venons de le voir, permettent d'abonder
dans ce sens. Loin de nous l'idée de conclure définitivement
dans un sens ou dans l'autre. Le véritable intérêt de cette
association réside dans les potentialités d'éclairage du *Symbole
perdu* et, par-delà, de la franc-maçonnerie selon Dan Brown.
Car un peu de lumière n'était pas superflu au terme du *thriller*,

pour comprendre, notamment, les motivations et les objectifs poursuivis par l'auteur avec sa cinquantaine de dernières pages.

Tout au long du *Symbole perdu*, il nous est rappelé le caractère fondamental, proprement essentiel, de l'ouverture : ouverture à l'autre, ouverture à la connaissance, de et à l'esprit, ouverture à soi pour mieux se connaître... La franc-maçonnerie serait, pour Dan Brown, une société ouverte, tolérante, ne visant pas le prosélytisme comme les religions.

Comment expliquer un tel plaidoyer ? Pourquoi Dan Brown manifeste-t-il une certaine fascination à l'endroit de la franc-maçonnerie ? Cela signifie-t-il nécessairement qu'il est lui-même maçon ? Si l'on m'autorise une petite allusion person-nelle, j'ai retrouvé dans ce discours tout ce que j'ai pu dire et penser pendant une vingtaine d'années alors que j'étais pro-fane. À mon esprit défendant peut-être, j'avais une certaine admiration à l'endroit de la maçonnerie, une certaine fascina-tion aussi, sans oser ou vouloir franchir le pas. Et cela aurait pu continuer *ad vitam aeternam*. Assurément – et là encore, peut-être, à mon esprit défendant – j'étais victime de tant de choses qu'on entendait dire sur la maçonnerie. Oui, l'Ordre fraternel avait bien des aspects séduisants. Oui, sur le papier, il semblait y régner un esprit de tolérance et de bienfaisance de bon aloi. Oui, l'intérêt des recherches érudites qui en émanait ne manquait pas de me passionner. Oui, elle avait, semble-t-il (à travers les droits de l'Homme, la lutte contre l'esclavage, l'entente entre les nations, etc.), contribué à faire progresser le monde dans une voie plus pacifique (même s'il reste naturelle-ment du chemin à faire). Mais que n'entendait-on pas sur son compte ?...

Et puis par amitié, parce que la maçonnerie est aussi – avant tout – une question d'hommes (et de femmes ; je n'oublie naturellement pas les sœurs), j'ai franchi le pas et compris que le positif était bien au rendez-vous. Et que l'essentiel du néga-tif (les soi-disant réseaux, les affaires, une forme d'endoctrine-ment...) ne l'était pas... Ou tout au moins, qu'il n'avait rien à voir avec l'essence de la maçonnerie en tant que telle (même si elle le devrait, la maçonnerie ne peut transformer totalement l'individu, surtout quand celui-ci ne le désire pas). Je n'étais pas entravé. Au contraire. Je découvrais une fraternité, une relation humaine – fût-elle imparfaite – comme on n'en rencontre peu dans le monde ; hors, peut-être, du cercle familial, mais ce n'est pas pour rien que l'on s'appelle « frères » et « sœurs ». Et c'est bien au sein même de la société que s'exerce cette fraternité, pas dans un quelconque cadre restreint de couvent ou de structure religieuse confinée.

Il est temps d'en pousser la porte...

APARTÉ
La Noétique dans l'œil de Dan Brown
et la franc-maçonnerie

> « La pensée humaine peut, littéralement, transformer le monde physique. »
>
> *LSP*, p. 56[22].

Sans vouloir aborder le fond de la science noétique[23], il semble nécessaire de dire quelques mots de sa présentation selon Dan Brown pour en extraire quelques parallèles avec la franc-maçonnerie.

Rappelons d'abord que l'astronaute Edgard Mitchell, le fondateur de l'Institut d'études noétiques, auquel appartient le personnage fictif de Katherine Solomon, est franc-maçon[24].

Or on remarque que bon nombre des phrases qu'utilise l'auteur du *Symbole perdu* pour décrire cette science noétique auraient aussi bien pu s'appliquer aux pionniers de la *Royal Society* anglaise (largement évoqués par Robert Lomas) : « La science que pratiquait Katherine était si avancée qu'elle ne ressemblait même plus à de la science » (*LSP*, p. 34, f51) ; « Les récentes découvertes

---

22. Une phrase étrangement non traduite, parmi d'autres, dans la version française. Elle aurait dû se trouver en haut de la page 75 de celle-ci.

23. Pour une présentation rapide mais claire de la noétique, on se reportera utilement au livre de Frédéric Lenoir et Marie-France Etchegoin, *La Saga des francs-maçons*, Robert Laffont, 2009, qui y consacre son dernier chapitre (p. 327-341).

24. Après avoir appartenu à des organisations de jeunesse dites paramaçonniques, comme le scoutisme et surtout la DeMolay International. En outre, il affirme avoir été guéri d'un cancer du rein à distance par un adolescent de Vancouver entre décembre 2003 et juin 2004. (Jill Neimark, « The Big Bird, the Big Lie, God, and Science », in *Skeptical Inquirer* 30, March/April 2006.)

réalisées ici par Katherine dans le champ de la noétique avaient des ramifications touchant toutes les disciplines : de la physique à l'histoire, de la philosophie à la religion » (*ibid.*). Dan Brown nous explique que les recherches de l'Institut ont pour vocation de répondre à d'éternelles questions philosophiques. : « *Quelqu'un entend-il nos prières ? Y a-t-il une vie après la mort ? Les humains ont-ils une âme ?* » (*LSP*, p. 208, f255). Et il ajoute que Katherine y aurait répondu de manière « scientifique », « concluante », « irréfutable » (*ibid.*).

Par ailleurs, n'est-il pas intéressant de voir Katherine Solomon appeler son laboratoire de travail le « Cube » – où l'on peut voir une fine allusion à la pierre cubique parfaite de la maçonnerie – ou insister sur le fait que, pour l'atteindre, elle doive traverser les ténèbres pour atteindre la lumière en vertu d'un ingénieux système mis au point par son frère (*LSP*, p. 45, f64) ?

Certes, à propos de la noétique, Langdon, en bon scientifique qu'il est, objecte en début d'ouvrage que ça « ressemble davantage à de la magie qu'à de la science » (*LSP*, p. 15, f29). Mais naturellement, pour apprécier cette remarque et lui voir une éventuelle connotation négative, tout dépend du point de vue réel que porte Langdon, donc son géniteur littéraire, sur la magie et science. Et l'ensemble du livre tend à nous orienter progressivement vers une plus large ouverture d'esprit à l'endroit de cette nouvelle discipline « scientifique ».

Comme le souligne Dan Brown (*LSP*, p. 74, f96), le mot noétique vient de l'ancien grec *nous*, qui se traduit grossièrement par « connaissance intérieure » ou « conscience intuitive ». Pour Platon, il s'agissait tout simplement de l'intelligence et, pour d'autres érudits hellènes de l'Antiquité, de la partie divine de l'âme.

De fait, dans le chapitre 107 du *Symbole perdu*, on entend Katherine et Peter Solomon discuter de l'âme humaine et de sa dimension. Peut-on la peser ? se demandent-ils notamment. Vieille question qui renvoie à la vieille thématique égyptienne – chère à une partie de la maçonnerie – de la pesée des âmes. Comme l'indique Katherine, la noétique laisse clairement entendre que la pensée peut avoir une masse, donc que l'âme aussi pourrait en avoir une. La recherche noétique confine à des matières comme « la transmigration des âmes, la conscience cosmique, les expériences de mort approchée, la projection astrale, la visualisation à distance, les rêves éveillés, etc. » (*LSP*, p. 395, f463). Autant de sujets fréquemment regardés avec condescendance par la science dite « officielle », mais dans l'investigation desquels il est clair que l'on retrouve fréquemment de nombreux francs-maçons (inutile de revenir ici sur le fait que la conscience cosmique, pour ne citer qu'elle, est l'un des principaux champs d'investigation actuel de Robert Lomas).

En marge de ses activités noétiques, Katherine fait allusion aux expériences menées par la CIA appelées projet Stargate[25]. Elle évoque le semi-scandale qui éclata en 1995 lorsque ce projet fut révélé au grand jour, alors qu'il était mis en œuvre depuis le début des années 1960. Il s'agissait bel et bien de recherches sur la « vision à distance » qui avait amené à rassembler des médiums pour espionner le bloc soviétique (*LSP*, p. 291, f351). Ce qui est intéressant dans cette affaire, c'est que, au départ, les responsables américains qui s'étaient lancés dans ce projet étaient on ne peut plus dubitatifs sur la réalité de ce phénomène. Seulement, ils savaient que les Russes l'étudiaient et s'il y avait le moindre risque que cette « vision à distance » fût une réalité, les Américains ne pouvaient se permettre de se laisser distancer. Or, il semblerait que, très vite, d'étonnants résultats furent enregistrés[26].

Au demeurant, comme le rappelle Dan Brown par la voix de Katherine, cette question de la « vision à distance » n'avait rien de nouveau. Les anciens mystiques l'appelaient la projection astrale et les yogis – ou plus précisément les chamanes – les expériences de sortie hors du corps.

Toujours est-il qu'on peut se demander si certains sponsors de *Stargate* ne se sont pas reportés sur la noétique. Après tout, cette ouverture d'esprit lucide sur de nouveaux champs de la science n'est-elle pas parfaitement conforme avec celle du franc-maçon dès le grade de compagnon ? Il est des portes que l'on n'a pas le droit de refermer avant de les avoir ouvertes.

---

25. En réalité, l'essentiel de ces recherches controversées mais secrètes fut entrepris par l'armée des États-Unis, en liaison avec l'éminent Stanford Research Institute.

26. Pour plus d'informations sur les expériences de médiumnité militaire américaine, on se reportera utilement à l'ouvrage de Jim Schnabel, *Espions psi : l'histoire secrète de l'espionnage extrasensoriel américain*, préface de Patrick Drouot, Éd. du Rocher, 2005.

PARTIE 2

La Vérité : cherchez
et vous trouverez

> « Je dois vous avertir que dévoiler la vérité n'est jamais chose facile. »
>
> *LSP*, p. 409, f478.

> « Vous n'avez pas encore des yeux pour voir. »
>
> *LSP*, p. 309, f371.

« Frappez et l'on vous ouvrira la porte ! » dit le rituel du Rite Écossais Ancien et Accepté. Avec les quelques clés apportées par *Le Symbole perdu*, une porte a été entrouverte qu'il convient maintenant de pousser davantage. Dan Brown a pu susciter un intérêt à l'endroit de la franc-maçonnerie, mais sa représentation est-elle exacte, imprécise, incomplète ?

Le rituel poursuit en disant : « Cherchez et vous trouverez la vérité. » Seulement quelle est cette vérité ? À ce stade intermédiaire, il ne s'agit probablement pas d'une vérité absolue, d'une vérité donnée (car ce qui l'est, nous le verrons, c'est la lumière), mais d'une vérité propre, celle que l'on cherche en soi, la parole juste, honnête et vraie que l'on maîtrise pour atteindre une meilleure connaissance de soi[1]. En somme, pour rester dans la dynamique brownienne, cette vérité est la parole *sincère*[2].

---

1. On trouve peut-être un écho de cet enchaînement initiatique vérité-lumière dans un passage du *Symbole perdu*. Lorsque Peter Solomon s'extasie sur l'unicité des traditions philosophiques et religieuses au cours de l'Histoire annonçant toutes la venue d'une « grande illumination », d'un suprême éclairement de l'humanité, le dignitaire maçon demande à son assistance : « Qu'est-ce qui peut expliquer une telle synchronicité de croyances ? ». Et une voix dans l'assistance répond : « La Vérité ! » (*LSP*, p. 409, f478. [Étrangement, on remarque que la « vérité » est devenue le « souvenir », dans la version française, alors que la suite du texte embraye bien sur le thème de la vérité.])

2. Comme nous le rappelle Dan Brown (*LSP*, p. 356, f421), le mot « sincère » vient du latin *sine cera*, signifiant « sans cire », c'est-à-dire sans

Il est donc temps d'évoquer cette maçonnerie, sans artifice, dans sa réalité brute.

À son corps et son essence défendant, la franc-maçonnerie est une machine à fantasmes. Elle interpelle. On s'interroge à son endroit. Régulièrement, elle apparaît en une des *news magazines* (en langage de presse, on appelle ça des «marronniers»; des sujets récurrents qui font vendre[3]). Ses mystères fascinent parce que *le* mystère en général fascine. La franc-maçonnerie est parfois vue comme une organisation secrète, voire dangereuse, pour la démocratie et les libertés. Certains voudraient même parfois la réduire à cela, ce qui lui a sans doute valu ses heures les plus sombres et les plus douloureuses.

Mais c'est tout l'inverse. Et avec les dizaines de milliers de livres sur la franc-maçonnerie (on parle de 70 000 en français), nul doute que le secret – s'il existait – aurait été éventé depuis fort longtemps et qu'il ne représenterait plus guère de danger.

Si secret il y a ou il y avait, ce ne peut être qu'une affaire individuelle (mais nous allons y revenir très bientôt), une question de «maîtrise» intérieure, de neutralisation de ses dragons pour prendre une image archétypale. Mais toute évocation, toute définition, ne peut être que parcellaire. Même si l'on essaye de dire que la maçonnerie est une voie d'Éveil, de développement personnel, l'idée ne restitue pas sa réalité. Car par «voie d'Éveil» ou «développement personnel», il ne faut rien entendre de particulier, rien voir de stigmatisant. Chacun peut avoir sa propre conception de l'Éveil et du développement personnel, de l'endroit d'où l'on part et de celui où l'on veut aller. Il s'agit là d'un parcours, d'une quête. Et disons-le tout net: d'une quête ardue, qui réclame effort et labeur… et, très rapidement, humilité. La maçonnerie contribue à baliser et à éclairer

---

artifice (la cire étant jadis utilisée pour améliorer ou corriger artificiellement une œuvre d'art).

3. On prétend qu'une Une titrant sur la franc-maçonnerie ferait monter les ventes du périodique concerné de 15 à 20 %. Le retour de plus en plus rapide de ce «marronnier» semble le confirmer puisque d'une Une en moyenne par magazine et par an jusque-là (*Le Point* et *L'Express* [ainsi que son partenaire d'outre-Quiévrain, *Le Vif-L'Express*] en tête), on voit quasiment revenir la franc-maçonnerie trois à quatre fois par an maintenant par titre (sans vraiment qu'une actualité le justifie).

ce chemin. Elle contribue à « devenir » pour enfin « être », avec comme préalable ou fin (mais tout est question d'Éternel retour, de spirale, de réflexion sur soi) de se « connaître soi-même ».

Et encore une fois, même en disant cela, il est impossible d'être exact, puisque tout est affaire de définition que chacun porte en soi. On peut tendre vers la vérité de la franc-maçonnerie (c'est là le chemin), mais pas la dire. En quelque sorte, elle est l'expression de la maxime : *E pluribus unum*, une à partir de plusieurs[4]. La franc-maçonnerie a cet avantage – devrait l'avoir tout au moins – d'inciter à porter sur son prochain, son frère, sa sœur, un regard bienveillant, l'écouter sans le juger, l'aider à se corriger ou à se rectifier, sans le condamner. Il n'y a là rien de bien compliqué mais, comme le dit Dan Brown : « Toutes les grandes vérités sont simples » (*LSP*, p. 442, f515).

Et avant de s'embarquer dans cette découverte de la maçonnerie laissons résonner un instant ces paroles du célèbre poème *If…*, de Rudyard Kipling :

Si tu peux supporter d'entendre tes paroles
Travesties par des gueux pour exciter des sots,
Et d'entendre mentir sur toi leurs bouches folles
Sans mentir toi-même d'un seul mot ;
[…] Tu seras…
(Traduction André Maurois.)

LA FRANC-MAÇONNERIE DANS TOUS SES ÉTATS (D'AMÉRIQUE)

« L'Amérique a un passé caché. »
LSP, p. 82, p. 108.

Entamer la présentation générale de la franc-maçonnerie par le cas particulier de la franc-maçonnerie américaine pourrait paraître singulier. Mais cette approche initiale paraît ici dou-

---

4. Formule présente sur le sceau des États-Unis, mais sans lien avec la maçonnerie, puisqu'elle signifie là simplement que l'Union fut formée à partir des treize États d'origine.

blement fondée : d'abord, parce qu'elle s'inscrit dans la foulée du *Symbole perdu* qui se concentre sur elle, ensuite parce que cette maçonnerie américaine paraît souvent symptomatique – à tort ou à raison – de ce que l'ordre fraternel dans son ensemble peut avoir de meilleur ou de pire.

Les États-Unis occupent assurément une place majeure dans l'histoire de la maçonnerie moderne. Déjà beaucoup ont longtemps voulu faire de cette fédération une sorte de laboratoire de l'État maçonnique idéal, comme si toute sa création ne devait qu'à un dessein élaboré au sein des loges. À la marge, Dan Brown se fait l'écho de cette théorie qui a perduré des décennies et continue d'être en vogue dans les milieux antimaçonniques et anti-américains. Tout, de sa Constitution à ses institutions, jusqu'à l'érection de ses monuments majeurs, le plan de ses cités et même le dessin de son billet, ne devrait qu'à la maçonnerie.

L'hypothèse se développe surtout à la fin du XIXe siècle, quand l'impact de l'Union commence à se faire sentir hors de ses frontières. Et à la source de ces légendes, on retrouvera les habituels antimaçons dont la supercherie a très vite été dévoilée, sans pour autant que leurs idées ne cessent de se répandre. Ainsi, le fameux imposteur Léo Taxil prétendait-il qu'Albert Pike, le Grand Commandeur emblématique du Suprême Conseil de la juridiction Sud du REAA (et qui est inhumé à l'intérieur même de la Maison du temple où Mal'akh cherche à se faire tuer par Peter Solomon), était le chef suprême de tous les francs-maçons du monde, une sorte de pape luciférien qui conférait tous les vendredis à trois heures avec Satan en personne. Il fallut que l'évêque de Charleston, Mgr Northrop, se déplace à Rome pour convaincre le pape Léon XIII que les francs-maçons de sa ville étaient de braves gens qui n'adoraient aucune statue de Satan dans leur temple. On a aussi longtemps entendu accuser ce même Albert Pike, auteur de la Bible américaine du REAA, *Morale et dogmes*, d'être le fondateur et le moteur du Ku-Klux-Klan raciste, ce qui est naturellement faux (même s'il fut bien officier confédéré pendant la guerre de Sécession). Il est au demeurant assez singulier de voir que ceux-là même qui l'accusaient de l'être en voulant jeter l'opprobre sur la maçonnerie, n'étaient pas nécessairement enclins à voir une organisation raciste d'un mauvais œil. Peut-être faut-il se rappeler que les antimaçons d'origine – et encore aujourd'hui – se recrutaient principalement dans les rangs du catholicisme radical et que le premier Ku-Klux-Klan, à la sortie de la guerre de Sécession, avant même de s'opposer à la population noire, défendait avant tout les droits des États confédérés vaincus et se montrait de manière virulente… anticatholique.

Quoi qu'il en soit, même si ces hypothèses d'une origine maçonnique des États-Unis et de l'influence mondiale de la maçonnerie américaine sont largement erronées, il est certain que, à la fin du XVIIIe-début du XIXe siècle, le Nouveau Monde a pu représenter une sorte d'espoir ou de rêve démocratique où aurait soufflé un vent de liberté et de tolérance. De ce fait, différents esprits plus ou moins éclairés ont pu s'y rendre et, parmi ceux-ci, des francs-maçons. Dans ce creuset moderniste vont alors se maturer différents rites, s'élaborer pour certains, se transformer pour d'autres, soit pour s'affranchir de la tutelle anglaise en utilisant de nouveaux rituels, soit pour réactiver une tradition propre, notamment dans les milieux irlandais. C'est ainsi que naîtront, entre autres, d'abord le rite américain connu en Europe sous le nom de rite d'York, puis le Rite Écossais Ancien et Accepté (qui deviendra le plus pratiqué au monde).

Reflet et Disney

Dès ce décor planté, on réalise que, aux États-Unis comme ailleurs, ce qu'on a cru être monolithique et présenté comme tel ne l'est pas. L'Union n'est pas une fédération maçonnique et la maçonnerie américaine offre des visages contrastés, d'origines et d'objectifs variés… Cette dernière est en somme à l'image des États-Unis plus que ceux-ci sont à l'image de la maçonnerie.

Même si les généralités n'ont jamais grand sens et méritent des ajustements, on peut globalement établir qu'à l'instar des États-Unis qui ne sont pas exempts de paradoxes, la maçonne-rie américaine sera démonstratrice (mais peu portée vers l'interventionnisme sociétal), tolérante, ouverte vers l'autre, mais simultanément cloisonnée et, disons le mot, étrangement « ségrégationniste » jusqu'à une date récente.

Démonstratrice, elle l'est assurément. Profitant probablement d'un certain caractère de sanctuaire insulaire et d'une liberté d'opinion consacrée par sa Constitution, les Américains ont toujours librement affiché leurs convictions et appartenances, en particulier l'appartenance à la franc-maçonnerie. Tout visiteur se rendant outre-Atlantique – et en particulier les frères et sœurs européens continentaux habitués à une certaine discrétion – sont frappés par l'ostentation des signes extérieurs maçonniques (façades de temple clairement identifiées quand elles ne sont pas signalées au néon, autocollants sur les véhicules, parades, annonces dans la presse des tenues, locations des lieux maçonniques pour des manifestations profanes... Presque une maçonnerie à la sauce Disneyland). Même les Anglais bénéficiant également de ce caractère insulaire protecteur ne se sont jamais livrés à un tel affichage.

À la différence de l'Europe continentale, il est vrai que les francs-maçons américains n'ont jamais été véritablement en butte à une véritable adversité (en dehors de quelques vagues réactions épisodiques antimaçonniques au cours du XVIIIe siècle et surtout de l'anecdotique affaire Morgan. Voir encadré ci-après).

L'AFFAIRE MORGAN

En 1824 arrive à Batavia (État de New York), un certain « capitaine » William Morgan, aventurier de mauvais aloi, mais avec suffisamment de bagout pour avoir réussi à se faire passer pour frère (sans que jamais la moindre trace d'une éventuelle initiation n'ait pu être rapportée). Lorsque deux ans plus tard la loge locale à laquelle il appartient entend créer un chapitre de l'Arche royale (un degré complémentaire de la maçonnerie anglo-saxonne), ses fondateurs refusent d'accepter Morgan. Celui-ci en aurait pris ombrage et décidé de publier un ouvrage dévoilant tous les « secrets » de la franc-maçonnerie.

Alors que le livre est soi-disant sur le point de paraître, Morgan est arrêté le 11 septembre 1826 pour une toute autre raison à une cinquantaine de kilomètres de Batavia (une

affaire de vol de chemise et de cravate, jamais vraiment éluci-
dée). L'homme se retrouve incarcéré dans des circonstances
judiciaires également troubles qui contreviennent quelque
peu à la jurisprudence anglo-saxonne et au système de l'*habeas
corpus*. Le 12, un inconnu se présente à la prison et paye les
trois dollars de caution dont Morgan n'avait pu s'acquitter. À
partir de là, on sait plus ou moins que le prisonnier aurait été
détenu dans un magasin désaffecté jusqu'au 19. Passé cette
date, plus personne n'entendra jamais parler de lui.

Très vite, on accuse les francs-maçons de l'avoir éliminé.
De violentes campagnes antimaçonniques commencent,
notamment orchestrées par David Miller, l'éditeur de la
gazette locale qui devait éditer le livre de Morgan et qui va bel
et bien le publier. Des élections présidentielles se profilent et
un parti antimaçonnique est créé (et qui ne durera qu'à peine
une dizaine d'années). Pire, lorsqu'un corps non identifié est
découvert en 1827, les émeutes reprennent contre les maçons.

Suite à ces événements, les effectifs de la franc-
maçonnerie vont fondre de près de 90 %, passant dans
l'État de New York de 500 loges environ à une cinquantaine
et de 20 000 frères à 3 000. Mais, dès 1850, l'Ordre repren-
dra une progression qui ne se démentira plus.

Toujours est-il que l'affaire Morgan est le seul cas réel de
suspicion de meurtre maçonnique de l'Histoire, sans pour
autant que le moindre lien réel ait été établi entre la maçonnerie (voire des frères agissant à titre individuel) et le sort de
William Morgan.

Quelle qu'en soit la cause ou l'effet, cette ostentation de la
maçonnerie américaine est probablement liée aussi à l'extério-
risation maçonnique de certains pères de l'Union, au premier
rang desquels George Washington. Celui-ci – et Dan Brown
s'en est fait largement l'écho dans son livre – n'a jamais hésité
à mettre largement en avant son appartenance maçonnique,
et à apparaître en grand décor, avec tablier, sautoir et autres
attributs fraternels, en diverses occasions publiques. Cette
attitude du premier président américain en particulier – et les
liens qui l'unissaient au marquis de La Fayette, autre grand
dignitaire maçon notoire – fut certainement une des raisons
pour laquelle on a longtemps voulu voir – et que certains

continuent d'imaginer – une dimension maçonnique dans la naissance des États-Unis. Celle-ci a joué incontestablement un rôle dans ces premiers temps, mais il ne fait aucun doute que ce ne fut pas un rôle exclusif. Depuis que les pèlerins puritains du *Mayflower* débarquèrent sur la côte Nord-Est, le christianisme y a exercé une influence majeure (qui se manifestera notamment par les chasses aux sorcières et les bûchers de la fin du XVIIᵉ siècle, autour du Massachusetts). Ces colons anglais initiaux ainsi que les vagues germaniques et néerlandaises qui allaient suivre amenèrent majoritairement le protestantisme, tandis que les Irlandais et les Français qui arriveraient bientôt introduiraient le catholicisme. Et si une imagerie a pu présider à la naissance de l'Union à la fin du XVIIIᵉ siècle, elle serait peut-être plutôt à chercher du côté de l'ancienne Rome. Au passage, Dan Brown le rappelle en disant que Washington a pu apparaître comme une « Nouvelle Rome » (*LSP*, p. 277, f322). Si le nom et l'identification ne sont pas *stricto sensu* attestés, le tracé rectiligne de la ville, les monuments et toponymes le laissent largement penser : Capitole, Goose Creek (la Rivière de l'Oie) rebaptisée Tiber Creek (le Tibre)… Et contrairement à ce que l'on a pu longtemps penser, que ce soit parmi les premiers responsables de l'Union, les signataires de la Déclaration d'indépendance ou les officiers de l'armée américaine, les maçons sont loin de représenter une majorité écrasante.

LES YEUX TOURNÉS VERS LES ÉTOILES

« Sais-tu pourquoi nous, les maçons, posons les pierres de fondation à l'angle nord-est d'un édifice ? – Bien sûr, parce que l'angle nord-est est le premier à recevoir les rayons du soleil de l'aube » (*LSP*, p. 469, f547).

Après avoir montré à ses élèves, une représentation de George Washington en grand décor maçonnique (*LSP*, p. 29, f44), Langdon rappelle que la première pierre du Capitole fut posée à un moment précis – et selon lui, entre 11 h 15 et 12 h 30 le 18 septembre 1793. Tout cela parce que la Tête du dragon, (*caput draconis*), autrement dit le nœud ascendant de la lune[1], se trouvait en Vierge. Cette même configuration aurait présidé, en d'autres années, à la pose des premières pierres de la Maison Blanche et du Washington monument, formant un triangle dans la capitale américaine.

Il est incontestable que, tant les maçons opératifs de jadis, que les francs-maçons spéculatifs modernes, se sont intéressés de près à la mécanique des astres, tant en ce qui concerne la marche de leurs rituels, que pour des manifestations plus extérieures comme ces poses de pierres fondatrices.

Lorsqu'un élève lui demande pourquoi ces maçons américains ont prêté attention à des données astrologiques (*ibid.*), Langdon lui répond que la réponse nécessiterait la valeur d'un bon semestre. En somme, la valeur d'un livre. Or, celui-ci a été écrit, justement par Robert Lomas, l'inspirateur présumé de Robert Langdon. Et c'est : *Turning the Solomon Key* (*Tourner la clé de Salomon*).

---

1. Le point de l'orbite de la lune où celui-ci traverse l'écliptique depuis l'hémisphère sud pour passer dans l'hémisphère nord.

Un autre événement démonstratif a incontestablement contribué à cette association de la maçonnerie aux premiers temps des États-Unis. C'est l'épisode que l'Histoire a retenu sous le nom de « Partie de Thé de Boston » (*Boston Tea Party*). Dans la nuit du 16 décembre 1773, dans le port de Boston, une soixantaine de colons américains déguisés en Indiens Mohawks montèrent à bord du *Darmouth* – bloqué à quai, avec deux autres navires, depuis une quinzaine de jours sans possibilité de débarquer la marchandise – et déversèrent la cargaison de thé à la mer pour protester contre la récente loi sur le thé et les taxes afférentes destinées à sauver la Compagnie britannique des Indes orientales de la banqueroute. Cette manifestation bon enfant sans effusion de sang passe généralement pour le premier acte de la guerre d'Indépendance américaine[5]. Or, on a longtemps considéré que les

---

5. Bien que les réactions face à cette initiative furent contrastées, y compris dans les rangs des colons, puisqu'un Benjamin Franklin – pour ne citer que lui – considéra qu'il fallait rembourser le thé détruit et proposa même de le payer de ses propres deniers. Ce qui ne fut pas fait.

participants à cette opération étaient majoritairement, voire tous, maçons, qu'ils appartenaient à la loge Saint-André de Boston au sein de laquelle la « partie » aurait été décidée. On sait aujourd'hui que les participants maçons n'étaient qu'une poignée au moment de l'action (un certain nombre des acteurs de cette journée ne devinrent maçons qu'ultérieurement, et même des années plus tard).

Faut-il voir derrière ce côté démonstratif autre chose qu'une volonté de partager une expérience enthousiasmante, fût-elle prosélyte (ce qui n'est pas l'esprit de la maçonnerie traditionnelle) ? Pourrait-il y avoir derrière cette maçonnerie américaine une quelconque malignité ou un esprit de manipulation comme voudraient l'imaginer les obsédés du « Complot » ? Sans doute pas. Et ce caractère ostentatoire en est assurément la meilleure preuve. Comment imaginer des secrets infâmes, d'obscurs complots, des intentions malséantes, quand tout est semblablement exposé au vu et au su de tout le monde ?

Pareillement, redisons encore que tous ces symboles entourant l'origine des États-Unis et toujours présents (le dessin du dollar et du Grand Sceau, les pyramides tronquées, les yeux providentiels, etc.) n'ont rien de spécifiquement maçonnique et traduiraient davantage cette imprégnation chrétienne très présente outre-Atlantique depuis les pères fondateurs du *Mayflower*. Il est notoire aujourd'hui que les artistes ou architectes qui ont œuvré à créer ces symboles n'étaient pas maçons dans leur grande majorité, voire leur totalité.

Liberté de croyance

Concernant l'association des États-Unis avec la maçonnerie, il est certain que la question religieuse y a joué un grand rôle. Les milieux catholiques antimaçons qui ont voulu exagérer cette connexion entre l'Union et l'ordre fraternel ne pouvaient voir d'un bon œil le caractère profondément déiste des États-Unis.

Dès leur Constitution, les États-Unis caractérisent leur dimension très religieuse qui préside à leur destinée (et leur devise, *In God we trust*, « En Dieu, nous croyons », bien que récente, en est l'écho). Mais en fait de religion, ils adoptent une posture profondément déiste : ils prônent l'idée d'un dieu universel, d'une manière non dogmatique. Comme le souligne Dan Brown, « leur seul idéal religieux est celui de la liberté de croyance[6] » (*LSP*, p. 407, f475). Nul doute que cette ouverture d'esprit risquait de s'attirer les foudres des catholiques radicaux. Était-il pour autant la preuve d'une influence maçonnique ? De nouveau, il est relativement ardu de répondre dans un sens ou dans un autre. En tous les cas, incontestablement, la franc-maçonnerie régulière était à cette époque théiste (croyance en un Dieu révélé, cause de toutes choses et garant de l'unicité universelle ; chacun devant croire en ce même dieu) et non déiste (croyance non dogmatique en un être suprême non spécifiquement déterminé ; et de ce fait, ce principe supérieur pourra être différent dans son expression d'un individu à l'autre). En outre, deux des principaux promoteurs de ce déisme américain, les deux Thomas – Jefferson et Paine – ne sont pas systématiquement identifiés aujourd'hui comme francs-maçons (mais pour être clair et par honnêteté, j'incline quant à moi à les reconnaître pour tels et je m'en expliquerai brièvement ci-dessous).

---

6. Pour l'anecdote, comme l'indique David Shugarts, l'une des œuvres américaines qui se rapproche le plus d'un « art sacré » est la peinture qu'évoque largement Dan Brown dans *Le Symbole perdu* : l'*Apothéose* de Washington, sur le plafond de la coupole du Capitole – un peu l'équivalent américain, en somme, du plafond de la chapelle Sixtine. Ici, le « Michel-Ange » de l'*Apothéose* s'appelle Constantino Brumidi, un artiste de quelque renom à l'époque et dont cette commande devait être le chef-d'œuvre. On y voit George Washington flanqué de deux déesses et de treize jeunes vierges formant un cercle (on est, certes, assez loin de l'esprit chrétien, présidant également alors à l'ensemble de la maçonnerie, mais plus dans la dynamique « romaine » qui paraît avoir accompagné ces débuts des États-Unis). Or, pour la petite histoire, Brumidi à la recherche de modèles demanda à certaines de ses amies de poser, des amies qui étaient… des prostituées locales. « Ainsi, nous dit D. Shugarts, l'une des choses les plus approchantes d'une œuvre d'art « sacré » que possède l'Amérique est en fait un portrait de groupe de prostituées » (*Secrets of the Widow's son*, p. 127). Mais à propos, que sait-on des modèles de la Sixtine ?

CE FAMEUX DOLLAR

Il est notoire – et Dan Brown l'utilise pour créer un écran de fumée dans *Le Symbole perdu* – que si l'on dessine une étoile à six branches superposée au Grand Sceau et au dollar qui le reproduit, cinq des pointes (la sixième encadrant l'œil de la Providence) désignent dans l'ordre les lettres ASMON. Les antimaçons veulent y voir l'anagramme de MASON, autrement dit « maçon » en anglais. C'est assurément chercher inutilement des complications. Quel intérêt y aurait-il eu à révéler aussi ostensiblement – et à destination de qui ? – l'existence d'une prétendue machination ? Giacometti et Ravenne notent que, en guise d'anagramme, on pourrait aussi trouver « SO MAN », c'est-à-dire « Et alors, mec ? » Mais de manière ironique, pourquoi ne pas voir aussi « NO SAM »/ Non à Sam, comme un refus symbolique de l'Amérique (caractérisée par l'oncle Sam). Comme quoi, ce type d'interprétation n'a guère de sens et encore moins de force probante.

Quant au signe du dollar lui-même, $, on ignore toujours son origine réelle si ce n'est qu'il serait inspiré par l'ancien symbole d'un peso hispanique. Ce dernier n'aurait eu qu'une barre verticale alors que le dollar en avait deux (mais de plus en plus, il est graphiquement représenté avec une seule). Ces deux barres auraient été interprétées comme les deux colonnes du temple de Jérusalem et des maçons. Quant au S, il aurait désigné le serpent tentateur, Satan, prince de l'argent et de la finance. Bigre !

Les deux Thomas

Les cas de Jefferson et Paine sont assez intéressants à examiner en ce qui concerne cette période charnière de la naissance des États-Unis et de l'expression maçonnique et religieuse entourant celle-ci.

Autodidacte, aussi bien philosophe épris des Lumières qu'architecte, agronome, propriétaire terrien, traducteur polyglotte[7] ou inventeur, Thomas Jefferson est aussi connu comme le troisième président des États-Unis (après avoir rédigé une bonne part de la Déclaration d'indépendance). On lui doit aussi la Bible qui porte son nom et que Dan Brown met en scène au terme de son *Symbole perdu* (chapitre 131). Formellement intitulé *Vie et Morale de Jésus de Nazareth*, ce texte entendait clarifier la Bible et restituer le véritable message de Jésus selon Thomas Jefferson, en réorganisant le Nouveau Testament. Pour cela, il coupa tout ce qui lui semblait relever d'ajouts surnaturels dans les Évangiles (notamment l'Immaculée Conception et la Résurrection) ou des interprétations erronées émanant des quatre évangélistes pour « supprimer l'habillage artificiel et retrouver les doctrines authentiques » (cité dans *LSP*, p. 490, f571). Cette « Bible » hétérodoxe demeure une référence pour un grand nombre de chrétiens américains (et c'était sur elle que les membres du Congrès prêtaient serment jusqu'au milieu du XIXe siècle).

Cette posture authentiquement religieuse mais empreinte d'un certain rigorisme scientifique, voire de rationalisme, pourrait fort bien s'accorder sur une démarche maçonnique conforme à l'esprit de l'époque de sa rédaction. Pourtant, Jefferson n'est généralement pas considéré comme franc-maçon, ce qui, au-delà de l'anecdote politique, pose la question des moyens d'identification d'un maçon historique. Dans des circonstances aussi anciennes que troublées (guerres, émeutes, révolutions…) auxquelles peuvent même se mêler des incidents naturels (incendie, inondation, perte, moisissure…), la non-découverte d'une trace documentée peut-elle

---

7. Au moins six langues pratiquées dont le grec et le latin dans le texte.

suffire à écarter un nom de la liste des francs-maçons du passé ? Certes, une preuve tangible serait bienvenue. Mais en droit, la présomption, le faisceau d'indices, sont déjà des éléments de preuve et, lorsque cette présomption s'appuie sur des données solides et cohérentes, elle devrait pouvoir suffire à la reconnaissance de la qualité de maçon d'un personnage historique (remarquons toutefois, à l'inverse, que certains sont un peu rapides pour qualifier tel ou tel de maçon).

Quoi qu'il en soit, et même s'il n'avait réellement pas été maçon lui-même, le troisième président américain était entouré de frères et son esprit était empreint de philosophie maçonnique éclairée. On sait qu'il fréquenta des loges, notamment « les Neuf Sœurs » à Paris. Il arrive que l'on confonde celle-ci avec « Les Neuf Muses », une librairie qui existe toujours quai des Grands-Augustins et, de ce fait, certain utilisent cette confusion – présente chez différents auteurs qui parlent de loge des *Neuf Muses* – pour dire qu'il n'a jamais mis les pieds dans l'atelier maçonnique, mais simplement dans la librairie (où son passage est bien attesté). En réalité, il a manifestement été familier des deux[8].

Mais prenons le cas d'un de ses amis, Thomas Paine, qu'il aida d'ailleurs à revenir aux États-Unis. Né en Angleterre, Paine fut, lui aussi, l'un des acteurs de l'Indépendance et de la naissance des États-Unis, qui aurait pu évoluer un temps autour des « Neuf Sœurs » et à qui l'on dénie aujourd'hui la qualité de maçon (ou plus précisément, devrait-on dire, comme pour Jefferson, dont on n'a aucune trace de l'initiation dans une quelconque loge).

Pourtant, là encore, il suffit de lire Paine pour deviner que son esprit est inondé d'une lumière « maçonnique ». On sait, par ailleurs, que la plupart de ses amis sont maçons (notamment Nicolas de Bonneville[9], son intime et traducteur, dont il recueillera l'épouse et les deux fils quand le Français sera

---

8. À la fin de l'annexe 4 du présent ouvrage, « Figures de la maçonnerie », en évoquant les présidents américains francs-maçons, nous revenons sur d'autres éléments laissant supposer une appartenance maçonnique de Jefferson.

9. Auteur, notamment, de *Les Jésuites chassés de la maçonnerie et leur poignard brisé par les maçons* (1788, réédité en 1993, Éditions du Prieuré).

condamné par Bonaparte) et qu'il écrit – très favorablement – sur la maçonnerie. Tout son esprit serait-il « maçonnique » ? En un sens oui, mais pour l'époque et aux yeux de différents auteurs maçons, il avait un défaut majeur : il était déiste (défaut affectant assurément aussi Jefferson et sa Bible, et qui explique peut-être la non-inclination de certains à l'intégrer dans les rangs des maçons). Déiste il l'est et le professe dans *Le Siècle de la raison* (1794-1795) ou dans un petit opuscule comme *De l'origine de la franc-maçonnerie*. Bonneville, justement, dit de lui : « Thomas Paine a fait semblant d'avoir écouté à la porte du sanctuaire, mais il n'en est rien[10]. » Phrase sibylline qui peut, somme toute, s'interpréter de quantité de manières en se demandant déjà à quel « sanctuaire » il est fait allusion. Et si c'est bien – en toute logique – de la porte du temple maçonnique qu'il s'agit, cela veut-il dire qu'il n'est jamais rentré ou qu'au contraire il a fait semblant de rester à la porte, mais qu'en réalité, il l'a bel et bien franchie ? Au regard de tous les éléments à disposition, on peut le supposer.

On argue du déisme de Paine, de sa passion pour la démocratie et les libertés pour dire qu'il n'aurait pu entrer dans la maçonnerie anglaise, théiste, monarchiste et aristocratique, qui ne voyait guère d'un œil très favorable l'auteur des *Droits de l'Homme* (écrit en 1791-1792). Mais qu'en est-il des États-Unis et de la France où ces principes n'étaient pas aussi conspués et même bien au contraire ?

Et à dire vrai, le déisme n'a pas forcément été toujours autant condamné, y compris au sein de la maçonnerie anglaise, quand on voit notamment que nombre des premiers maçons de 1717 et des années suivantes immédiates appartenaient aussi au Druid Order de l'ardent panthéiste John Toland, né au même moment (en 1717), dans les mêmes circonstances et les mêmes lieux (la Taverne du Pommier, l'une des quatre loges constitutrices de la Grande Loge maçonnique).

En outre, à l'époque même de Paine, on sait qu'il existait plusieurs formes de maçonneries, de rites naissants (dont plusieurs assurément non théistes, voire se référant à des traditions

---

10. Paine, Thomas, *De l'origine de la franc-maçonnerie*, À l'Orient, 2007, p. 16 (introduction).

non bibliques. Voir la mystérieuse *Loge centrale du Véritable franc-maçon*[11], publié anonymement dans les toutes premières années du XIXe siècle et qui prête à la franc-maçonnerie une origine germanique dans les premiers siècles de l'ère commune autour de la figure du héros Arminius). Dans un contexte d'historicisation linéaire de la maçonnerie, beaucoup d'auteurs ont longtemps préféré écarter – et continuent bien souvent de le faire – tous ces textes ou auteurs qualifiés de « fantaisiste » (et le propos ici n'est pas de juger l'exactitude de ces considérations) pour ne donner qu'une version unique de la franc-maçonnerie, excluant tous ceux qui n'entraient pas « dans le moule »… dont, peut-être, des Paine et des Jefferson. Mais ce n'est qu'une hypothèse et un élément parmi d'autres.

Des rites américains ?

La franc-maçonnerie américaine a incontestablement eu une influence sur la maçonnerie mondiale – pas une influence absolue, mais déterminante. Des États-Unis sont repartis deux rites majeurs de l'Ordre fraternel aujourd'hui : le rite d'York et le Rite Écossais Ancien et Accepté. Je dis *repartis*, parce que, s'ils ont pris une ampleur particulière en Amérique où ils ont adopté leur forme plus ou moins définitive, ils étaient issus l'un comme l'autre de rituels plus anciens venant d'Europe continentale. Globalement – même si cette réduction ne peut totalement rendre justice à la genèse et à la maturation d'un rite –, le futur rite d'York provenait de l'ancienne loge anglaise (ou devrait-on encore plus précisément dire « anglo-irlandaise ») des Anciens. En effet, à cette même époque et ce depuis 1751, la maçonnerie anglaise était en proie à une importante fracture entre deux groupes ayant formé chacun une Grande Loge : l'une appelée la Grande Loge des Anciens maçons (*Grand Lodge of Antient masons*) et l'autre la Grande Loge d'Angleterre, surnommée par les premiers, les Modernes. En quelques mots,

11. *Loge centrale des Véritables Francs-Maçons, ou Lettre d'un Philosophe du Nord à Madame la Princesse de N…*, Paris, Michelet, 1802 (attribué à L. R. Barbet du Bertrand).

les Anciens reprochaient aux Modernes d'avoir déchristianisé la maçonnerie. Mais, sur un plan plus terre à terre, les premiers étaient principalement des catholiques pour la plupart d'origine irlandaise et relativement modeste qui n'avaient pas été bien acceptés – ou pas du tout – dans les loges anglaises essentiellement protestantes et aristocratiques (et plus proches de la couronne).

Toujours est-il que, dans le cadre de l'affrontement larvé entre la mère-patrie britannique et les colons américains, ceux qui parmi ces derniers étaient attirés par la maçonnerie – et qu'ils soient catholiques ou protestants – trouvèrent opportuns de se rapprocher plutôt de ces Anciens – rebelles en quelque sorte à l'autorité de Londres. De là naîtra donc le rite américain dit d'York (parce que les Anciens prétendaient être les héritiers de l'ancienne loge d'York), qui, longtemps, demeura essentiellement pratiqué en Amérique du Nord[12].

Par ailleurs, le Rite Écossais Ancien et Accepté qui sera constitué en 1801 à Charleston par la création du premier Suprême Conseil a, lui aussi, une origine d'Europe continentale et puise à des sources plus ou moins attestées françaises, écossaises et prussiennes. Celui qui apporta le rite en Amérique était un Français s'appelant Étienne Morin et qui pratiquait un rite dit du Royal Secret en 25 degrés dans les Antilles. Avec l'aide d'un Hollandais d'origine, Henry Francken, il fit passer son rite en Amérique du Nord où il se développa et hérita de huit nouveaux degrés. Là encore, ce caractère non anglais du rite ne put que séduire les maçons de la toute jeune fédération à peine indépendante de la tutelle britannique.

On le voit, comme pour beaucoup d'autres phénomènes ou initiatives (on pourrait s'amuser à évoquer des traditions comme le Père Noël ou Halloween), les États-Unis n'ont servi que de caisses de résonance ou d'athanor transformateur à des processus qui avaient leur origine en Europe.

Alors certes, on le voit, l'Amérique eut une influence sur la franc-maçonnerie internationale par la constitution et l'amplification de ces rites (notamment, hors de la maçonnerie dite

---

12. Depuis quelques années, ce rite en quatorze degrés se développe considérablement en France, principalement au sein de la GLNF.

régulière, bien que les Grandes Loges américaines soient elles-mêmes dans la « Régularité »). Pour autant, peut-on dire que la maçonnerie américaine a un impact sur l'hégémonisme américain donc une véritable action sur la société ou la politique mondiale ? Répondre par l'affirmative est beaucoup plus contestable. La politique internationale nord-américaine puise à bien d'autres sources que la franc-maçonnerie. Si même on peut attribuer en partie à cette dernière la création de grandes organisations para-étatiques à vocation pacifique comme la Société des Nations (SDN, ancêtre de l'ONU), il s'agit, là encore, d'initiatives qui furent majoritairement européennes à l'origine [13].

Non-interventionnisme sociétal

En réalité, ce non-interventionnisme sociétal est même un élément qu'avancent certains observateurs – et notamment l'ancien Grand Maître du GODF Alain Bauer – pour expliquer une certaine désaffection de la maçonnerie américaine. Après avoir compté près de quatre millions de membres au lendemain de la Seconde Guerre mondiale, la franc-maçonnerie américaine a fondu dans les années 1960, pour atteindre aujourd'hui un chiffre de deux millions, voire de… quatre cent mille membres, selon certains observateurs. Mais les raisons de la baisse sont probablement multiples et sans doute pas réductibles à la seule absence de débat sociétal en loge (ce qui est, somme toute, la règle dans l'ensemble des loges régulières du monde, en particulier celles qui sont reconnues par la Grande Loge Unie d'Angleterre). Au sein de la jeunesse américaine, on peut notamment évoquer l'intérêt pour des pratiques plus « exotiques » à l'époque du *flower power* hippie alors que la franc-maçonnerie paraissait plus conservatrice. On assiste toutefois à un début de renouveau avec un retour dans les temples

---

13. En ce qui concerne la SDN, si le président américain Woodrow Wilson (qui n'était pas maçon) en fut un des grands artisans, il fut même désavoué par son propre pays puisque le Congrès américain vota contre l'adhésion des États-Unis à la Société des Nations.

d'une population jeune – incontestablement plus attirée par une maçonnerie aux préoccupations intellectuelles et symboliques que sociétales.

Par ailleurs, il est beaucoup trop tôt pour évaluer l'impact que pourra avoir un ouvrage comme celui de Dan Brown sur la franc-maçonnerie en Amérique du Nord ou ailleurs. Mais on ne peut que constater que les obédiences sont très sollicitées et questionnées au pays de l'oncle Sam depuis la parution du *Symbole perdu*.

Un étrange cloisonnement

Le paysage maçonnique et métamaçonnique américain présente un visage contrasté. À côté des Grandes Loges (théoriquement une par État) et des milliers de loges pratiquant le Rite Écossais Ancien et Accepté, le rite d'York ou d'autres, il existe tout un ensemble d'organismes paramaçonniques bien souvent à caractère caritatif. L'un des plus connus et des plus voyants est l'Ordre arabe ancien des nobles du sanctuaire mystique, autrement dit en anglais l'*Ancient Arabic Order of Nobles of the Mystic Shrine*, ce qui est simplement abrégé en général dans toutes les langues, y compris en français, en *Shriners*. Dan Brown les évoque brièvement au chapitre 99 du *Symbole perdu*, lorsque certains de ses protagonistes se retrouvent autour de Franklin Square, là où se dresse le principal temple des Shriners, l'Almas Shrine Temple (*LSP*, p. 374, f441). Il fait d'ailleurs dire à l'un de ses personnages : « Les Shriners ? Les types qui construisent des hôpitaux pour les gosses ? » (*LSP*, p. 366, f432). Car de fait, cette organisation étrange dont le principal attribut est un fez qu'arborent les membres est particulièrement impliquée dans le domaine caritatif. Elle organise de grandes parades dans les rues américaines qui participent assurément davantage du cirque que de la société secrète. Ces défilés et accoutrements lui ont toujours valu une réputation assez sympathique à défaut de paraître sérieuse (bien que ses actions en faveur des enfants malades ou d'autres nécessiteux le soient au premier chef). C'est cette organisation des *Shriners* qui est mise en scène dans un film de Laurel et

Hardy (par ailleurs notoirement francs-maçons), *Les Compagnons de la nouba*[14].

Il serait fastidieux de citer toutes les organisations paramaçonniques existantes (sans parler des fraternités étudiantes, type Skull & Bones). Citons au moins deux structures de jeunesse initiant à la fraternité et pouvant conduire à la franc-maçonnerie pour les personnes intéressées : l'Ordre international de Molay (du nom du dernier Grand Maître templier) pour les garçons, et les Filles de Job (pour les jeunes filles).

À dire vrai, ces dernières – une fois atteint l'âge de 20 ans – sont invitées, non pas à rejoindre la franc-maçonnerie, mais une organisation appelée l'Ordre de l'Amarante (*Order of the Amaranth*). Seulement, à la différence de ce que l'on connaît en Europe et dans d'autres pays du monde, on ne peut parler réellement ici de franc-maçonnerie féminine. Il s'agit davantage d'une organisation philanthropico-fraternelle pour des femmes ayant un lien de parenté avec un franc-maçon. Il en existe d'autres accessibles aux femmes, la plus connue étant probablement l'Ordre de l'Étoile d'orient (*Order of the Eastern Star*) également mentionné par Dan Brown. Contrairement à l'Amarante, l'Etoile d'Orient est mixte.

Mais, au final, on peut considérer qu'il n'existe pas de franc-maçonnerie féminine aux États-Unis. Dans ce pays ouvert aux idées modernes sous bien des aspects, cette absence de maçonnes a de quoi étonner et traduit probablement le conservatisme de la maçonnerie en général qui, sans pour autant devenir mixte, n'a jamais cherché à favoriser l'émergence de loges féminines.

On a assurément là l'un des caractères les plus singuliers de la franc-maçonnerie américaine. Un autre – mais qui va dans le même sens – est sa dimension que je qualifiais, un peu plus tôt, de ségrégationniste. Il existe en effet une maçonnerie noire

---

14. Le titre originel anglais *Sons of the desert* – littéralement « les Fils du désert » – fait directement allusion au nom de la fraternité à laquelle appartiennent les deux héros dans le film. Mais en Angleterre, il est sorti sous le titre *Fraternally yours/Fraternellement vôtre*, qui créa longtemps une confusion en laissant croire aux personnes mal renseignées qu'il s'agissait de maçonnerie.

aux États-Unis distincte de la maçonnerie dite caucasienne, autrement dit celle de la population blanche. Cette maçonnerie noire porte le nom de Prince Hall d'après le premier Afro-Américain initié en 1775 en compagnie de quatorze de ses camarades – tous nés libres – dans une loge militaire. Lorsque cette dernière s'en alla, ils reçurent le droit de la Grande Loge d'Angleterre de se réunir en loge (au sein de l'*African Lodge* n° 459), mais pas de conférer des degrés. En 1813, pour non-paiement de cotisations, la loge perdit sa patente régulière. Mais elle se reconstitua presque aussitôt en Grande Loge africaine n° 1 (African Grand Lodge n° 1) avant d'essaimer et de créer d'autres grandes loges semblables dans différents États américains. Et cette maçonnerie noire se développa parallèlement à l'autre sans contact (pour refuser de reconnaître la régularité des loges Prince Hall, on arguait du fait qu'il ne pouvait exister qu'une Grande Loge par État en vertu des critères de régularité et de reconnaissance établis par la GLUA). Toutes les tentatives de rapprochement échouèrent dans une Amérique où régna longtemps la ségrégation raciale. Curieusement, cette dernière ne cessa pas au sein de la maçonnerie traditionnelle, dans les années 1960 ou 1970, lorsque les États-Unis commencèrent enfin à reconnaître les mêmes droits aux uns et aux autres sans considération de race. Non, ce n'est qu'à la fin des années 1990 que les portes respectives de ces deux maçonneries s'ouvrirent l'une à l'autre. Les loges de la franc-maçonnerie régulière américaine acceptèrent alors de reconnaître les loges Prince Hall et le processus s'amorça lentement, mais sûrement. Il reste encore aujourd'hui quelques Grandes Loges du Sud des États-Unis qui n'ont pas encore reconnu les loges Prince Hall de leur État.

Dans une moindre mesure, parce qu'elles n'ont pas l'ampleur de ce que peuvent être les loges Prince Hall, il existe également des loges strictement hispaniques ne se mêlant pas aux autres.

On touche là à l'aspect le plus étrange et peut-être le plus paradoxal et le plus dérangeant de la franc-maçonnerie américaine, même si celui-ci tend heureusement à se résorber aujourd'hui.

Pas si « sauvage »...

Et malgré tout, sur cette terre de contrastes que sont les États-Unis, la maçonnerie offre quelques beaux exemples de fraternité par-delà l'adversité, les conflits et les races. Ainsi, parmi les exemples les plus anciens, cite-t-on fréquemment l'exemple du chef indien Joseph Brant (1742-1807). De son vrai nom Thayendanegea, il appartenait à la tribu Mohawk (une tribu de l'État de New York qui était l'une des cinq nations de la confédération iroquoise) et sera lui-même très tôt initié à la maçonnerie en 1776[15]. Plus tard, au cours de cette même année, alors que sa tribu luttait aux côtés des Britanniques, on raconte qu'il aurait sauvé la vie d'un officier indépendantiste, le capitaine John McKinstry (et non Kinsty, comme il est parfois écrit), qui avait été fait prisonnier après la bataille des Cèdres sur le fleuve Saint-Laurent, Québec. Sur le point d'être mis à mort par la tribu de chef Joseph, le captif aurait fait le signe de détresse (il était membre de la *Hudson Lodge* n° 13, O. de New York) et, reconnaissant ce signe, Joseph Brant serait parvenu à sauver la vie de l'homme. En revanche, trois ans plus tard, de semblables tentatives pour épargner la vie d'un jeune lieutenant Boyd tombé aux mains des Anglais se révélèrent vaines. On a, en tous les cas, là une vision plus inédite, moins « sauvage », de l'histoire amérindienne[16].

Si, dans les pas de Robert Langdon, ce petit passage par la franc-maçonnerie américaine était nécessaire et logique, convenons d'ores et déjà que celle-ci n'est pas – loin s'en faut – identique à la maçonnerie telle qu'elle est vécue ailleurs – et même si la franc-maçonnerie est universelle. Pour s'en tenir à la France, la maçonnerie américaine n'a pas connu la fratricide

---

15. On dit qu'il aurait reçu son tablier de maçon des mains même du roi Georges III, soit dans la Falcon Lodge, soit dans l'Hirams Cliftonian Lodge de Londres.

16. Après la guerre d'Indépendance, alors que sa tribu vaincue se retrouvait exilée au Canada, chef Joseph entreprit de traduire en mohawk le *Livre de prières anglican*.

Révolution française, ni les affaires des fiches et Dreyfus, ni Léo Taxil, ni Vichy, et bien d'autres épisodes qui ont amené les frères continentaux à se montrer plus circonspects, plus discrets, plus prudents. En un mot, moins démonstratifs. Mais aussi plus solidaires sans doute, plus ouverts au débat et à l'enrichissement réciproque entre frères… et sœurs, de toutes origines et conditions.

LA FRANC-MAÇONNERIE VUE DU PARVIS

> « La vérité sera déformée, Langdon le savait. Comme toujours dans le cas de la maçonnerie. »
> *LSP*, p. 437, f510.

« Connais-toi toi-même. » Le conseil était gravé sur le fronton du temple de Delphes. C'est aussi l'un des commandements tacites de la maçonnerie que l'on trouve gravé en différents endroits (et notamment, rappelle Dan Brown, sur le fauteuil du tuileur à l'intérieur de la Maison du temple, le siège de la juridiction Sud du REAA aux États-Unis. Voir *LSP*, p. 492, f573).

Se connaître soi-même. Prendre la maîtrise de soi. Assurément, il y a là la clé de la démarche maçonnique, sa fin, et peut-être aussi son commencement, tel un serpent qui se mord la queue, un éternel retour. Car pour bien évaluer l'endroit où l'on se rend, il faut déjà savoir d'où l'on part. Ce travail a été entamé avant même le cabinet de réflexion, alors que le candidat à l'initiation commence à envisager son admission. Il observe, écoute, se nourrit de ce qu'il entend, des informations parfois contradictoires… Déjà, il *cherche*. Il cherche mais, comme il est dans les ténèbres, il devine probablement un rai de lumière filtrant au bas d'une porte.

Maintenant qu'il se retrouve sur le parvis du temple, prêt à en franchir la porte, il peut encore une dernière fois s'interroger sur le sens de sa démarche. Que suis-je venu faire ici ? Que suis-je venu chercher ?

Encore une fois, il s'interroge sur la franc-maçonnerie. À dire vrai, il ne sait guère ce qui l'attend, ce qu'il va trouver de l'autre côté. Et c'est à la fois logique et préférable. La véritable franc-maçonnerie est une expérience vécue, personnelle, par bien des aspects inexprimables et intransmissibles.

En revanche, il commence à se faire une idée assez claire de ce que la franc-maçonnerie n'est pas...

Ce que n'est pas la franc-maçonnerie

> « La perception qu'on avait des maçons aujourd'hui allait du groupe de vieillards inoffensifs prenant plaisir à se déguiser jusqu'au groupe occulte réunissant les éminences grises qui dirigeaient le monde. La vérité se trouvait sans aucun doute entre les deux. »
>
> *LSP*, p. 31, f48.

En 1989, un documentaire en deux parties, *Voyage au pays des francs-maçons*, de Serge Moati, va modifier profondément le paysage maçonnique français. Pour la première fois, hors de quelques rares allusions et sous-entendus et d'articles récurrents dans la presse extrémiste, le sujet de la franc-maçonnerie était évoqué à visage découvert devant le grand public, sur une grande chaîne nationale et à une heure de grande écoute. À cette date, les marrons qui allaient donner les futurs marronniers prospères que l'on connaît aujourd'hui (ces dossiers réguliers dans la presse magazine assurant de confortables ventes) n'étaient même pas en terre.

Équilibré, honnête, complet – sans naturellement pouvoir être exhaustif –, ce programme présentait pour la première fois la maçonnerie sous une lumière objective. À l'époque, le nombre des francs-maçons en France devait avoisiner les 60 000 frères et sœurs (avec environ 30 000 frères pour le GODF, 15 000 pour la GLDF, 6 000 pour la GLNF et le reste se répartissant entre les autres obédiences). Mais immédiatement après la diffusion de ce reportage, la franc-maçonnerie française entama une progression exponentielle rapide qui l'a amenée aujourd'hui, vingt ans plus tard, à un nombre approximativement de 150 000 frères et sœurs (sans qu'il soit vraiment possible d'avoir des certitudes sur ce point, mais ce chiffre doit être assez proche de la réalité).

Cette forte progression est-elle une bonne chose ? Que viennent chercher les profanes en loge et le trouvent-ils ? La franc-maçonnerie est-elle monolithique ? Est-elle ce monstre tentaculaire international que fantasment les antimaçons ?

Il est des questions auxquelles il sera possible de donner des réponses, d'autres que l'on entreverra sans être en mesure de trancher.

Mais il en est une au moins à laquelle il sera ardu de donner une réponse unique, valable pour tous : qu'est-ce que la franc-maçonnerie ? Certes des réponses il en existe, rituelles notamment. Mais peut-on vraiment parler de *la* franc-maçonnerie ? Dans certains cas, la franc-maçonnerie pourra passer pour extrêmement conservatrice et ailleurs, elle nourrira en son sein – à défaut de les susciter ou de les stimuler – des courants ou des personnalités révolutionnaires. Il existe des franc-maçonneries athées, adogmatiques, théistes ou déistes, masculines, féminines ou mixtes, des maçonneries symboliques et d'autres sociétales, des rites différents, des obédiences de tailles très diverses (ce qui entraîne aussi des conséquences sur la façon de vivre sa maçonnerie). Dans certaines obédiences, les loges sont indépendantes, mais dans d'autres cas, elles le sont moins. Certains se réclament d'une filiation remontant à la Grande Loge de 1717 ou aux *Constitutions* d'Anderson, d'autres se rattachent à des sources différentes. Des obédiences sont régulières et reconnues (sous-entendu par la Grande Loge Unie d'Angleterre), d'autres dites régulières mais non reconnues, d'autres encore libérales. Et la liste des contrastes pourrait être longue.

Au final, peu de ce qui pourra être dit de la franc-maçonnerie aura une portée universelle s'appliquant à tout homme ou femme initié en maçonnerie ou à toute structure maçonnique. Et, au regard de la situation mondiale, le caractère propre de la scène maçonnique française paraît depuis longtemps spécifiquement complexe. Mais c'est aussi l'objet de ce livre de démêler les différents paramètres de la maçonnerie, d'identifier les communs dénominateurs, d'expliciter les caractéristiques de chaque entité de la franc-maçonnerie.

À la question rituelle : « Êtes-vous franc-maçon(ne) ? », la réponse est généralement : « Mes frères (sœurs) me reconnaissent pour tel(le). » Est-ce si simple ? Pas si sûr, car il arrivera fréquemment que des maçons parfaitement initiés ne se reconnaissent pas réciproquement d'une obédience à l'autre… au moins officiellement.

En somme, paradoxalement, le principal commun dénominateur des francs-maçons peut venir de leurs adversaires ou simplement des profanes. Car si les maçons ne se reconnaissent pas forcément pour tels, pour un antimaçon, tout initié dans l'une des obédiences qualifiées de maçonniques sera considéré comme franc-maçon, donc un individu à qui l'on prêtera les pires turpitudes.

Mais pour approcher ce qu'est la franc-maçonnerie, le mieux est encore de commencer par se demander ce qu'elle n'est pas (en se rappelant toujours que ces réponses seront valables dans le plus grand nombre de cas avec des nuances).

La franc-maçonnerie n'est pas une religion

Dès le chapitre 6 du *Symbole perdu* (p. 30, f47), Robert Langdon donne sa définition de la religion : elle promet le salut, croit en une théologie déterminée et veut convertir les incroyants (déjà, on peut considérer que cette définition concerne surtout les religions monothéistes dogmatiques et non les cultes dits polythéistes non prosélytes. Mais la question n'est pas là). En revanche, continue-t-il, les maçons ne promettent pas un quelconque salut, n'ont pas de théologie spécifique et ne cherchent pas à convertir. Et on pourrait rajouter qu'elle ne prône aucun anticléricalisme (au moins dans les obédiences spiritualistes, où les discussions religieuses sont proscrites en loges), qu'elle ne délivre aucun sacrement (les initiations ou différents rites de passage n'en étant pas), mais aide ses membres à se réaliser dans la voie qui leur est propre. Et peut-être de communier dans un « centre d'union », caractérisé par la chaîne d'union. *Stricto sensu*, l'ordre fraternel n'est effectivement pas une religion – tout au moins pas une confession – et encore moins une secte. Il ne serait en toute occurrence pas possible de déterminer un dogme unique de la franc-maçonnerie alors que les positions vis-à-vis des religions et de la transcendance varient considérablement d'une obédience et d'un rite à l'autre.

Par ailleurs, même au sein de la maçonnerie dogmatique, théiste ou déiste, chacun est libre d'être fidèle de la religion de son choix (même si certaines apparaîtront plus légitimes selon les rites). Les croyances de chaque frère ou sœur (ou leur absence) sont tolérées et respectées. Changeant régulièrement, les officiers des loges et des obédiences ne sont pas un clergé.

Dans la franc-maçonnerie régulière, il est théoriquement demandé de ne pas discuter en loge de religion (pas plus que de politique).

On dit parfois : « maçon un jour, maçon toujours » (comme on disait jadis : « chrétien un jour, chrétien toujours »). Incontestablement, l'initiation crée un lien indissoluble fort. Mais pour que la maxime précitée ait un sens, encore faut-il se demander ce que représente l'initiation pour l'individu et, donc, ce que celui-ci attend de son parcours maçonnique. Certains quitteront rapidement la maçonnerie sans plus jamais avoir de lien avec l'Ordre, ni en avoir intégré la démarche. C'est en cela aussi que la maçonnerie ne peut résolument pas être considérée comme une secte : à la différence de cette dernière, on entre difficilement dans l'Ordre fraternel, mais on en sort très facilement. Quant au Grand Maître d'une obédience, il n'est assurément pas un gourou, pas même un guide spirituel au sens où on l'entendrait dans une religion (en revanche, il se doit d'être un exemple). On pourrait l'imaginer comme un personnage charismatique. Il peut exceptionnellement l'être, mais le cas se présente rarement. Le maçon n'est pas un être désorienté, mais un cherchant en action, ce qui n'est pas la même chose. S'il travaille sérieusement, il s'élèvera individuellement au sein de loges indépendantes et sous le regard de ses frères ou de ses sœurs.

La franc-maçonnerie n'est pas élitiste

Si, en d'autres temps, elle a pu spécifiquement attirer la noblesse ou l'élite d'un pays et qu'elle continue à le faire dans certains lieux, la franc-maçonnerie ne peut être considérée comme élitiste. Ses membres proviennent de toutes les classes de la société. Comme l'indique le rituel, tout ce qu'il est demandé à un franc-maçon, c'est d'être « libre et de bonnes mœurs ». Et il est ajouté qu'il sera « également ami du riche et du pauvre, s'ils sont vertueux ».

Tout le monde peut devenir franc-maçon. La maçonnerie s'enrichit de la diversité de ses membres et permet à des gens de toutes origines et que rien ne destinait à se croiser de se rencontrer (et de se respecter). Simplement, avant d'être admis au sein d'une loge, le candidat sera enquêté, c'est-à-dire que trois frères ou sœurs (parfois simplement deux dans certaines obédiences) viendront le rencontrer pour savoir si son profil s'inscrira harmonieusement dans l'ensemble de la loge. Mais l'essentiel des qualités qui seront demandées au postulant seront du courage, de la détermination et de l'enthousiasme.

La franc-maçonnerie n'est pas une science

La maçonnerie n'est ni une science exacte ni une science occulte. Si elle prône la valeur des sciences et de leur étude comme élément de progression, elle n'a pas d'enseignement absolu à transmettre. Tout ce qu'elle cherche, c'est donner les moyens au franc-maçon de se révéler, de découvrir son véritable être et d'apprendre à penser par soi-même.

La franc-maçonnerie n'est pas un club-cartes de visite ou un club-service

Il s'agit là sans doute de l'un des principaux reproches ou soupçons portés à l'encontre de la franc-maçonnerie. Elle ne serait qu'une structure permettant de faire des affaires, de s'entraider délictueusement, de s'octroyer indûment des passe-droits, d'obtenir des avantages anormaux... Or il s'agit bien là d'une accusation injuste. Naturellement, en disant cela, il n'est pas non plus question de pratiquer un angélisme excessif en imaginant que cela ne s'est jamais produit entre francs-maçons. Comme au sein de toute structure humaine, de toute association, de toute communauté de vie (à commencer par les écoles...), la franc-maçonnerie fait naître des liens particuliers entre ses membres, des liens forts qui s'expriment par la chaîne d'union qui relie les frères et les sœurs en rituels. Mais l'idée d'une injustice ou d'une pratique délictueuse est totalement contraire à l'essence de la franc-maçonnerie qui prône la vertu dans le temple et hors du temple. Encore une fois, comment imaginer pour autant que, dans une structure humaine atteignant des dizaines, voire des centaines de membres, il n'y ait pas parfois de « moutons noirs » ? Moyennant quoi, ils seront dans l'ensemble plus limités qu'ailleurs et cela pour plusieurs raisons. D'abord parce que la maçonnerie se sépare de ses membres qui se seraient montrés coupables de délit. Ensuite et surtout, parce que l'Ordre réclame un véritable travail à ses membres confinant à l'ascèse, un travail sur soi intense, prenant. L'homme ou la femme qui viendrait en maçonnerie dans un but intéressé comprendrait vite qu'il existe des structures où les visées recherchées seraient atteintes de manière beaucoup moins pénible et plus rapidement. Au surplus, on observe bien souvent que la plupart des francs-maçons s'interdisent même, dans le cours parfaitement ordinaire et régulier des choses, de se livrer au moindre échange professionnel de peur, justement, d'en être accusé. Quand bien même il n'y aurait rien de répréhensible. Il arrive que des candidats ayant cet esprit-là et ignorant ce qu'est vraiment la franc-maçonnerie échappent à la vigilance de l'enquête préalable à l'initiation. Mais ceux-là ne resteront pas.

Par ailleurs, et sans fausse candeur, il faut bien reconnaître que le franc-maçon est souvent un être entreprenant, actif. Le travail qui lui est réclamé n'est pas l'affaire de l'indolent. De ce fait, il sera logique que cet esprit volontaire se traduise aussi sur le plan profane par une certaine réussite, sans qu'il y ait pour autant de cause à effet entre l'appartenance maçonnique et la position sociale.

La franc-maçonnerie n'est pas une société secrète

Une société secrète ? Sans conteste, la franc-maçonnerie ne l'est pas et c'est pourtant le principal reproche sans doute qu'on lui fait. Plus que secrète, elle est discrète et c'est l'Histoire – notamment en Europe, comme il a déjà été dit – qui le lui a enseigné. On entend parfois aussi qu'elle n'est pas une société secrète, mais une société avec des secrets. Quand on voit la quantité de livres et d'informations publiés sur elle, son histoire, ses rituels divulgués, on est en droit de se demander quels secrets seraient encore dissimulés s'il y en avait. À dire vrai, les seuls qui demeurent sont relatifs à l'appartenance des membres : il est interdit de révéler la qualité de franc-maçon d'un tiers qui ne l'aurait pas déjà notoirement révélée. Mais il s'agit bien là d'un secret imposé par les circonstances et l'expérience historique, une réaction à l'intolérance subie, et non une volonté spécifique. En revanche, chacun est libre de se dévoiler, ce qui est plus couramment fait dans des pays qui n'ont jamais vraiment connu de persécutions antimaçonniques comme les États-Unis.

Ce que ne fait pas la franc-maçonnerie

Les *Constitutions* d'Anderson – qui forment le cadre « législatif » de la franc-maçonnerie régulière – proscrivent dans leur partie VI article 2 les discussions politiques et religieuses dans un cadre maçonnique (tant en tenue naturellement que dans les espaces de vie, « salles humides », etc., puisque cet article concerne spécifiquement « la conduite après la tenue quand les frères ne sont pas sortis ».) Ainsi, fondamentalement, les francs-maçons n'ont pas – es qualité – à se préoccuper de politique. Ce qui ne leur interdit naturellement pas de le faire dans leur vie personnelle. Cet interventionnisme politique supposé est pourtant ce qui donne la matière de bon nombre des condamnations visant la maçonnerie.

À cela, on peut opposer quantité d'objections. Au-delà même de l'interdiction formelle de ne pas parler de politique en loges, il est notoire que différentes obédiences se sont éloignées de ces règles andersonniennes pour intervenir davantage de manière revendiquée dans le champ de la société. En France, on peut citer principalement le Grand Orient et, dans une moindre mesure, la Fédération du Droit Humain (qui eut notamment un rôle actif dans la défense de la cause des femmes au début du XXe siècle). Y aurait-il là matière à condamnation ? Assurément pas. Appartenir à une loge se cantonnant au philosophique et au symbolique ou choisir une obédience plus volontariste sur un plan sociétal relève d'un choix individuel. Et au sein même de ces obédiences, toutes les tendances – sauf les extrêmes – sont représentées. Il n'y a donc pas de position univoque émanant de la franc-maçonnerie, donc pas d'influence monocentrée. Ces structures fraternelles se veulent simplement des laboratoires d'idées, des sphères de réflexion, rassemblant des hommes et des femmes de bonne volonté probablement plus impliquée qu'ailleurs.

Au demeurant, comme le disent certains politologues, on est caractérisé par ses ennemis. Et en l'occurrence, au cours de l'Histoire, quels ont été les principaux adversaires de la franc-maçonnerie ? Les régimes les plus totalitaires, les partisans de politiques liberticides, les tenants des positions les plus rétrogrades. Sans que la franc-maçonnerie en tant que telle ait eu une intervention directe, il est fort possible et même probable que nombre des avancées en matière de liberté, d'égalité et de fraternité dans le monde aient été discutées au préalable en loges et que certains acteurs de la vie politique – par ailleurs francs-maçons – se soient nourris de ces discussions. Mais qui s'en plaindra (hors des régimes évoqués ci-dessus) ?

Encore une fois, pour que l'attitude politique soit condamnable, il faudrait que – comme dans d'autres sujets pour lesquels la franc-maçonnerie est parfois montrée du doigt – il y ait malignité. Or je ne crois pas que la démarche politique de ces frères et de ces sœurs soit allée dans une voie d'intolérance ou critiquable en quoi que ce soit – et globalement, je ne pense pas que l'appartenance maçonnique ait été d'une quelconque utilité personnelle à tel ou tel homme ou femme politique, hors de ce qu'il ou elle aurait obtenu de par sa seule action profane.

Il n'y a pas davantage de sens à affubler les obédiences respectives d'étiquettes politiques. L'expérience prouve que, au sein des différentes organisations maçonniques, on rencontre toutes les sensibilités du paysage politique (sauf, une nouvelle fois, les extrêmes *a priori*). Même au sein du Grand Orient soi-disant réputé à gauche, les fameux marronniers de la presse sont là pour nous montrer que l'on y trouve des responsables politiques de tous bords, y compris de premier plan. Selon le vieux principe du « Qui se ressemble s'assemble » et des affinités électives qui vous font choisir une loge plutôt qu'une autre, il est probable qu'une légère tendance s'inscrira d'un côté ou de l'autre au regard de la réputation supposée. Mais ce n'est qu'une vague inclination. Il est assurément désagréable – *a fortiori* lorsque l'on appartient par choix à une obédience qui n'intervient théoriquement pas dans le champ sociéto-politique – de se faire étiqueter dans un camp qui n'est pas le sien, sous prétexte que l'obédience à laquelle vous appartenez aurait cette réputation.

Même au plan historique, la franc-maçonnerie a probablement eu un rôle bien moindre que celui qu'on a bien voulu lui prêter. Très tôt, des attaques ont été portées contre elle pour des raisons qui ne devaient rien à l'essence même de ce qu'elle était ou qui ne reposaient sur aucun élément tangible – ce que les historiens ont depuis longtemps démontré. Ainsi, les premières condamnations vaticanes contre l'ordre fraternel ne relevaient pas de critiques fondamentales contre les principes maçonniques. Elles visaient en premier lieu la franc-maçonnerie anglaise, à la fois très aristocratique, hanovrienne et protestante, quand le Vatican soutenait le très catholique prétendant Stuart à la couronne d'Angleterre – écarté du trône par ces mêmes hanovriens. D'un point de vue français, les accusations visant la maçonnerie soupçonnée d'avoir fomenté la Révolution française ont principalement émané d'un certain abbé Barruel, ci-devant jésuite, qui formulait ces attaques avant même la fin du XVIIIᵉ siècle dans *Mémoires pour servir à l'histoire du jacobinisme* (4 tomes parus entre 1797 et 1791). Sa thèse principale sous-tendait une infiltration de la maçonnerie par les fantasmatiques *Illuminés de Bavière* athées, d'Adam Weishaupt, pour abattre la royauté et l'Église. Mais une connaissance même fragmentaire de l'Histoire et de la maçonnerie démontre rapidement qu'il se compta pratiquement autant de maçons chez les révolutionnaires que chez les monarchistes et que, même dans les rangs républicains, nombre d'entre eux glissèrent leur cou dans l'œil de la guillotine. L'appartenance maçonnique n'aura sauvé ni un Philippe Égalité – le cousin de Louis XVI, qui aura voté la mort de ce dernier, père du futur Louis-Philippe, et qui n'était d'ailleurs plus maçon au moment de son arrestation –, ni un Robespierre, ni, plus tard, le maréchal d'Empire Michel Ney.

Par ailleurs, si la franc-maçonnerie a, dans cette affaire, pu jouer un rôle, ce fut aussi à ses dépens (ce qui sera fréquemment le cas, on le voit, face à ces courants antimaçonniques d'origines diverses). On sait, par exemple, que les comédiens ou gens de théâtre n'étaient pas admis en maçonnerie (comme chez les catholiques…). On explique ainsi une certaine hargne contre les francs-maçons de théâtreux comme les révolutionnaires Collot d'Herbois ou Fabre d'Églantine, qui avaient été refusés pour cette raison en loge. Bien souvent la haine antimaçonnique n'aura pas d'autre source que le rejet ou l'exclusion de la maçonnerie (comme ce sera le cas plus tard du faussaire Léo Taxil).

Au demeurant, la thèse de Barruel – depuis longtemps disqualifiée, sauf chez les contre-révolutionnaires anti-maçons et catholiques intégristes – est symptomatique d'un autre phénomène : l'amalgame. Bien des critiques adressées à la maçonnerie visent en réalité des groupes qui n'appartiennent pas à l'ordre, mais auxquels on voudrait prêter des accointances maçonniques (et encore faudrait-il se demander si ces groupes – comme ici les *Illuminés de Bavière*, mais, dans d'autres cas, ce pourrait être la charbonnerie, l'Ordo Templi Orientis, la Golden Dawn, les Frères initiés de l'Asie, et j'en passe – étaient réellement concernés alors que beaucoup n'avaient qu'une action intellectuelle ou ésotérique, mais c'est de nouveau une tout autre question que celle qui nous retient).

Pour arguer de l'action politique et des éventuelles déviances maçonniques, toute une littérature fantastico-politico-ésotérique s'est fondée sur de prétendues appartenances, de supposées connivences ou connexions et des engagements de certains maçons réels mais sans lien avec leur initiation maçonnique. Le franc-maçon, on l'a dit, même lorsque régulier, il ne veut pas parler de politique en loge, est souvent un homme profondément ancré dans son époque, intéressé par le sort de ses semblables et de la société. En un mot : impliqué. De ce fait, en dehors de son engagement fraternel, il appartiendra fréquemment à de nombreux groupes aux objectifs fort divers (intellectuels, philosophiques, ésotériques, magiques, sociaux, politiques, caritatifs, etc., la liste est longue), mais reflétant ses préoccupations multiples. Un Garibaldi, à la fois maçon, *carbonari*, et combattant pour l'unité et la liberté de son pays, a-t-il vraiment besoin de la maçonnerie pour fonder son engagement et le mener à bien ?

Au final, si la franc-maçonnerie a souvent contribué à modifier – lentement – les mentalités dans le sens de la liberté et de la tolérance, il est un fait manifeste que les plus grandes révolutions et les plus violentes n'ont jamais été de son ressort (même si les antimaçons arriveront toujours à trouver quelques « frères » – sans nécessairement en apporter la preuve d'ailleurs et sans que cela prouve quoi que ce soit sur la responsabilité maçonnique collective – parmi les responsables de la révolution russe de 1917 ou chez les nationaux-socialistes allemands).

Ancienne et toujours pas acceptée

Ainsi, après maintenant plusieurs siècles d'existence et un impact discret mais réel – sans être exclusif – sur les mentalités et l'épanouissement des hommes et des femmes, la franc-maçonnerie continue de faire peur, d'inquiéter, d'intriguer, de questionner.

« Qu'y a-t-il entre nous ? » demande une question rituelle à laquelle la réponse est : « Un secret. » Ah, ce *secret*, que d'encre n'a-t-il pas fait couler ? Car c'est bien lui qui justifie tant de craintes et d'interpellations à l'endroit de la franc-maçonnerie. Car plus qu'entre les frères et sœurs sans doute, ce secret se dresse entre les maçons et les profanes.

Dans *Le Symbole perdu* (p. 30, f46), Dan Brown/Langdon reprend à son compte la vieille antienne : « La franc-maçonnerie n'est pas une société secrète, mais une société avec des secrets. » C'est peut-être exact, mais une fois que l'on a dit cela, on n'a en réalité rien dit, rien dissipé. Quel groupe humain, quelle société, quelle structure sociale n'a pas de secrets ? Allez demander à telle grande firme de boissons inter-nationales ses secrets de fabrication. Les divulguera-t-elle ? Et des conseils d'administration, aux conseils de classe, sans aller à ceux des ministres, qui ira révéler le secret des délibérations ? Et ne parlons pas des secrets de la confession qui dissimulent des drames ou des infamies que, pourtant, son récepteur ne voudra révéler. En soi, l'idée d'avoir des secrets ne signifie rien. La seule question est, une nouvelle fois, de savoir ce qu'on en fait et s'il y a quelque chose de répréhensible.

Or, est-il nécessaire de répéter que, si secret terrible il y avait au sein de la franc-maçonnerie, depuis le temps qu'elle est observée, décortiquée, espionnée et que tout est mis sur la place publique et révélé dans des ouvrages, cet éventuel secret indigne aurait été exposé au grand jour ?

Non. La franc-maçonnerie n'a rien de secret au sens répré-hensible. On reproche aux francs-maçons leurs signes de reconnaissance, leurs moyens discrets d'identification ? Mais ceux qui les connaissent le mieux (parfois bien mieux que les maçons eux-mêmes), ce sont leurs ennemis. Et les arborer est avant tout une manifestation de fierté d'appartenance qu'il n'y a pas lieu de condamner.

Il n'existe pas de secret maçonnique au sens négatif du terme, pas de secret condamnable, mais un mystère à décou-vrir au fur et à mesure, qui fait partie de la progression, de l'enchantement, et participe de l'intime, de l'indicible et de l'inexprimable.

Comme le rappelle Robert Langdon, si vous demandez à un maçon ce qu'est la franc-maçonnerie, il vous répondra que c'est « un système de morale, dissimulé sous le voile de l'allé-gorie au moyen de symboles » (*LSP*, p. 31, f48). À la place de « système de morale », d'autres diront « une école de sagesse et de vertu », ce qui revient au même. Au sein de la franc-maçonnerie, tout est symbole. Et c'est par le symbole et la réflexion sur celui-ci que l'individu va pouvoir s'améliorer ; ou disons, se transformer, pour ne pas émettre ici de jugement de valeur.

L'idée de savoir garder un secret – même si, par moments, il confine au secret de Polichinelle, quand tant d'autres l'ont dévoilé ou trahi – participe de la construction de l'être au même titre que le silence dans la phase d'apprentissage du jeune maçon. Il n'y a pas lieu de gloser à l'infini sur le secret. Et en même temps, il n'y a pas lieu de le modifier dans le rituel pour ne pas inquiéter à l'extérieur. Cette notion de secret n'entend attirer l'attention que sur le plus intime de l'homme, sur la quête qu'il doit mener vers l'intériorité de son être, son cœur, après avoir terrassé ses obstacles, ses craintes, ses peurs, ses faiblesses. Rien de répréhensible là-dedans.

Et pour y parvenir, de grades en grades, au gré d'un parcours initiatique d'autant plus puissant qu'il sera découvert pas à pas, le franc-maçon se dotera d'armes symboliques. Tout est bien là : *une école de sagesse et de vertu, dissimulée sous le voile de l'allégorie au moyen de symboles.*

Voilà pourquoi il n'y a pas de grand secret condamnable et voilà pourquoi il est préférable que celui qui envisage d'emprunter le chemin en sache le moins possible sur ce qui l'attend (pour les autres, cela n'a aucune importance puisqu'ils ne viseront pas à suivre cette voie de transformation). En somme, il s'agit d'arriver mentalement vierge à l'initiation pour en goûter toutes les richesses transformatrices.

Pour en revenir à Robert Lomas, dans ces derniers livres et notamment dans *Tourner la clé d'Hiram* et *Le Secret de l'initiation maçonnique* (tiens, le *secret*, justement !), il évoquait le processus alchimique de métamorphose de l'être passant par les étapes maçonniques. Il rapprochait l'impact des initiations du phénomène que l'on appelle les « expériences paroxystiques » (*peak experiment*) et qui nous mettent en relation avec la « conscience cosmique », ce sur-état d'être, partagé par de grands mystiques. Plus le choc sensoriel, la surprise, l'abandon de soi au rythme et à la musicalité de l'initiation sera grand, plus son effet sera puissant, comparable à celui d'un coup de tonnerre (et Robert Lomas parle en connaissance de cause, puisqu'il raconte, au début de *Tourner la clé d'Hiram*, cet épisode où la foudre tomba tout près de lui et ce qu'il ressentit alors).

Dan Brown fait dire à Robert Langdon qu'il a un « grand respect pour la philosophie et le symbolisme maçonniques, mais qu'il avait décidé de ne jamais être initié (car) les vœux de secret l'empêcheraient de discuter de la franc-maçonnerie avec ses élèves » (*LSP*, p. 103, f135). Pas si sûr. Je comprends cette phrase de Robert Langdon, car c'est notamment cette réflexion qui, longtemps, m'a maintenu à l'écart du temple. Tout en ayant le même respect que celui exprimé par le fictionnel professeur de Harvard à l'endroit de la maçonnerie, je craignais de ne plus avoir les mains libres pour en parler une fois entré. Je me trompais, car ce qu'un profane peut dire de la maçonnerie, un maçon peut d'autant mieux le faire. Il en percevra plus justement l'essence, ce qui a de l'importance, ce qui est la « vérité » utile à l'homme. Quel secret révéler, de toutes façons, qui ne l'a déjà été ? En revanche, par cette réticence, je me privais d'emprunter une voie lumineuse qui, pourtant, suscitait mon admiration, ma curiosité sans doute aussi, et dont je pressentais qu'elle ne pouvait se comprendre et se manifester que par le vécu. Le franc-maçon est « un homme libre et de bonnes mœurs », a-t-il été rappelé plus haut. Je suis resté libre. J'espère avoir conservé mes « bonnes mœurs » que ce soit à l'endroit de mes frères et sœurs et des hommes et des femmes en général.

Une seule chose m'est défendue, mais je l'accepte volontiers et j'en reconnais la validité : c'est la divulgation de l'appartenance maçonnique d'un tiers.

Ce secret d'appartenance est le seul qui existe vraiment au sein de la maçonnerie et certain(e)s ne cessent de le reprocher aux francs-maçons à longueur de colonnes.

Sans parler, bien évidemment, des pays plus ou moins totalitaires où la maçonnerie est proscrite et ce secret vital sous peine de mort ou d'emprisonnement, ce reproche mérite de s'y arrêter quelques instants. Pourquoi ne peut-on révéler que l'on est franc-maçon alors que, dans la majorité des cas, c'est une fierté ? Tout simplement à cause de ceux qui en font le reproche et qui s'inscrivent, qu'ils/elles le veulent ou non, dans une lignée de persécutions ou tout au moins d'avanies antimaçonniques. Insister pour que soit divulgué les noms des francs-maçons, c'est déjà présupposer qu'il y aurait entente illicite entre deux frères, malice, entourloupe... Demande-t-on de divulguer une semblable appartenance à des écoles ou toute autre association qui pourtant, aujourd'hui, représentent des réseaux autrement étroits et efficaces ?

Je vais prendre un exemple fictif permettant d'expliciter cette impossibilité – au moins ponctuelle – de se révéler. Imaginons un dentiste et un stomatologue qui se connaissent, se respectent depuis des années, s'estiment professionnelle-ment et se recommandent légitimement des patients. Or l'un des deux est franc-maçon et, ayant eu l'occasion depuis un certain temps d'apprécier les vertus humaines de son collègue, il lui propose un jour de rejoindre l'Ordre – sans que cela ait bien entendu quoi que ce soit à voir avec leurs professions. Seulement, si, aujourd'hui, ces deux-là devaient se révéler publiquement et alors même que leur relation professionnelle profane et leur engagement maçonnique ne sont aucunement liés, il y aurait toujours des tiers pour supposer une malignité quand ils continueraient de s'adresser des patients. Et, de ce fait, malgré leur estime professionnelle réciproque, ils seront handicapés dans leur pratique profane et s'interdiront bien souvent de continuer à échanger sur ce plan. Tout maçon confirmera que beaucoup de frères et sœurs veillent justement à éviter ces rapports professionnels, même quand ils existaient avant l'initiation.

Cet exemple peut être dupliqué à bien des professions. Il y aura bien toujours un ou une journaliste obsessionnelle pour *pointer* une quelconque malice. Tant que cet esprit délateur bien français perdurera, il sera probablement impossible pour nombre de frères ou de sœurs de se dévoiler, sans qu'il y ait à y voir la moindre intention malsaine.

Ce qui vient d'être dit sur un plan professionnel civil peut naturellement s'appliquer au domaine politique, à la justice, à quantité de secteurs où, s'il y a appartenance à la maçonnerie, certains présupposeront toujours qu'il y a accointance entre deux frères/sœurs sur le dos d'un profane. C'est là l'un des paradoxes de la franc-maçonnerie. Alors que fantasmatique-ment certains s'imaginent qu'elle peut être une aide à la promotion, on se rend compte bien souvent qu'elle serait un barrage. D'où la nécessité de taire son appartenance pour continuer d'exercer simplement et sainement sa profession, sans rumeur malséante, sans soupçon injustifié.

Et, à l'inverse, même si chacun est libre de se révéler, de faire son *coming-out* maçonnique [17], il arrivera dans bien des cas que l'on en soit empêché par son entourage, notamment professionnel ou associatif. Combien de frères ou de sœurs tout à fait enclins à se révéler en sont dissuadés par un supérieur hiérarchique, un collègue, un partenaire profane, soucieux d'éviter qu'un tiers ne soupçonne quoi que ce soit de trouble, au regard de ce qui se dit de la franc-maçonnerie ? Comme quoi cette question du secret d'appartenance est complexe.

PAR-DELÀ LA PORTE ÉTROITE

« Le secret se cache au sein de l'Ordre. »
LSP, p. 251, f304.

Après avoir suivi Dan Brown dans son approche de l'ordre fraternel, puis nous être intéressé au regard profane sur celui-ci, le moment est venu de poser un pied à l'intérieur du temple et de contempler la franc-maçonnerie dans l'œil des siens.

Plusieurs fois déjà nous sommes revenus sur l'idée selon laquelle la maçonnerie est un parcours, une quête dont chacun doit trouver le sens et la finalité. Maintenant, le profane candidat qui a posé un regard bienveillant sur celle-ci va frapper à l'entrée du temple. Une fois la porte basse franchie, il sera dans l'enceinte sacrée pour son initiation. Dans quelques minutes, l'homme ou la femme deviendra un initié. Non, pas quelqu'un qui « sait » (comme voudraient nous le faire croire des glissements sémantiques modernes. Voir l'expression « délit d'initié »), mais quelqu'un qui commence, du latin *ini-*

---

17. En veillant toutefois à ce que ce « dévoilement » n'entraîne pas indirectement par ricochet ou assimilation celui d'autres frères.

tium, « commencement ». Loin d'être une fin, l'initiation est le début d'un long chemin, âpre, ardu, intense. Elle amorce une mise en ordre de soi et inaugure un dialogue avec soi-même pour mieux se connaître et s'ouvrir à l'autre.

Cherchant, bâtisseur...

Plus tôt, j'ai dit qu'il était difficile de définir la franc-maçonnerie tant elle était polymorphe et que l'on pouvait davantage identifier ce qu'elle n'est pas. En revanche, il est assurément plus aisé de caractériser le franc-maçon. Et les deux mots qui paraissent le mieux le déterminer sont : cherchant et bâtisseur.

Cherchant il l'est : de soi, de son prochain, de la vérité quelle qu'elle soit, de la lumière... C'est un homme en quête et c'est cette dernière qui le transformera (mais il n'y aura pas de transformation – ou dans une mesure moindre car il y a un avant et un après l'initiation – pour celui qui ne la veut pas). Et bâtisseur, comme son nom l'indique très opportunément. Il vient construire et non détruire, se mettre en ordre plutôt que créer le désordre. Avant même d'envisager de construire un temple – que ce soit un temple physique ou le temple du soi intérieur –, il va patiemment réapprendre le B.A.BA de son « métier » : l'utilisation et le sens des outils, dégrossir une pierre brute... Or, dans le monde dans lequel on vit, quelle autre activité peut inciter un homme ou une femme accompli – ou qui se croit tel – à entamer à nouveau un parcours d'apprentissage complet, humblement, silencieusement, lentement, sous le regard de tiers qu'il connaît à peine, qui, peut-être, dans la vie profane lui sont inférieurs, plus jeunes...

... et frère/sœur

Cherchant et bâtisseur, disais-je pour définir le franc-maçon. Il manquait assurément un troisième terme pour faire le bon compte. Et celui-ci est frère (ou sœur bien évidemment). Assurément, nous sommes tous frères, tous maillons d'une chaîne fraternelle. C'est même là, la base de notre engagement. Et comme chacun sait, la force d'une chaîne se mesure à son maillon le plus faible.

Il n'est pas anodin que l'intérieur de nos temples, le tracé de nos tableaux de loge, de nos décors, soit une corde à nœuds souvent appelée « lac d'amour » (*lac* étant entendu, non comme l'étendue d'eau, comme une forme poétique issue de l'ancien français fondée sur la même racine que lacet[18]).

Pour que cette fraternité, cette chaîne, ne soit pas qu'une réalité en devenir, mais un ouvrage concret ici et maintenant, les frères et sœurs sont appelés à œuvrer constamment, en tout instant. C'est là un nécessaire travail de construction. Et pour y parvenir, il est demandé au franc-maçon initié d'être bien-veillant. Bienveillant, cela signifie au sens littéral ancien « bien vigilant », avoir l'œil ouvert, attentif aux autres, à leurs besoins, leurs attentes, leurs moments de doute et de faiblesse peut-être, mais aussi ceux de leurs réussites pour savoir les saluer… Cet œil ouvert, c'est aussi celui qui nous permet de mener la quête, d'être observateur, de guetter les signes et symboles qui la jalonnent…

Frère, bâtisseur et cherchant… Quel programme ! Mais longue est la route…

---

18. Et pour les familiers de la légende arthurienne, on pourra penser ici au récit de Gauvain et du Chevalier vert – qui ne manque pas de parallèle avec la geste maçonnique – où le héros reçoit de la femme qui l'aime une ceinture verte qui deviendra son attribut fétiche et qui est appelée *lovelace* dans l'original anglais, autrement dit explicitement « lac – ou lacet – d'amour ».

Chapitre 1

UNE FRANC-MAÇONNERIE
OU DES MAÇONNERIES ?

«Nous sommes des bâtisseurs [...],
nous sommes des créateurs.»
LSP, p. 507, f592.

La franc-maçonnerie n'est pas monolithique. Elle ne l'a jamais
été et ne le sera jamais. Elle ne pourrait le devenir que le jour où
chaque homme et chaque femme de la terre pourrait se
reconnaître comme maçon et aurait accompli ce parcours et cette
démarche sur soi. Une belle idée, mais assurément utopique.

Même en 1717 – date de naissance officielle de la franc-
maçonnerie moderne –, il existait parallèlement d'autres
maçonneries. Et c'est là toute la question de la terminologie
qui justifierait à elle seule un ouvrage entier et qui en a justifié
déjà de nombreux.

Si les antimaçons englobent l'ensemble des frères et des
sœurs dans un unique bloc, paré de toutes les turpitudes, dans
la réalité, les différences peuvent être considérables. Au-delà
des trois termes évoqués plus haut : frère/sœur-cherchant-
bâtisseur, il peut arriver que nous ayons peu d'éléments sup-
plémentaires en commun avec un autre maçon : les objectifs
divergeront, les attentes, les rituels, la tradition à laquelle on se
rattache, les symboles même utilisés...

Les limites mêmes de ce que l'on doit appeler «franc-
maçonnerie» peuvent être fluctuantes selon les interprétations
et les auteurs, donc entraîner des variations en termes de
décompte du nombre des maçons.

Le profane entendra parler de maçonnerie opérative et de maçonnerie spéculative, de maçonnerie régulière et de maçonnerie libérale ou adogmatique, de maçonnerie chevaleresque et de maçonnerie égyptienne, voire pythagoricienne… Si, littéralement, dans le terme « franc-maçonnerie », nous entendons la maçonnerie symbolique de la pierre, il existe aussi une maçonnerie du bois dont certaines racines sont anciennes, mais également des francs-forestiers et des charbonniers/*carbonari* (ce qui est encore différent de la maçonnerie du bois), des francs-archers…, voire des compagnons de métier. Autant de groupes dont les rites et parcours ressemblent beaucoup à la franc-maçonnerie traditionnelle, sans pour autant se confondre avec celle-ci. Et il y a tous ces groupes initiatiques ou hermétiques comme le martinisme, le martinésisme, le rosicrucianisme, voire le néodruidisme[1] et d'autres qui ont pu avoir, au cours de l'Histoire, des relations plus ou moins affirmées avec la franc-maçonnerie.

Il n'est pas toujours évident pour le profane de se repérer dans cette forêt de termes et de concepts (mais, rassurez-vous, même les maçons aguerris s'y perdent parfois). Quant à l'établissement de ces lignes de partage, il continue d'alimenter les débats au sein des obédiences et le fera sans doute encore longtemps (par exemple : faut-il intégrer les rites dits égyptiens de Memphis-Misraïm au sein de la maçonnerie régulière ?).

Le temps n'a pas d'importance en maçonnerie. En revanche, c'est une affaire de relation humaine et fraternelle. Il faut chercher, attendre, trouver la bonne structure, le bon atelier ou loge, là où votre quête pourra se développer, votre personnalité s'épanouir dans l'harmonie. Certains auront probablement un avis divergent, mais cette détermination du groupe immédiat

---

1. Né en 1717 en même temps que la franc-maçonnerie moderne, dans les mêmes lieux que cette dernière et en partie avec les mêmes acteurs, les mêmes desseins et les mêmes modes de fonctionnement. Mais pour aller plus loin et affiner cette présentation par nécessité réductrice du néodruidisme, on pourra notamment se reporter au livre de Michel Raoult, *Les Druides : les sociétés initiatiques celtiques contemporaines*, Éd. du Rocher, 1992 (version remaniée de sa thèse de doctorat en maçonnologie, université de Haute-Bretagne, Rennes II, sous la direction du professeur Jacques Brengues, 1980).

dans lequel nous allons évoluer me paraît plus essentielle que celle de l'obédience ou du rite dont on peut toujours changer. À partir du moment où l'on m'a formulé les premières sollicitations pour rentrer en maçonnerie, j'ai mis plus de vingt ans à trouver le mien et donc à franchir le pas. Mais j'y reviendrai.

Quoi qu'il en soit, il est bon de dire un mot des deux distinctions principales de la franc-maçonnerie : l'une porte sur le sexe des membres, l'autre sur l'affiliation ou non à la maçonnerie anglaise.

Quant au sexe, on sait qu'il existe une maçonnerie masculine, une maçonnerie féminine et une maçonnerie mixte. Je ne m'y attarderai pas ici puisque la question de la franc-maçonnerie et des femmes fera l'objet d'un chapitre spécifique. Moyennant quoi, il s'agira pour le ou la profane d'un élément de choix déjà déterminant.

Ensuite, on distinguera généralement deux ensembles distincts qui se subdiviseront eux-mêmes en sous-groupes :
– Le groupe des francs-maçons réguliers.
– Les francs-maçons libéraux.

Tous ces termes servent principalement à prendre en compte une situation de fait, mais ne seront pas nécessairement utilisés par les personnes concernées. Le choix des nomenclatures vise en premier lieu à ne blesser ou disqualifier personne et sont les noms le plus souvent retenus par les observateurs et commentateurs (mais par exemple, pour un franc-maçon régulier, l'autre groupe sera considéré non pas sous le vocable « libéral », mais comme « irrégulier », ce qui est à la fois injuste, impropre et non comptable de la réalité).

La franc-maçonnerie régulière

« Régulier » signifie qu'elle se conforme aux règlements, textes, critères/*landmarks* et devoirs édictés dès l'origine de la maçonnerie à partir de 1717, et notamment les *Constitutions* du pasteur James Anderson de 1723. Cette maçonnerie sera masculine (Anderson excluait les femmes de l'Ordre dans son article 3 des *Constitutions*) et se référera au Grand Architecte de l'Univers comme principe supérieur. En outre, elle se veut philosophique et symbolique et refusera donc de discuter de questions de société et donc d'intervenir sur le plan sociétal (toujours en parfaite conformité avec les *Constitutions* d'Anderson).

Cette catégorie des francs-maçons réguliers va se subdiviser en deux sous-groupes :

– Les « réguliers » reconnus (sous-entendu, par la Grande Loge Unie d'Angleterre).

– Les « réguliers » non reconnus.

La question de la reconnaissance divise la franc-maçonnerie mondiale en général et française en particulier. Au regard de la régularité, une seule Grande Loge (satisfaisant à des critères stricts qui ont toutefois évolué avec le temps en termes de nombre et de contenu) peut être reconnue par pays par la GLUA. Pour la France, il s'agit de la Grande Loge Nationale Française[2]. Cette reconnaissance pourrait sembler accessoire. Les francs-maçons qui ne l'ont pas (et même certains de ceux qui en bénéficient) disent pouvoir s'en passer. Mais c'est elle qui ouvre les portes des autres loges régulières et reconnues dans le monde. Or celles-ci sont les plus nombreuses, car si la situation de la maçonnerie en France est quelque peu complexe avec une grande quantité d'obédiences, celle que l'on rencontre ailleurs est généralement plus limpide avec une Grande Loge très majoritaire reconnue par Londres. Et même si la reconnaissance peut paraître secondaire, elle permet de s'inscrire dans une longue tradition, d'avoir accès à des organismes fraternels de premier plan (comme la loge de recherche *Quatuor Coronati* de la GLUA...) et dans la coulisse, la lutte pour la reconnaissance ou la préservation de celle-ci est parfois acharnée.

Parmi les obédiences régulières non reconnues en France, on trouvera une obédience comme la Grande Loge de France

---

2. À l'intérieur de ce sous-groupe des réguliers reconnus, on pourrait même encore créer une catégorie spécifique pour la Grande Loge d'Écosse, née officiellement en 1736 dans sa forme constituée, mais rassemblant différentes loges spéculatives qui, pour certaines, étaient déjà vieilles d'au moins un siècle et demi à cette date (donc bien antérieures à n'importe quelle loge anglaise).

(GLDF), mais aussi des scissions de la GLNF (ou des scissions de scissions) comme la Grande Loge Traditionnelle et Symbolique-Opéra (GLTSO) ou la Loge Nationale Française (LNF)…

La franc-maçonnerie libérale

Parallèlement à cette maçonnerie régulière, il existe donc une maçonnerie longtemps qualifiée d'adogmatique et plutôt définie aujourd'hui comme libérale. Celle-ci se caractérise par son absence de croyance en un principe supérieur particulier (d'où son adogmatisme). Elle accepte les athées et s'inscrit dans une tradition d'ouverture qui était celle de la Loge anglaise des Modernes d'avant la fusion de 1813 (qui vit naître la Grande Loge Unie d'Angleterre).

À la différence des réguliers, cette maçonnerie s'inscrit dans une démarche sociétale et incite ses membres à discuter de grandes questions de société dans le cadre même des loges.

En France, la principale obédience représentant ce courant est le Grand Orient de France, jusqu'à présent la première en France en termes de nombre de frères (mais elle est talonnée par la GLNF). Mais c'est aussi à cette maçonnerie libérale que se rattachent les obédiences acceptant des sœurs que ce soit exclusivement comme la Grande Loge Féminine de France (GLFF) ou partiellement comme le Droit Humain (DH).

Régularité, reconnaissance, maçonnerie libérale… Tout cela est en quelque sorte un faux problème et, en dehors des hautes sphères des obédiences, le frère ou la sœur « de base » se préoccupera peu de ces contingences. Les uns et les autres, quelles que soient les appartenances, se reconnaîtront pour maçons, s'ouvriront le cœur et se tendront généreusement la main, conscients que ce qui rassemble est plus important que ce qui sépare.

Chapitre 2

L'HISTOIRE DE LA FRANC-MAÇONNERIE

> « Les maçons avaient toujours été l'une
> des organisations les plus injustement dif-
> famées et incomprises au monde. [...]
> [Ils] avaient aussi pour règle de ne jamais
> répondre aux critiques ce qui faisait d'eux
> une cible facile. »
>
> *LSP*, p. 99, f129.

Il ne s'agit pas ici de retracer l'histoire de la franc-
maçonnerie de manière érudite, que de nombreux ouvrages
talentueux ont traité (dont on trouvera certains cités en bibliographie et la brève chronologie en fin du présent ouvrage
fournira quelques repères précis). Ce n'est pas l'objet de mon
propos qui est davantage d'extraire les grands axes qui permettront au lecteur de se faire une idée aussi claire et simple que
possible de ce qu'est la franc-maçonnerie.

Intéressons-nous déjà – c'est bien le moins – au terme
« franc-maçon », puisqu'il est loin d'être anodin dès lors que
l'on veut étudier l'histoire de la franc-maçonnerie, donc, très
logiquement, ces sources anglo-saxonnes ou écossaises.
« Franc-maçon » vient de l'anglais *freemason*, autrement dit
« maçon libre ». Pour retracer les origines de la franc-
maçonnerie, les spécialistes se sont évidemment penchés sur
les textes pour en reconstituer le déroulé. Effectivement, dans
ces documents, on trouve des termes comme *freemason*, *free
mason* ou *free-mason*, qui permettent de croire à une ancien-

neté de l'institution. Or, comme l'a fréquemment et judicieusement souligné Roger Dachez (voir notamment ses ouvrages *L'Invention de la franc-maçonnerie* ou *Le Symbole perdu décodé*), contrairement à ce qu'on pourrait supposer de prime abord, ces termes ne sont pas confondables et la séparation des mots (avec ou sans trait d'union) n'est pas fortuite. Les *free masons* (ou parfois *accepted masons*) sont les « maçons libres » ou « acceptés », autrement dit des individus n'appartenant pas aux métiers de maçons au XVIIᵉ siècle, voire antérieurement, mais initiés ou acceptés dans des loges opératives (c'est-à-dire des loges qui rassemblaient des hommes exerçant réellement la profession de maçon, à la différence des loges dites spéculatives – comme celles de la franc-maçonnerie moderne –, dont la pratique ne sera que symbolique). Alors que les *freemasons* apparaissant dans certains textes du Moyen Âge étaient des tailleurs de pierre travaillant des *freestones*, des « pierres franches », c'est-à-dire dont la qualité se prêtait bien à la sculpture fine. Autant les *free-masons* peuvent en partie être considérés comme des ancêtres de la franc-maçonnerie spéculative moderne, autant les autres ne le sont pas. Ainsi, cette confusion terminologique a pu entraîner bien des supputations erronées.

Encore aujourd'hui, l'histoire et les origines de la franc-maçonnerie ne sont pas élucidées et font l'objet de débats enfiévrés (dont un certain partisanisme en fonction des appartenances obédientielles n'est pas toujours absent). Autant que l'organisation contemporaine de la franc-maçonnerie est complexe, sa riche histoire n'est assurément pas linéaire et emprunte à bien des sources. Mais la quête de ce passé – qui ne sera peut-être jamais accomplie comme toute grande quête – fait sans doute partie intégrante de la démarche maçonnique. Dans la lignée de la présentation rituelle de la maçonnerie – cette école de sagesse dissimulée sous le voile de l'allégorie –, son histoire se nourrit de grands mythes, de filiations supposées. Certains rattachent les origines de la maçonnerie à l'Égypte antique, d'autres au chantier du temple de Jérusalem, aux Templiers, aux bâtisseurs des cathédrales ou quelques autres grands ancêtres mythiques… Personne n'est vraiment dupe de la réalité de ces filiations. Et quand bien même certaines seraient avérées à la marge, ce n'est pas cela qui importe. Comme la plupart des religions ou des régimes politiques qui se fondent sur des mythes, des événements ou personnages marquants, la franc-maçonnerie fait de même et utilise ces allégories pour aider à comprendre le présent de chacun et à progresser par l'exemplarité.

Pour l'expliquer, Roger Dachez prend, à juste titre, l'exemple comparatif de Lucy : on sait aujourd'hui que ce primate n'est pas l'ancêtre direct de l'homme, puisque sa lignée s'est interrompue quelque part, mais Lucy permet d'éclairer notre propre genèse. Il en va de même des grands mythes fondateurs ou des origines mythiques ou légendaires de la franc-maçonnerie. On les sait sans lien avec la Fraternité moderne, mais ils rappellent une structure qui, elle, peut-être, a été la véritable aïeule de l'ordre maçonnique.

Très symptomatiquement, on constate que les chercheurs maçonniques travaillant sur cette matière des origines ont aujourd'hui davantage tendance à refermer des portes qu'à en ouvrir. C'est notamment le cas lorsque Roger Dachez, de nouveau, évoque les hypothèses de la transition (l'éventualité d'un basculement direct des maçons opératifs aux spéculatifs) ou de l'emprunt (par ces mêmes spéculatifs des pratiques et secrets des opératifs). Aucune de ces théories ne restitue la réalité. Il n'est pas possible de remonter l'histoire linéaire de la franc-maçonnerie de manière avérée, documentée et cohérente. Il n'est qu'une certitude : en 1717, quatre loges londoniennes se sont réunies pour fonder la première Grande Loge maçonnique et, par là, ont porté la franc-maçonnerie moderne sur les fonts baptismaux (que mes frères et sœurs adogmatiques me pardonnent cette image). Bien sûr, personne ne doute qu'il a bien fallu que ces loges existent avant 1717. Mais on ne sait que très peu de choses de l'existence de ces ateliers ou d'autres avant cette date et l'on en est réduit aux supputations. Que faisaient les francs-maçons dans leurs loges ? Quelle maçonnerie pratiquaient-ils ? Avaient-elles déjà un caractère initiatique ? Quand un Robert Moray ou un Elias Ashmole sont initiés (respectivement en 1641 et 1646), à quelle maçonnerie ressemblait celle pratiquée par leur loge ? Était-ce déjà une loge spéculative dans le style de la future Grande Loge de 1717 ?

Ou un atelier encore quasi opératif ? Ou s'agissait-il d'une de ces loges de la maçonnerie « anglaise » ou de la « compagnie des maçons de Londres » du XVIIᵉ siècle, dont on ne sait pas grand-chose de tangible ? Difficile, voire impossible, d'apporter une réponse définitive.

Qu'importe après tout car les maçons ont toujours été des conquérants de l'« ici et maintenant », les pieds dans leur époque, et le passé qu'ils se sont trouvés – réel ou fantasmé – n'a jamais servi qu'à consolider leurs rêves présents d'une société plus juste. Encore une fois, ces grands ancêtres dont on ne retenait que le positif – qu'ils soient égyptiens, hébreux, templiers, constructeurs de cathédrales, ou autre – n'avaient pour vocation que de montrer une voie, un exemple.

La franc-maçonnerie dans le monde (avant et après 1717)

Sans vouloir abreuver le lecteur de vaines données, parcourons à grands pas quelques jalons de l'histoire de la franc-maçonnerie moderne.

En tant que corps organisé, les premières traces de la maçonnerie apparaissent en Angleterre en 1356, avec un code de règlement des maçons de la Guildhall de Londres. Vingt ans plus tard, la compagnie des maçons de Londres apparaît dans les documents. Ce ne sont que des noms glanés au hasard de chroniques. Mais peu après, en 1390[1], va être rédigé le premier manuscrit maçonnique connu, le *Regius*, un document de préceptes moraux reprenant manifestement un texte plus ancien et faisant remonter de manière mythique la fondation de la maçonnerie au roi Athelstan (925-940)[2].

En 1410, le manuscrit Cooke est le premier des anciens textes à établir un lien entre la maçonnerie en tant qu'institution et la construction du temple de Salomon. Puis en 1463 est créée la première Maison des maçons (*mason's hall*). Elle

---

1. Qui ne sera toutefois découvert que beaucoup plus tard au XVIIᵉ siècle.
2. Le rite d'York se fonde sur celui-ci pour, pareillement, faire de ce souverain bien réel le fondateur de la maçonnerie.

mérite ici d'être mentionnée dans la mesure où elle se dote d'armes qui sont peu ou prou les mêmes que celles de la GLUA aujourd'hui.

Nous sommes alors dans une période où il est malaisé de déterminer la frontière entre maçonnerie opérative (les maçons de métier) et maçonnerie spéculative (des personnes n'appartenant pas à ce métier en propre, mais admises au sein des loges ; par exemple, des lettrés capables de rédiger les actes des maçons opératifs dont beaucoup ne savaient ni lire ni écrire).

Armes de la GLUA adoptées en 1815

Audi, vide, tace. Entends, vois, tais-toi. Le proverbe latin complet ajoute : *si vis vivere* (*in pace*), « Si tu veux vivre (en paix). »

Il est toutefois difficile d'imaginer que les loges de maçons opératifs ont réellement intégré dans un sens de transmission initiatique des maçons spéculatifs, il y a cinq ou six siècles. On peut difficilement imaginer que les loges de ces maçons ont accueilli des spéculatifs il y a plus de cinq ou six siècles. En Écosse, après la mention d'une loge de Stirling mal identifiée en 1483, les premières loges véritablement recensées sont Aitchison's Haven, en 1598 (qui a depuis disparu) et, surtout, Mary's Chapel, à Édimbourg, dont l'activité est ininterrompue depuis 1599.

Mais la première trace réelle de maçons étrangers au métier est l'intégration comme « compagnons » (*fellow members*) de Lord Alexander, Sir Anthony Alexander et Sir Alexander Strachan, en juillet 1634, dans cette même loge Mary's Chapel d'Édimbourg. Toutefois, la plupart des maçons associés (donc n'étant pas du métier de la pierre) venaient se faire recevoir, puis on ne les revoyait plus jamais en loge. C'est de cette même époque que datent les fameux statuts Schaw qui organisent la maçonnerie écossaise selon les anciens usages et demandent aux maçons de vivre charitablement. Déjà un semblant d'organisation apparaît dans ces textes où l'on réclame une obéissance aux surveillants, diacres et maîtres.

En ce qui concerne l'Angleterre, selon l'historien Robert Freke Gould, on ne trouve guère la trace que d'une loge à Alnwick entre 1700 et 1717, si l'on se fie aux documents retrouvés (ce qui ne signifie pas qu'il n'y en eut pas d'autres, à défaut d'avoir découvert les preuves écrites afférentes). Auparavant, le premier maçon spéculatif qui aurait été initié sur le sol anglais fut Sir Robert Moray, déjà mentionné, en 1641, dans une loge écossaise itinérante de Newcastle. Et cinq ans plus tard, Elias Ashmole fut le premier à témoigner, dans son journal, avoir été « fait maçon, à Warrington, dans le Lancashire ». S'il donnait sept noms de membres de la loge en question, on ne possède hélas plus les minutes de cet atelier.

Pendant ce temps, à l'initiative des milieux rosicruciens et du chancelier philosophe et savant Francis Bacon, le *Collège invisible* se constituait sous une forme rappelant incontestablement la future franc-maçonnerie (la dimension rituélique peut-être en moins). Celui-ci a déjà été évoqué dans la première partie de cet ouvrage, chapitre 3, alors que nous examinions les relations entre Dan Brown et Robert Lomas qui tous deux ont parlé de cette institution aussi singulière qu'érudite. Nous n'y reviendrons donc pas ici.

Sans guère davantage d'éléments, nous arrivons en 1717. Au jour du solstice d'été, quatre loges londoniennes (*The Goose and Gridiron* [L'Oie et le gril], dans le périmètre de la cathédrale Saint-Paul, *The Crown* [La Couronne], dans Parker Lane, près de Drury Lane, *The Apple Tree Tavern* [Le Pommier], dans Charles Street, à Covent Garden, *The Rummer and Grapes*

Tavern [Le Grand Verre et les Raisins], dans Channel Row, à Westminster) se réunissent pour former la première Grande Loge.

En toute logique, si nous avons quatre loges « justes et parfaites », on devrait avoir au moins vingt-huit francs-maçons (vingt au minimum pour que ces quatre-là soient en état de fonctionner) et probablement davantage. Or on ne connaît quasiment pas les frères de 1717 en dehors d'Anthony Sayer, le premier Grand Maître.

Comme les animateurs de la Royal Society, un demi-siècle plus tôt, les initiateurs de la franc-maçonnerie étaient hantés par le spectre des guerres fratricides civiles et/ou religieuses. Dès lors, il n'est pas étonnant qu'on retrouve deux pasteurs à la tête du mouvement, Désaguliers et Anderson.

À partir de cette Grande Loge, la franc-maçonnerie se répandit dans toute l'Europe en une vingtaine d'années, puis progressivement dans l'ensemble des colonies européennes, ce qui incluait à l'époque l'Amérique, l'Australie et une bonne partie de l'Afrique et de l'Asie. C'est ainsi que furent fondées des loges en Russie (1717), en Belgique (1721), en Espagne (1728), en Italie (1733), en Allemagne (1736). Puis, dans la foulée, de nouvelles Grandes Loges apparurent : la Grande Loge d'Irlande (1725), la Grande Loge d'Écosse (1736) ou la Grande Loge de France (1738).

Dès 1738, une bulle papale, *In Eminenti*, condamne la franc-maçonnerie, mais davantage pour des raisons politiques déjà expliquées que pour de véritables questions théologiques ou religieuses.

La formalisation du Rite Écossais Ancien et Accepté en 1801 à Charleston par la constitution du premier Suprême Conseil, puis, en 1813, la formation de la Grande Loge Unie d'Angleterre pour mettre fin à une soixantaine d'années de conflits entre les Anciens et les Modernes, sont deux événements qui vont marquer la suite de l'histoire mondiale de la maçonnerie.

La franc-maçonnerie en France

Si la France est la fille aînée de l'Église, disons que, pour la franc-maçonnerie, elle pourrait être sa fille rebelle. Sa relation avec l'Ordre est en effet aussi complexe et trouble que motrice et progressiste sans oublier un courant antimaçonnique virulent et puissant. Et très vite, l'hexagone choisira de montrer son esprit frondeur à la Grande Loge de Londres en exprimant un certain attachement au courant écossais en général et jacobite en particulier.

La première loge incontestablement attestée en France fut fondée par des Irlandais et des exilés écossais stuartistes rue des Boucheries à Paris, vers 1725. Auparavant, il aurait pu exister une autre loge anglaise à Dunkerque, en 1721. Et une rumeur persistante mais plausible évoquerait une loge maçonnique militaire fondée dès 1688, à Saint-Germain-en-Laye, au sein du régiment « Royal Irlandais » qui avait accompagné l'exil du roi Jacques II Stuart (d'où le surnom des partisans des Stuart déchus, les Jacobites).

En 1728, les quelques frères présents sur le territoire français choisissent de reconnaître pour « Grand Maître des francs-maçons en France[3] », Philippe, duc de Wharton, qui séjournait alors dans le pays et qui avait été Grand Maître de la Grande Loge de Londres cinq ans plus tôt. Cette nomination intervenant avant la transformation de cette dernière en Grande Loge d'Angleterre, associée au fait que Wharton fut un jacobite déclaré contre les Hanovre au pouvoir en Angleterre, passe pour marquer le début d'une maçonnerie française indépendante – de manière alors plus ou moins affirmée – de sa branche anglaise. Les deux successeurs immédiats du duc, James McLean et Charles Radcliffe, duc de Derwentwater, seront deux autres Écossais jacobites.

Cette relation entre la France et l'Écosse était naturelle dans

---

3. Une terminologie assurément plus appropriée que « francs-maçons français », car nombre d'entre eux devaient être d'origine étrangère. Encore que, nous allons le voir, les Écossais puissent être considérés comme français en vertu de la *Auld Alliance*.

le cadre de la *Auld Alliance*, un vieil accord militaire, politique et culturel qui unit ces deux pays – et même initialement la Norvège qui n'y fit jamais référence – au moins de 1295 à 1746[4]. Si bien que cette Auld Alliance eut incontestablement un impact sur la diffusion de la maçonnerie balbutiante et des Écossais jacobites réfugiés en France après Culloden (1746).

Si, en 1728, il y avait donc un Grand Maître de la maçonnerie en France, il fallut donc attendre dix ans pour qu'une Grande Loge réunissant les loges « anglaise » et « écossaises » du pays soit créée. De cette Grande Loge procéderont toutes les obédiences françaises modernes. En 1773, une première scission au sein de celle-ci donne naissance au Grand Orient de France qui se dotera en 1786 du Rite Français en sept degrés. En 1778, Willermoz avait réformé un rite dit de la Stricte Observance Templière pour engendrer le Rite Écossais Rectifié. Puis, en 1804, le comte de Grasse-Tilly ramène en France le Rite Écossais Ancien et Accepté en 33 degrés, né trois ans plus tôt aux États-Unis (mais issu d'un rite et de patentes d'origine franco-jacobite). De cette période datent aussi le rite égyptien de Misraïm (qui fusionnera avec ceux de Memphis), créé entre 1810 et 1813 par les frères Bédarride dans le contexte des armées napoléoniennes.

Pour la maçonnerie française, l'événement charnière prendra place en 1877, lorsque le Grand Orient modifiera l'article 1 des *Constitutions* d'Anderson pour supprimer la référence obligatoire au Grand Architecte de l'univers. Cette décision aura pour conséquence la cessation des relations avec la GLUA. Il faudra attendre 1913 pour voir une nouvelle obédience (issue de la scission de loges du Grand Orient) se faire reconnaître par Londres, la Grande Loge Indépendante et Régulière pour la France et les Colonies Françaises (future Grande Loge Nationale Française).

Entre-temps, la maçonnerie française se sera encore une fois distinguée par l'initiation en 1881 d'une militante féministe,

---

4. Mais qui exista probablement, dès le XIIe siècle, et perdura tacitement au-delà de la défaite stuartiste de Culloden. En vertu de cet accord, les Écossais étaient automatiquement citoyens français et *vice versa*, une mesure qui ne fut abrogée qu'en… 1903.

Maria Deraismes, qui, avec Georges Martin, créera en 1893 le Droit Humain, la première obédience mixte.

Très tôt, la France se sera aussi distinguée par son puissant mouvement antimaçonnique. Nous avons déjà évoqué l'abbé Barruel qui voulait voir la main des maçons et des Illuminés de Bavière derrière la Révolution française. Il donna naissance à un courant contre-révolutionnaire catholique et hostile à la maçonnerie qui existe toujours aujourd'hui.

Ce n'est toutefois pas dans celui-ci que s'inscrit le plus célèbre des antimaçons, le faussaire Marie Joseph Gabriel Antoine Jogand-Pagès, dit Léo Taxil, qui était aussi violemment anticlérical[5]. Après avoir été exclu de la franc-maçonnerie, en 1885, dès le premier degré pour « fraude littéraire » (autrement dit plagiat) et manque d'assiduité, il entame sa croisade contre l'Ordre. Avec son complice Charles Hacks et sous le pseudonyme collectif de Dr Bataille, ils vont faire paraître toute une série d'ouvrages, basés sur le témoignage d'une prétendue Diana Vaughan, Grande Maîtresse du Rite Palladique Rectifié qui se serait convertie après une prière à Jeanne d'Arc. C'est Taxil qui inventera le mythe d'une maçonnerie mondiale toute-puissante, alors sous l'autorité de l'Américain Albert Pike. Mais en 1897, écrasé par l'ampleur qu'avait pris l'affaire, Taxil finira par avouer que tout cela n'était qu'un canular. Malgré cet aveu et l'énormité des allégations, il se trouvera un certain nombre de personnes pour continuer – encore aujourd'hui – de croire à la véracité des propos du faussaire et à affirmer que le vrai « canular », ce fut précisément ce recul de l'antimaçon. Pour une quelconque raison, estiment-ils, les maçons seraient parvenus à contraindre Taxil de revenir sur ses dires.

Après Taxil, un autre français se distinguera dans le petit monde de l'antimaçonnisme et nourrira la haine de Vichy à l'endroit des frères et sœurs : Mgr Jouin (1844-1932), un prélat catholique antimaçon obsessionnel, auteur de plein de théo-

---

5. Et auteur, en 1881, du *Chant des électeurs*, surnommé *La Marseillaise anticléricale*, puisqu'il se chantait sur l'air de l'hymne français. Son refrain était : *Aux urnes, citoyens, contre les cléricaux ! Votons, votons et que nos voix, Dispersent les corbeaux !*

ries qui ont fait florès, comme l'infiltration maçonnique de l'église sous Léon XIII. L'homme fit notamment paraître la *Revue internationale des sociétés secrètes*, sorte de Bible des théoriciens du complot, qui alimentera les publications semblables de l'époque de l'Occupation. Ernest Jouin bénéficiait de toute l'attention sympathique du Vatican. Tant les papes Benoît XV que Pie XI le soutinrent (le premier l'éleva à la prélature domestique, puis le second le nomma protonotaire apostolique, titre honorifique qui lui donnait le droit d'être appelé monseigneur sans être évêque). En 1957, sous Pie XII, on proposa sa béatification qui ne fut toutefois pas entérinée.

AFFAIRES DE CHIFFRES

Une question qui occupe certains hauts dignitaires (assurément plus que le maçon « de base ») – est celle du nombre de maçons appartenant à chaque obédience. Tout cela n'a guère de sens, ni beaucoup d'importance à dire vrai. Il est d'ailleurs paradoxal de voir certains des plus grands adeptes de cette course au chiffre être simultanément – pour certains seulement, encore une fois – de fervents admirateurs de René Guénon qui dénonçait le « Règne de la Quantité » comme « le Signe des temps ». Cette question du nombre n'a pas grand intérêt parce que le nombre n'a jamais été gage de qualité et, guère de sens parce que les bases de calcul ne sont pas les mêmes ici ou là et ne revêtent pas la même signification (compte-t-on les démissionnaires ? Les radiés ? Un frère appartenant à plusieurs loges est-il compté une fois dans l'obédience ou autant de fois qu'il a d'affiliations ?

Pour être la première obédience, certains ont parfois recours à une course effrénée au recrutement, sans veiller à la qualité du recruté. Certaines loges comptent autour d'une centaine de frères sur le papier, mais parviennent à peine à en réunir une quinzaine réellement pour les tenues et ont même parfois des difficultés pour faire occuper les charges minimum d'officier.

Pour juger de l'importance d'une obédience, mieux vaudrait évaluer – ce qui est impossible – l'assiduité de ses membres. Et encore cela n'aurait-il pas forcément de sens,

> tant les objectifs et les travaux d'une obédience à l'autre et
> même, au sein d'une même obédience d'une loge, d'une
> province ou d'un rite à l'autre, peuvent être différents.

Si le paysage maçonnique français est particulier, si sa
situation complexe avec ses nombreuses obédiences parfois
antagonistes étonne et détonne (et s'attire parfois de la part
d'observateurs étrangers des qualificatifs peu amènes pour
désigner la maçonnerie française tels que « *french b.* » [je laisse
le lecteur compléter ici avec un synonyme de lupanar]), il
n'en demeure pas moins qu'elle est aujourd'hui l'une des plus
florissantes au monde, l'une des plus effervescentes, riche de
ses débats et de sa diversité. Et elle ne cesse de progresser
quand nombre de francs-maçonneries dans le monde
marquent le pas.

Chapitre 3

LES RITES

> « Ouvrez vos esprits, mes amis. Nous
> avons tous peur de ce que nous ne compre-
> nons pas. »
>
> *LSP*, p. 32, f49.

Si les francs-maçons appartiennent à des obédiences (Grande Loge, Grand Orient…) qui sont des regroupements de loges, ils se reconnaissent avant tout dans des rites (Rite Écossais Ancien et Accepté, Rite Écossais Rectifié, Rite Français, rite Émulation, rite d'York, rite de Memphis-Misraïm…).

Mais qu'est-ce qu'un rite exactement ? Si l'on s'en tient à l'étymologie, le mot rite viendrait d'une racine indo-européenne *rta*, exprimant l'idée de « roue » (roue du monde, roue des saisons…), d'où découle l'idée de mise en ordre de soi. Le rite choisi va déterminer le parcours que suivra le franc-maçon pour progresser vers son Centre et parvenir à se connaître (et donc à connaître le monde[1]).

Chaque rite a ses rituels propres, son nombre de degrés particulier, son fonctionnement, ses structures, ses décors et ses officiers spécifiques. Et ce qui importe le plus, chaque rite aura son orientation particulière : plus ou moins chrétienne ou

---

1. On dit que la formule delphique « Connais-toi toi-même » était complétée par « Et tu connaîtras le monde et les dieux. » En réalité, cette dernière partie ne vient pas de la Grèce antique et ne se trouvait donc pas sur le fronton du temple de Delphes. Elle aurait été ajoutée vers le XVIIIᵉ siècle dans les milieux des Lumières et de la maçonnerie.

christique, plus ou moins religieuse ou athée, alchimique, ésotérique ou symbolique.

Normalement, une loge pratique un rite et un seul.

Selon les individus, le choix du rite sera plus ou moins important dans la détermination de l'atelier rejoint. Dans les faits, on constate bien souvent que les candidats sont peu au fait des différences de rites ce qui est à la fois logique et confine à la quadrature du cercle (comment suffisamment expliciter le contenu du rite sans en divulguer trop pour permettre au futur initié d'accomplir son parcours progressif dans les meilleures conditions ?). Ce n'est pas forcément très grave dans la mesure où l'on peut changer de rite ou en pratiquer plusieurs, mais simultanément, un minimum d'informations sans conséquence rituélique mais d'importance formelle peut être vital pour entamer un parcours maçonnique harmonieux. Car si le changement est possible, il ne peut généralement s'opérer qu'une fois atteint le grade de maître (le troisième), ce qui, dans certains rites, peut prendre plusieurs années alors que dans d'autres, il ne faudra à l'initié qu'entre trois et six mois pour gravir ces échelons. On peut aisément imaginer – et on le constate – que certains frères ou sœurs seront déstabilisés par leur cheminement maçonnique et quitteront l'Ordre, déçus, alors que ce n'était pas la maçonnerie qui ne leur convenait pas, mais le rite pour lequel ils avaient opté par méconnaissance.

Si l'on retient déjà un critère « religieux », un athée devra éviter les loges régulières où l'on fait référence au Grand Architecte de l'Univers et où l'on prête serment sur un recueil religieux (quel qu'il soit, Bible, Coran, Thorah, Bhagavad-Gita... selon la religion de l'intéressé). En matière de rite, il se retrouvera plus aisément dans le Rite Français (conçu spécifiquement dans cet esprit), voire le Rite Écossais Ancien et Accepté. Ce dernier, d'essence alchimico-symbolique, conviendra parfaitement à toute personne, qu'elle soit athée donc, ou appartenant ou non à une religion monothéiste. Un rite comme le York est défini comme profondément chrétien quand le Rite Écossais Rectifié reçoit plutôt le qualificatif de christique. Quant aux rites égyptiens, ils se fondent sur la mystique de l'ancienne Égypte. Tout ceci mérite naturellement des nuances selon les loges et les obédiences et il appartient au parrain de guider son filleul dans ce sens.

En dehors de cette orientation « spirituelle », il est une caractéristique formelle des rites qui revêt une importance que l'on pourrait croire anecdotique, mais qui ne l'est pas quant au plaisir que l'on prendra à suivre le chemin maçonnique. Et cette question revient à se demander sans rien dévoiler : comment travaille-t-on en loge ? Ainsi peut-on distinguer des rites à planches et des rites à rituels. Dans les premiers (par exemple, le REAA, le RER, le RF, le RMM…), on insiste sur le travail de recherche de l'initié. Plus ou moins régulièrement selon les ateliers (il en est de plus exigeants que d'autres), celui-ci se verra soumettre un sujet de réflexion qu'il présentera lors d'une tenue devant ses frères ou ses sœurs assemblés. C'est au vu de la qualité de ces « morceaux d'architecture » que le maçon pourra progresser et gravir les degrés de l'Ordre. Parallèlement, les rites à rituels ne réclament pas ces travaux de recherche rituels (mais il existe des travaux de table que les frères peuvent proposer lors des agapes après la tenue). Ils ne sont pas des critères de progression. Dans ces rites, on réclame en revanche l'acquisition par cœur de tout le rituel. Et on demandera au jeune frère d'aller visiter d'autres loges pour permettre sa progression et son passage à un degré supérieur.

Tout parcours maçonnique réclame un travail (planche ou mémorisation), mais on voit qu'il ne s'agit pas du même et que, selon les individus, on se sentira plus ou moins à l'aise face à telle ou telle épreuve. Ensuite, il est manifeste que l'on gravit plus rapidement les degrés dans un rite à rituels que dans un rite à planche. Mais beaucoup de ceux qui appartiennent à ces derniers sont attachés à ce cheminement plus lent, plus maturé, qui ne permettra qu'au moment « juste et parfait » d'être autorisé à reprendre la parole pour, à son tour, être en mesure de commenter le travail d'un frère ou d'une sœur (rappelons que l'apprenti au premier degré doit garder le silence).

Les trois premiers grades

Chaque rite a donc un chemin maçonnique avec un nombre de degrés spécifiques. Pour ne retenir que les principaux, le rite Émulation[2] n'a que trois degrés comme le Rite Standard d'Écosse[3] ; les rites d'Adoption[4] cinq ; le Rite Écossais Rectifié[5] six ; le Rite Français sept ; le Rite Opératif de Salomon[6] neuf ; le Rite d'York quatorze ; le Rite Écossais Ancien et Accepté trente-trois ; le rite égyptien de Memphis-Misraïm quatre-vingt-quinze ; le Rite Ancien et Primitif de Memphis-Misraïm quatre-vingt-dix-sept ou quatre-vingt-dix-neuf.

On voit que les variantes sont nombreuses (il en existe encore bien d'autres) et que le système à 33 grades que l'on associe souvent à tort à l'ensemble de la maçonnerie n'est spécifique, dans les rites encore pratiqués, qu'au Rite Écossais Ancien et Accepté (et, pour être complet, à des versions peu usitées du rite de Memphis-Misraïm).

Ce qu'il faut surtout retenir de cette complexité structurelle, c'est que les trois premiers grades – apprenti, compagnon et maître – sont communs à tous les systèmes. On les appelle les grades symboliques ou bleus. À partir du quatrième degré, pour les rites qui en ont plus que trois, on parlera de hauts grades. Dans les *Constitutions* d'Anderson de 1723, il n'était question que de deux grades : Apprenti entré (*Entered Apprentice*) et Compagnon (*Fellow mason*). Le terme Maître (*Master*) désignait le Maître de la Loge que l'on appellera plus tard Vénérable Maître. C'est en 1738, dans une nouvelle ver-

---

2. Celui que la Grande Loge Unie d'Angleterre pratique en premier lieu.

3. Un rituel de création relativement récente fondé sur une standardisation des rituels écossais véritables des loges d'Écosse (sans rapport avec les Rites Écossais Ancien et Accepté ou Rectifié) et qui sont peut-être les plus anciens encore pratiqués. Chaque loge d'Écosse pratique son propre rituel et possède ses propres couleurs de tartan en guise de décor. Le « Standard » a été créé pour les maçons hors d'Écosse désireux de pratiquer un rituel se rapprochant le plus de ceux des Écossais. Et un tartan « standard » a également été créé. Il est aujourd'hui essentiellement pratiqué à la GLNF.

4. Féminin et notamment pratiqué à la GLFF.

5. Rite chevaleresque à forte connotation christique.

6. Le plus jeune rite pratiqué en France. Il a été créé dans les années 1970 comme rituel d'une nouvelle obédience, l'Ordre Initiatique et Traditionnel de l'Art Royal (OITAR).

sion des *Constitutions*, que l'on voit apparaître le grade de maître, comme troisième degré en propre de la maçonnerie.

Précisons encore que si, quels que soient les rites, les trois premiers grades sont en général administrés par l'obédience à laquelle on appartient, les hauts grades sont gérés par des structures autonomes : Suprêmes Conseils, Chapitres, Grands Prieurés, etc.

Dans la réalité, tous les grades ne sont pas transmis par initiation, loin s'en faut, surtout dans les rites qui en comptent beaucoup. Dans le Rite Écossais Ancien et Accepté sur lequel se concentre *Le Symbole perdu*, par exemple, on ne pratique essentiellement que les 4e, 12e, 14e, 18e, 30e, 31e, 32e et 33e degrés (en sus, bien évidemment, des trois premiers degrés). Les autres sont transmis par simple communication. Mais on observe une tendance actuelle au sein de certains Suprêmes Conseils (les organismes supervisant le REAA) à réactiver de plus en plus de grades qui n'étaient plus pratiqués.

En France, cela prend souvent plus de vingt ans, voire toute une vie de maçon, pour parvenir au 33e degré du REAA (mais aux États-Unis, par exemple, c'est beaucoup plus rapide – environ cinq années –, car ils ne pratiquent qu'une poignée de hauts grades). On peut parler d'un véritable processus transformatif permettant à l'individu de se maturer au juste rythme.

Sans vouloir compliquer une matière déjà suffisamment complexe, on peut dire qu'il existe aussi deux systèmes de hauts grades autonomes (donc sans les trois premiers degrés) : la Marque (*Mark masonry*[7]) et l'Arche royale (*Royal Arch*[8]). Si tout maître maçon peut pratiquer ces deux grades, ils sont les deux seuls hauts grades tolérés par la Grande Loge Unie d'Angleterre.

En soi, devenir maître-maçon est déjà un accomplissement. Beaucoup arrêteront leur parcours à ce stade. Et en loge sym-

---

7. Qui se concentre notamment sur la symbolique des maçons opératifs.

8. Qui s'intéresse à la récupération d'un secret, d'une parole perdue, dissimulée dans la sainte arche (c'est-à-dire un caveau) sous le temple de Jérusalem.

bolique, même les frères ou sœurs ayant atteint un haut grade restent considérés comme des « maîtres » sans autre qualification.

Quoi qu'il en soit, pour un profane qui n'est pas nécessairement au courant de toutes ces subtilités et arguties « graduesques », on est maçon dès que l'on a franchi la porte du temple : et peu importe le grade, le rite ou l'obédience. De ce point de vue, un 33e degré du REAA, un 14e du York, un 6e du RER, etc., sera l'égal d'un apprenti. Et en un sens, il y a là une certaine réalité (mais une réalité qui se vit et qu'il serait fastidieux ici d'expliciter...).

Chapitre 4

ENTRE OMBRE ET LUMIÈRE : MYTHES ET SYMBOLES DE LA FRANC-MAÇONNERIE

> « Il y a un monde caché derrière celui que nous voyons tous. Pour nous tous. »
> *LSP*, p. 464, f541.

Dans la franc-maçonnerie, cette « école de sagesse et de vertu, dissimulée sous le voile de l'allégorie », tout est symbole. Pour autant, il n'est pas question ici de faire le catalogue de ces symboles, mythes ou allégories. Ce serait *fastidieux*... Il existe d'excellents et volumineux ouvrages sur la symbolique en général et maçonnique en particulier (dont on trouvera une bonne part dans la bibliographie en fin d'ouvrage). *Inadéquat*... Le présent livre entend fournir des clés pour entrouvrir des portes et non nécessairement décrire le mobilier des pièces..., surtout *vain* et *inutile*. Le but des symboles est d'amener le frère ou la sœur à réfléchir, à méditer, afin d'« ouvrir le vaste champ de la conscience [ou de l'activité spirituelle, dit autrement par certains] » et de trouver en lui quantité de significations à ce symbole qui lui parleront et lui seront directement utiles pour progresser. En quelque sorte, et dans une dynamique paradoxale bien propre à la franc-maçonnerie, il s'agit de trouver « plusieurs [sens] à partir d'un [symbole] », pour se retrouver en mesure, au bout du chemin, de « rassembler ce qui est épars » et d'obtenir « une [vérité] à partir de plusieurs [éléments] ». *E pluribus unum*. Partir d'un point et élargir le champ, pour ensuite resserrer et revenir à l'unité. N'est-ce pas là, graphiquement représenté, un compas superposé à une équerre ?

La franc-maçonnerie se nourrit de symboles issus pour une part – mais une part non exclusive – de la tradition du travail de la pierre. Les nombres y occupent aussi une grande place, car ils aident à mesurer, à prendre la mesure de soi et du monde qui nous entoure. Mais le symbole n'est pas un dogme. Il n'est pas contraignant, ne recèle pas un sens unique. Il est en lui-même une clé qui ouvre des portes vers l'intériorité, des tiroirs en soi que l'on croyait oubliés, des placards dissimulant des pans de son être que l'on croyait enfoui… Ils vont créer une résonance, une dynamique, qui doivent permettre une mise en ordre de soi, sans limiter la puissance de l'esprit, de la pensée. À soi de savoir jusqu'où l'on veut et jusqu'où l'on peut ouvrir le compas. Mais avant d'y parvenir, le jeune maçon apprendra la rectitude, comment se mettre d'*équerre*, afin d'avoir un critère de comparaison d'angle, un axe, un point d'ancrage inamovible.

Chaque degré, chaque pas accompli dans la voie de la maçonnerie, apporte de nouveaux symboles sur lesquels méditer et avec lesquels se construire non seulement allégoriquement, mais très concrètement. Certains aideront le frère ou la sœur à concevoir, à tracer des plans, à imaginer ou espérer. (Le franc-maçon est spéculatif, or c'est bien du latin signifiant « espérer » que vient *spéculer*) ; d'autres lui permettront d'exécuter ; et d'autres encore, à la fin du travail, d'orner. Et chaque fois, à chacune de ses étapes, il aura à sa portée des outils pour valider, vérifier et (se) corriger. En premier lieu, parallèlement au compas et à l'équerre, le niveau et la perpendiculaire (que l'on peut aussi appeler dans le monde profane, le fil à plomb). D'abord, ce seront d'autres qui les tiendront pour vous. Mais, bientôt, vous serez seul juge de votre accomplissement et de votre progression, seul face à vous-même, face au miroir de vous-même.

Oui, il n'est pas le lieu ici d'établir ce catalogue d'outils. Ils sont délivrés au fur et à mesure de l'avancée, au rythme que le frère ou la sœur se donne pour progresser. Mais il est intéressant d'en reprendre le mécanisme, notamment au regard de ce qui a été évoqué des rites. Ce sont des éléments importants de détermination et de choix de tel ou tel atelier plutôt qu'un autre.

Planches à tracer et tableau de loge

Par exemple, dans le chapitre précédent, nous évoquions les rites à planches et les rites à rituels. L'approche des symboles et l'utilisation formelle des outils n'en seront pas les mêmes. Je m'explique. Quand les maçons d'un rite dit à planches parlent précisément de la « planche » proprement dite, il s'agit, comme il a été dit, d'un travail personnel de recherche, d'une sorte d'exposé (d'où l'on parlerait dans le monde profane du verbe « plancher ») présenté devant ses frères et ses sœurs. Dans un rite à rituels, une planche – ou plus exactement – une planche à tracer est un texte formel appris par cœur, qui est un commentaire du tableau de loge. Qu'est-ce que ce dernier ? C'est une représentation visuelle des symboles propres à un grade. Au cours de la tenue, il est exposé au regard de tous, éventuellement partiellement voilé, roulé ou plié pour dissimuler les parties qui concerneraient des grades supérieurs et qui ne seront dévoilés que devant les personnes idoines.

Dans le rite à planches, ce tableau de loge est aussi présent. Mais, à la différence de ce qui se pratique généralement dans le rite à rituels où celui-ci sera une image fixe, préimprimée ou peinte, dans le cas présent, le tableau de loge des rites à planches sera à chaque ouverture de tenue tracé par l'officier dont c'est la charge (qui l'effacera avant la séparation des frères). Naturellement, le traçage effectif du tableau dépend aussi du choix des loges et certaines préféreront, elles aussi, se doter simplement d'une représentation intangible de celui-ci plutôt que de se livrer à cet exercice ô combien enrichissant et constituant.

L'ŒIL DE LA PROVIDENCE OU L'ŒIL OMNISCIENT

L'œil de la Providence est un œil cerné de rayons, souvent placé à l'intérieur d'un triangle. C'est l'œil de l'être suprême omniscient, le delta rayonnant incarnant le Grand Architecte de l'Univers. Il se développe dès le XVIIe et XVIIIe siècle, donc avant la diffusion *stricto sensu* de la maçonnerie. Les antimaçons veulent pourtant voir dans cet œil la preuve d'une imprégnation maçonnique (voir celui qui se trouve sur le Grand Sceau et sur le dollar américain), alors qu'il n'aurait été adopté en maçonnerie qu'en 1797.

Cet œil dans un triangle désigne bien plus couramment dans les anciens édifices religieux l'œil de Dieu. Le triangle lui-même associé à la chrétienté exprime l'idée de Trinité. Mais l'œil est déjà présent en Égypte (voir l'œil Oudjat, l'œil gauche protecteur d'Horus qui l'aurait perdu pendant son combat contre Seth. Cet œil fut coupé en six morceaux par son ennemi – comme le corps d'Osiris l'avait été en quatorze – et Horus en récupérera cinq). On peut aussi penser à l'œil que le dieu nordique Odin sacrifie pour le placer dans la source de Connaissance et avoir accès au savoir.

Dans *Le Secret de l'initiation maçonnique*, Robert Lomas expliquait à quel point la méditation quotidienne sur le tableau de loge était utile pour comprendre, s'ouvrir et progresser dans la voie maçonnique. Pratiquant lui-même le rite

Émulation anglais (un rite à rituels), il parlait donc de méditer sur des représentations toutes faites de celui-ci dont il fournissait des exemples dans son ouvrage. En note, le traducteur de ce livre ajoutait que pour les frères et sœurs de rites à planches – les plus jeunes comme les plus aguerris –, il était aussi particulièrement intéressant de se doter d'une planche noire aux dimensions requises et de tracer chez soi ce tableau de loge pour s'entraîner et réfléchir à ces symboles scrupuleusement ordonnés. Combien de fois les frères ou sœurs n'ont-ils pas étrangement observé que la façon de tracer à l'orée de telle ou telle tenue le tableau est révélateur de l'état d'être de l'officier qui l'exécute, mais aussi de l'ensemble de la loge et de la manière dont se déroulera la tenue qui s'articulera autour de cette représentation graphique. Pareillement, lorsque le maçon le tracera chez lui, l'exécution pourra être très révélatrice de son intériorité du moment (l'oubli d'un symbole, le manque de précision du trait pour un autre, une hésitation, une perfection..., tout est digne d'interprétation et de réflexion riches d'enseignements).

Il y a bien là l'une des clés de la mise en ordre de soi – et de la mise en ordre de la loge au moment d'une tenue. Le tableau de la loge contribue à mettre en ordre à partir de ce qui pouvait sembler un chaos. *Ordo ab chaos*, disaient les Anciens et que perpétuent les maçons aujourd'hui (ce dont *Le Symbole perdu* se fait largement l'écho).

Cet ordre succédant au chaos me permet de dire un mot d'une symbolique essentielle en maçonnerie : la symbolique polaire ou duale du contraste. Si, en termes de nombres, le trois paraîtra plus sûrement indissociable du cheminement maçonnique, le deux y a aussi sa part. Tout profane ayant visité un temple maçonnique ou vu une photographie de l'intérieur de celui-ci n'aura pas manqué de remarquer ces revêtements en forme d'échiquier noir et blanc que l'on appelle le pavé mosaïque. Pareillement, il aura sans doute remarqué que les maçons sont symboliquement vêtus d'habits noir et blanc.

Si le trois est souvent le chiffre symbolique qui traduit les moyens mis en œuvre pour avancer, qui exprime l'action et le mouvement, le deux sera révélateur de deux états d'être, d'un aboutissement et d'un commencement, les jalons d'un chemin. Dans le parcours de l'initié, ils sont les bornes de l'année (les deux Saint-Jean), les deux colonnes à l'entrée du temple de Jérusalem, les ténèbres qui précèdent la lumière, l'ordre et le chaos donc, mais aussi la mort et la vie, le bien et le mal aussi sans doute, les peurs et les espoirs. On pourrait longtemps poursuivre l'énumération. Ce pavé mosaïque est symptomatique de cette alternance d'états qui sont tous porteurs d'enseignement. Et le tableau de loge, précisément, qui est posé rituellement dessus, est l'expression de la mise en ordre de ce désordre, de cette conjugaison d'opposés.

Polarité

Tout est symbole, disais-je. Tout – ou beaucoup – est paradoxe (ce qui, littéralement, désigne le « contournement du discours », en somme la liberté de l'individu). Sur le chantier, l'apprenti commence par apprendre à dégrossir la pierre brute pour lui ôter ses aspérités et la rendre parfaitement lisse. Mais simultanément, pour que deux pierres s'accolent parfaitement, il faut leur laisser une certaine rugosité de contact. Les deux Saint-Jean bornent l'année aux solstices comme deux piliers, rappelons-nous un instant plus tôt. Or il est intéressant de remarquer que, pour l'un, saint Jean Baptiste, le 24 juin célèbre symboliquement sa naissance, alors que pour l'autre, saint Jean l'Évangéliste, le 27 décembre marque la date de sa mort[1].

Cette idée de contraste, de polarité, est omniprésente dans *Le Symbole perdu*. On pourrait multiplier les citations : « Au cours de toute l'histoire, chaque période de lumières et de connaissance a toujours été accompagnée par les ténèbres poussant dans l'autre sens. Telles sont les lois de la nature et de l'équilibre. Et si nous observons les ténèbres qui grandissent dans le monde aujourd'hui, nous devons prendre conscience que cela signifie qu'une lumière équivalente croît » (p. 409, f479) ; « Les heures les plus sombres sont toujours celles qui précèdent l'aube » (p. 328, f391), etc.

---

1. Comme il est de coutume pour une fête de saint, hors du Baptiste, précisément, et de saint Nicolas.

**LE TEMPS, LA FRANC-MAÇONNERIE
ET DAN BROWN**

Le temps n'existe pas dans la franc-maçonnerie. Le temps, c'est l'annonce de la mort; c'est la mort elle-même. Or la franc-maçonnerie transcende celle-ci. Quelque part, Mal'akh manifeste toute sa perversion du rituel maçonnique en transformant Katherine Solomon (*LSP*, chap. 107) en « sablier humain ». Le sang de celle-ci s'écoule goutte à goutte. La mort vient lentement dans le noir. Il y a là association du sang, de la mort, du temps et du noir. Toutes choses que le maçon doit dépasser.

De ce point de vue, l'image de Robert Langdon (Dan Brown ?) avec sa montre Mickey offerte pour son neuvième anniversaire (chiffre symbolique) pour lui rappeler la vanité de la temporalité a quelque chose de maçonnique. « Je la porte pour me rappeler de ralentir et de prendre la vie moins sérieusement » (*LSP*, p. 25, f40).

Évoquant les mystères de la vie et de la mort qui sont une des clés de la maçonnerie, Dan Brown écrit que l'on n'emporte rien d'autre que sa réputation, son honneur, au-delà de la mort (*LSP*, p. 511, f437). Il y a là un étrange écho de l'une des sentences du texte sacré de l'Europe du Nord, le *Havamal* (littéralement, en vieux norrois, les « Dits du Très Haut ») : « Les biens meurent, les lignées meurent, une seule chose ne mourra jamais, la bonne réputation que tu t'es acquise. »

Dans la loge tout s'organise rituellement – le cadre formel de la tenue, les déplacements... – autour de ce pavé mosaïque et de la représentation du tableau de loge, comme un voyage aux portes de la polarité, du contraste, de la lutte éternelle et permanente entre lumières et ténèbres, ordre et chaos, vie et mort. Le temps n'existe pas en franc-maçonnerie (voir encadré) – ou un temps purement virtuel, symbolique. En un certain sens, le maçon vient transcender la temporalité et traverser les vallées de la mort pour célébrer la vie, comme une sorte de mise en application de l'un des plus célèbres passages de la Bible, le Psaume 23, 4 : « Quand je traverse la vallée des ombres de la mort [ou parfois la vallée des ténèbres selon les traductions], je ne crains aucun mal car *tu es* près de moi. Ton bâton, ta houlette sont là qui me consolent. » Certains ont souligné que le « tu es » devait être un ajout récent d'harmonisation textuelle et que, originellement, on devait lire simplement : « Près de moi, ton bâton et ta houlette sont là… » On est là dans un contexte pastoral davidique où les instruments principaux de l'art sont le bâton et la houlette. Chez les maçons, on parlera plus volontiers sans doute du compas et de l'équerre (voire du niveau et de la perpendiculaire), comme de guides sur le chemin pour triompher des épreuves.

Et ce psaume s'achève sur une formule qui pourrait être toute maçonnique : « Oui, grâce et bonheur me pressent [ou m'accompagnent] tous les jours de ma vie » (Ps 23, 6).

Tout n'est que symbole en franc-maçonnerie et le symbole est enchantement au sens littéral. Il n'était pas possible dans ce livre de ne pas les évoquer (au demeurant, ils sont en réalité partout… allégoriquement et, souvent, sans doute, inconsciemment) tant ils sont indissociables du parcours. Il n'était pas possible non plus d'en dévoiler plus qu'il ne faut la nature afin de préserver cette magie du parcours que les symboles jalonnent, bornent, cet émerveillement. Que mes frères et sœurs me pardonnent s'ils considèrent que j'en ai encore trop dit. Mais il n'est pas d'enthousiasme (de transport du « divin », de la transcendance, au-dedans, quelle que soit la notion que l'on met derrière) sans exaltation (sans transmission et expression au dehors) et sans désir de partager ce que l'on reçoit de meilleur.

LE TALISMAN DE LA QUÊTE

La franc-maçonnerie est un monde de symboles, de talismans, qui chacun permettent, en méditant dessus ou en les utilisant virtuellement ou réellement, d'*achever* une partie de la quête. Langdon (*LSP*, p. 167, f209) rappelle que « talisman » vient du grec *telesma*, « achever », « compléter » (mais la plupart des dictionnaires français rapporteront plutôt *talisman* à l'espagnol, *talisman* ; italien, *talismano* ; au persan ou à l'arabe *telsam*, au plur. *Telsamân*, *talismän*, « figures magiques », « horoscopes », dérivé du grec *telesma*, qui désignait un rite religieux ou une chose consacrée [avant d'être le nom donné aux statues des divinités païennes dans le Bas-Empire qui furent considérées comme malfaisantes]). En somme, le talisman est l'objet ou le concept qui complète quelque chose et qui fait de lui un tout. Rapporté à la symbolique maçonnique, le talisman sera à la fois la pierre d'angle de l'édifice, sa première pierre ou pierre de fondation, par laquelle commence le Tout, et sa pierre de faîte, sa coiffe (*capstone*), qui l'achève.

Aujourd'hui, le sens de talisman a tendance à se confondre avec amulette ou « grigri », alors que, fondamentalement, le talisman va attirer, créer, réaliser, quand l'autre « repousse ».

Sur un plan plus symbolique ou métaphysique, le talisman est bien l'objet de la quête, le Graal, que nous voulons atteindre et récupérer pour compléter le sommet de notre être. Partir en quête de celui-ci, c'est assurément l'objet de la démarche maçonnique. Pourtant, on peut se demander s'il faut vraiment coiffer notre être de ce symbole de complétude. Car tant qu'il n'est pas en place, la lumière du dessus peut pénétrer à l'intérieur... comme dans la symbolique de la pyramide tronquée (et on a là un pendant paradoxal au travail de l'apprenti évoqué ailleurs, à qui l'on demande d'ôter les aspérités de la pierre brute, ce qui, s'il l'accomplit totalement et sur toutes les faces, empêchera deux pierres d'adhérer l'une à l'autre).

---

1. Il est intéressant de remarquer que les dictionnaires français insistent sur l'origine espagnole ou arabe de talisman (en ne faisant qu'accessoirement allusion au grec et sans jamais faire allusion à ce sens d'achèvement), alors que les dictionnaires anglo-saxons y font plus couramment référence. Le *Webster* renvoie notamment à « l'espagnol, de l'arabe *tilism, tilsam*, une image magique, pl. *tilsaman* » [donc talisman est en réalité plutôt un pluriel], mais ajoute immédiatement, « du grec *telesma*, impôt, taxe ; une initiation, une incantation, de *telein*, achever, exécuter, payer des impôts, rendre parfait, initier, particulièrement dans les mystères, de *telos*, achèvement, fin ». Le *Dictionnaire étymologique* de Dauzat ne fait, lui aussi, allusion qu'à un « emprunt à l'arabe *tilasm, tilsam* (du bas grec *telesma*, rite religieux) ».

Chapitre 5

LE MAÇON SUR LE CHANTIER : FONCTIONNEMENT DE LA FRANC-MAÇONNERIE

Ce plaisir exprimé de partager et d'échanger peut confiner – ou en donner l'impression – à un certain angélisme béat ici. Je ne crois pas. Se concentrer sur les cases blanches du pavé mosaïque ne signifie pas perdre sa lucidité. Je disais ailleurs avoir attendu plus de vingt ans pour entrer en maçonnerie parce que je cherchais le bon atelier. Si tout était si simple, la démarche aurait été entreprise beaucoup plus tôt. Pareillement, le pire individu probablement – humainement parlant – croisé dans ma vie profane était franc-maçon. Pendant longtemps, il dut probablement agir comme un repoussoir quant à mon engagement. Et pire encore, il appartenait à l'obédience dont je suis membre aujourd'hui. Je l'ai croisé, il y a plus de quinze ans. Il y a deux ans, je vois par hasard un reportage sur son compte à la télévision. Il n'avait pas changé et les reproches qui lui étaient formulés étaient les mêmes que ceux dont j'avais été le témoin. Des moutons noirs, il y en aura toujours dans toute structure humaine. Et même si la maçonnerie voudrait transcender l'individu – et si elle y arrive probablement en grande partie, même si la perfection n'est assurément pas de ce monde –, elle ne peut vraiment changer que celui qui le veut et qui en fait la démarche.

Mais la démarche maçonnique est une posture individuelle. Elle est là pour vous métamorphoser et vous améliorer. Or il est dit dans le rituel : « Si vous rencontriez dans cette assem-

blée ou parmi les francs-maçons [un ennemi], seriez-vous dis-
posé à leur tendre la main et à oublier le passé ? » La réponse
de l'initié sera logiquement affirmative. Et quelques instants
plus tard, il lui sera demandé : « Regardez et, si vous apercevez
quelque ennemi parmi nous, exécutez votre promesse. »

La voie maçonnique est un âpre chemin réclamant des
efforts constants, mais ce sont ceux-là qui nous font progresser. Comme l'écrivait Corneille (*Le Cid*), « à vaincre sans péril,
on triomphe sans gloire[1] ».

La franc-maçonnerie est un parcours individuel, disais-je,
mais sous le regard des autres et avec les autres. En ce sens, le
choix de la loge que l'on rejoint est l'élément qui me paraît le
plus déterminant, avant celui du rite (même si celui-ci aura
son importance) et bien avant celui de l'obédience. Certes, on
connaît rarement au préalable un grand nombre des frères ou
des sœurs de l'atelier que l'on envisage de rejoindre. Mais c'est
aussi à cela que sert l'enquête préalable à l'initiation. C'est
d'abord un échange : les enquêteurs qui ne vous connaissent
pas viennent vous rencontrer pour vous découvrir et en rap-
porter l'écho aux membres de la loge ; et le candidat doit en
profiter pour discuter, échanger, questionner, sentir l'« âme »
de l'assemblée, de la chaîne d'union à laquelle il va s'agréger.

Au travail !

Une fois accepté, le profane doit savoir qu'il s'engage au
minimum à un rythme de deux tenues mensuelles auxquelles
s'ajouteront des séances d'instruction, autrement dit des
moments d'échange entre apprentis ou entre compagnons
sous la conduite de l'officier de la loge qui les encadre (appelés
« surveillants »). Certaines obédiences ne pratiquent qu'une
tenue mensuelle, mais celles-ci sont souvent plus longues. Au
final, le maçon qui veut travailler davantage en aura toujours la
possibilité, soit en visitant d'autres loges, soit en s'informant et

---

1. Auquel peut faire écho un proverbe hébreu : « Si tu as réussi sans
effort, je ne peux le croire ; si tu as échoué malgré tes efforts, je ne peux le
croire ; si tu as réussi grâce à tes efforts, je te crois. »

en se perfectionnant chez lui, soit en suscitant d'autres occasions de rencontres plus ou moins informelles avec ses frères ou sœurs.

En revanche, il est un principe indérogeable, qui est la condition de la progression et que l'on rappelle généralement sur toutes les convocations aux tenues : « L'assiduité est le premier devoir d'un franc-maçon. » Sans assiduité, pas d'axe, pas de mise en ordre.

Dans cet esprit, dès l'initiation, il est dit au nouveau frère ou à la nouvelle sœur qu'il a des devoirs : des devoirs de travailler, d'assistance, devoir de servir... Un exemple : dans son temps d'apprentissage, le jeune maçon (jeune au sens de son parcours maçonnique ; il pourra être beaucoup plus vieux dans ses veines) devra servir ses frères ou ses sœurs lors des agapes (le repas suivant la tenue). C'est aussi lui qui préparera le temple avant la tenue et le rangera ensuite. Robert Lomas explique notamment dans *La Clé d'Hiram* que cette obligation de l'apprenti de servir est une des raisons de la désaffection relative de la maçonnerie en Angleterre. Ce service est pourtant essentiel dans le cursus.

La nécessité de travailler et de servir est sans doute ce qui fait le plus de la maçonnerie une structure qui ne pourra jamais séduire tout le monde. Qui a envie de s'infliger des exercices difficiles ? Qui a envie d'être jugé sans pouvoir répliquer (parce que le silence est imposé à l'apprenti), gratuitement, inutilement ? Quelle structure humaine peut inciter à ça et a la capacité de l'imposer à des personnes qui ont déjà accompli un bon parcours de vie profane et ont peut-être une position sociale bien assise ? C'est pourtant le début de la transformation. Et il n'y a là aucune forme de masochisme, parce que l'on se voit évoluer, se transformer (et ceux qui ne le voient pas ont toujours le loisir de s'en aller vers des activités plus adaptées à leur personnalité).

Dans le chapitre précédent, je rappelais que tout était symbole dans la franc-maçonnerie. Même dans son fonctionnement, cette règle s'applique. Ainsi, une planche devra durer traditionnellement sept minutes (encore une fois, c'est une approche rituélique, mais un atelier peut parfaitement se fixer une autre règle, voire ne pas en avoir) et elle sera constituée de trois parties égales : un tiers rattachant le sujet du travail au rituel, un tiers ouvrant sur d'autres traditions ou systèmes philosophiques, un tiers évoquant le vécu personnel de l'intervenant au regard du sujet. Le trois et le sept sont naturellement des nombres symboliques marquants.

Singulier rituel

En franc-maçonnerie, le moins singulier ne sera probablement pas le rituel. Il peut paraître étrange pour des hommes et des femmes de se prêter à un jeu sortant littéralement de l'ordinaire. Mais, comme le souligne Dan Brown, que pourrait-on penser, sortis de leur contexte des « reconstitutions de la crucifixion, des rites de la circoncision juive, des baptêmes mormons des morts, des exorcismes catholiques, du *niqab*[2] islamique, des transes de guérison chamaniques, de la cérémonie juive des *kaparot*[3], et même de la consommation du corps et du sang figurés du Christ » ? (*LSP*, p. 437-8, f511). Et il écrit ailleurs : « La mauvaise compréhension des symboles d'une culture est une source classique de préjugés » (*LSP*, p. 155, f196).

Tout n'est que question d'appréciation. Comme ironise Langdon en feignant d'appartenir à une secte : « Ne le répétez pas, mais le jour du dieu-soleil païen Râ, je m'agenouille au pied d'un instrument de torture archaïque où je consomme des symboles rituels de la chair et du sang. » Avant d'expliquer à ses étudiants horrifiés, avec un haussement d'épaules, que si ça intéresse quelqu'un, ils n'ont qu'à l'accompagner un « *dimanche*, dans la chapelle d'Harvard, pour s'agenouiller au pied du crucifix et partager la sainte eucharistie » (*LSP*, p. 32,

---

2. Voile ou masque couvrant le visage des femmes, sauf – *a priori* – les yeux.

3. Rituel d'expiation effectué la veille de la fête de Yom Kippour. Il s'agit d'une offrande sacrificielle, généralement d'une volaille (mais aussi de légumes, voire d'argent aujourd'hui substitué ensuite à une volaille offerte souvent aux nécessiteux), tuée, passée autour de la tête puis consommée pour Yom Kippour.

f46. Au passage, on note que Robert Langdon s'affirme chrétien).

Maçon un jour, maçon toujours ? Un frère ayant quitté son obédience, voire n'appartenant plus à aucune ni à aucune loge, définitivement ou temporairement, demeure-t-il maçon ? J'aurais tendance à répondre par l'affirmative. Celui qui est vraiment maçon, qui est porteur de la lumière et des valeurs de la maçonnerie, mais qui, peut-être ponctuellement et sans le dire, ne peut plus payer ses capitations (son adhésion comme à n'importe quelle association profane), le demeure dans le cœur. La qualité de maçon ne peut être liée au paiement d'une quelconque cotisation. Ce qui fait le maçon, c'est son initiation. Ce n'est ni l'obédience, ni l'actualisation de ses capitations.

En revanche, celui qui s'en va, mais n'était déjà pas vraiment maçon en essence – c'est-à-dire qui ne rayonnait pas à l'extérieur, contrairement à ce qui est recommandé, qui ne poursuivait pas au-dehors l'œuvre commencée au-dedans –, ne le sera pas davantage hors du temple.

DE L'UNIVERSALITÉ DE LA MAÇONNERIE ?

Il est dit que la franc-maçonnerie est « universelle » (au demeurant et pour l'anecdote, traduit en grec, *universel* donne « catholique »). Le franc-maçon reconnaît pour tel tous ses frères, quel que soit leur pays. On peut donc imaginer qu'il y a là le potentiel pour donner un coup d'arrêt à toutes les guerres, à tous les conflits. Et c'est bien là l'un des buts. Mais, inutile de dire que, depuis l'origine de la maçonnerie, les affrontements internationaux n'ont pas cessé, même lorsque des frères appartenaient aux deux camps. Pour autant, il est indéniable que l'appartenance réciproque a pu de temps en temps résoudre une affaire mal engagée, sauver une vie (voir l'exemple du chef mohawk Joseph Brant, rapporté p. 140). En outre, au regard de cette supposée universalité, on peut s'étonner que l'on réclame parfois, en certaines occasions et dans certaines obédiences, de prêter serment d'obéissance et de fidélité au chef de l'État profane ou de lui porter un toast. Je connais bien des frères réguliers français qui jureraient plus aisément loyauté au Grand Maître de la GLUA (serment qui n'est d'ailleurs pas demandé) qu'au chef de l'État français quel qu'il soit. Et dans ce même esprit de non-belligérance, des frères bretons – pour ne prendre que cet exemple – entonneront plus volontiers, lors des tenues provinciales, le bucolique *Bro Goz ma zadou* («Cher pays de mes pères», leur hymne national) que la belliqueuse *Marseillaise* (les deux étant souvent chantés dans ces grandes tenues).

Chapitre 6

AVEC OU SANS DIEU ?
LA FRANC-MAÇONNERIE ET LES RELIGIONS

> « Ne savez-vous pas que vous êtes des
> dieux ?... Ce qui est en haut est comme ce
> qui est en bas [1]... »
>
> *LSP*, p. 308, f369.

À une jeune fille qui vient de lui demander si la franc-maçonnerie était *anti*religieuse [2], parce qu'il vient d'expliquer qu'elle ne fonctionnait pas comme les religions, Robert Langdon répond : « Au contraire ! » (*LSP*, p. 30, f47)

La question du rapport entre la franc-maçonnerie et la religion se pose dès l'origine. La franc-maçonnerie en est-elle une ? S'oppose-t-elle aux religions ? Veut-elle leur destruction comme voudraient parfois le croire quelques antimaçons religieux fanatiques ?

Lorsqu'elle se dote de textes fondamentaux avec les *Constitutions* d'Anderson, dès le titre 1, « De Dieu et de la Religion », la question est abordée, preuve de son acuité. Le passage commence ainsi : « Un maçon est obligé par sa tenure d'obéir à la loi morale et, s'il entend bien l'art, il ne sera jamais athée stupide, ni libertin irréligieux. » Mais il est immédiatement

---

1. Ici, Dan Brown rajoute : « Et même la Bible clamait dans son Psaume 82, 6 : Vous êtes des dieux ! », ce qui est une des rares erreurs flagrantes du *Symbole perdu*. Car dans le Psaume en question, il ne s'agit pas d'une affirmation, mais d'une interrogation à laquelle il est immédiatement répondu par la négative.

2. Et non « athée », comme dans la version française.

précisé ce qu'il y a lieu d'entendre par religion : «Quoique, dans les temps anciens, les maçons fussent tenus dans chaque pays d'être de la religion, quelle qu'elle fût, de ce pays ou de cette nation, cependant, il est maintenant jugé plus à propos de seulement les astreindre à cette religion sur laquelle tous les hommes sont d'accord, laissant à chacun ses opinions particulières ; c'est-à-dire d'être homme de bien et loyaux ou homme d'honneur et de probité par quelque dénomination ou confession qu'on puisse les distinguer... »

L'une des conditions *sine qua non* pour entrer en maçonnerie, dit donc le texte d'Anderson, c'est de croire en une puissance supérieure. C'est vrai. Mais dans la maçonnerie régulière, comme nous avons déjà eu l'occasion de le mentionner. La maçonnerie dite libérale a abandonné ce point et c'est l'un des principaux terrains d'achoppement..., voire le seul réel sur un plan conceptuel avec l'absence de discussion sociétale chez les réguliers quand les libéraux en font un de leurs axes premiers.

Quoi qu'il en soit, Langdon a raison de préciser (*LSP*, p. 30, f47) que la franc-maçonnerie ne réclame pas la croyance en un être suprême précis, et c'est pour cela qu'elle utilise des termes comme être suprême justement, mais aussi Grand Architecte ou Grand Géomètre de l'Univers, plutôt qu'une référence à Dieu, Yahvé, Allah, Bouddha, Jésus, Râ, Isis ou quelque autre divinité, y compris féminine.

La franc-maçonnerie régulière est religieuse et laïque au sens anglo-saxon du terme (ce qui ne confine pas, comme en France, à devenir synonyme d'athéisme). Il y existe une véritable liberté de culte. Elle demande de croire, mais laisse le choix quant à l'être suprême en lequel on croit. Dans *Tourner la clé d'Hiram*, Robert Lomas explique que, au moment d'entrer en maçonnerie, on lui a posé cette question rituelle : Croyez-vous en un être suprême? En sa qualité de scientifique, il s'interrogea et fit appel à Newton et Einstein pour expliciter sa notion d'«être suprême» et pouvoir répondre par l'affirmative sans se déjuger. En revanche, précise-t-il, si la question avait été «Croyez-vous en Dieu?», il lui aurait été plus difficile de répondre «oui». C'est pourtant bel et bien la question posée au sein de la GLNF, par exemple, alors que la

GLDF, pour ne citer qu'elle, fera plus volontiers allusion à cette notion de principe supérieur général. Mais il est évident qu'il y a plus qu'une nuance entre le théiste « Croyez-vous en Dieu ? » et le déiste « Croyez-vous en un être suprême ? »

Le Temple et l'Église

De manière ironique, au sens traditionnel du mot, « assemblée », la franc-maçonnerie peut être considérée comme une église, n'en déplaise à certains de ses adhérents. C'est naturellement une boutade, mais qui ne manque pas totalement de pertinence.

Mais les relations de l'ordre fraternel avec certaines tierces religions n'ont pas toujours été un long fleuve tranquille. Si l'Islam, par exemple, ou des religions alternatives, comme le mormonisme, ont pu condamner à l'occasion la maçonnerie, c'est surtout le Vatican qui s'est violemment dressé contre elle. Après la bulle *In Eminenti* de 1738, d'autres décrets pontificaux sont venus confirmer la condamnation, voire l'excommunication des fidèles initiés dans la Fraternité. Le dernier texte important, de ce point de vue, fut la « déclaration sur l'incompatibilité entre l'appartenance à l'Église et la franc-maçonnerie », signée par le cardinal Joseph Ratzinger[3], chef de la Congrégation pour la Doctrine de la Foi[4], du 26 novembre 1983, dans laquelle il était rappelé et confirmé la validité des textes antérieurs. On notera avec intérêt que ni les protestants dans leur ensemble, ni globalement les chrétiens orthodoxes n'ont semblablement condamné la maçonnerie, ce qui paraît indiquer l'absence de réel motif théologique à la condamnation vaticane. Et il est un fait que des motifs politiques déjà évoqués à propos de l'histoire de la maçonnerie sous-tendaient les premières bulles (le pape soutenant la cause du prétendant Stuart catholique revendiquant le trône d'Angleterre contre les Hanovre protestants épaulés par la maçonnerie anglaise).

---

3. Devenu le pape Benoît XVI.
4. Héritière de l'ancienne Sainte Inquisition.

Moyennant quoi ces excommunications ou autres condamnations n'ont jamais empêché un grand nombre de catholiques de rejoindre la maçonnerie où ils ne trouvent aucune incompatibilité avec leur foi... bien au contraire, surtout dans certains rites. Puisant, on l'a vu, dans de nombreux symboles universels que le catholicisme reprend également à son compte, la démarche maçonnique n'est pas une fermeture, mais au contraire une ouverture, aux autres, à l'esprit, un enrichissement intérieur, qui permet au fidèle d'une religion quelle qu'elle soit de faire des progrès plus rapides encore sur le sentier de sa foi et de s'y épanouir.

L'apothéose : (re)devenir Dieu ?

Certes, la franc-maçonnerie n'est pas une religion. Et pourtant, Dan Brown affirme que son objectif est de permettre à l'homme (ou à la femme) de redevenir Dieu, de reprendre conscience de son caractère divin. « La seule différence entre toi et Dieu, c'est que tu as oublié que tu es divin », dit Peter Solomon. (*LSP*, p. 492, f573) Assurément, il n'y a pas là matière à réjouir la hiérarchie vaticane.

Pour appuyer son propos, Dan Brown reprend par la bouche de ses héros les vieilles maximes : « Ne savez-vous pas que vous êtes des dieux » (Hermès Trismégiste), « Connais-toi toi-même » (qu'il attribue indûment à Pythagore) et même : « Le royaume de Dieu est en vous » (Jésus dans Luc 17, 21)... Ailleurs, rappelant que « Dieu a créé l'homme à son image » selon la Genèse, il en tire une conséquence logique qu'il fait énoncer par l'architecte du Capitole, Warren Bellamy : « L'humanité n'a pas été créée inférieure à Dieu » (*LSP*, p. 194, f240).

Incontestablement, la connaissance de soi est l'un des moyens prônés par la franc-maçonnerie pour se réaliser. En conclure qu'il s'agit de (re-)devenir des dieux est une autre question qui participera de l'intime des individus. En revanche, ce qu'il y a de manifeste, c'est que toutes ces sentences antiques, tous ces sophiques conseils, nous invitent à nous replonger en nous-mêmes, à aller chercher en notre centre notre « vérité », à revisiter l'intérieur de notre être, notre « grotte » secrète, en somme, à revenir toujours au commencement, dans l'intimité du cabinet noir de réflexion qui marquait le départ du parcours maçonnique, là où nous pouvons « vitrioler », c'est-à-dire visiter l'intérieur de la terre où, après rectification (c'est-à-dire après s'être redressé), nous retrouverons la pierre cachée, notre Graal.

Ainsi, le secret ultime serait celui du Centre, de l'intérieur de nous-mêmes, le secret du Centre. Robert Lomas ne dit pas autre chose dans *Le Secret de l'initiation maçonnique*. Cet accomplissement est, selon lui, exprimé par un symbole, le « point dans le cercle », celui à partir duquel l'homme – jusque-là égaré – ne peut plus se perdre. La seule question est de savoir quel est ce centre et où le trouver. Là commence la quête réelle.

APARTÉ
Le point dans le cercle

> « Le point dans le cercle. Le symbole de la Source. L'origine de toutes choses. »
>
> *LSP*, p. 459, f534.

Pour Dan Brown, dans le chapitre 122 du *Symbole perdu*, il est un symbole qui se dresse au-dessus de tous les autres, c'est celui du point dans le cercle « qui représentait l'illumination du dieu-soleil égyptien, le triomphe de l'or alchimique, la sagesse de la pierre philosophale, la pureté de la rose rosicrucienne, le moment de la Création, le Tout, la domination du soleil astrologique et même l'œil omniscient qui planait au-dessus de la pyramide tronquée » (*LSP*, p. 459, f534-535). C'est aussi en termes simples, non spécifié par Brown, le Graal, la représentation même de la coupe sacrée (ou de la pierre et plus spécifiquement une émeraude pour Wolfram d'Eschenbach, dans *Parsifal*) faisant l'objet de la quête au milieu de la Table ronde.

Ce symbole qui vient de la nuit des temps est l'un des plus importants et des plus évidents du monde, avec toujours une idée de transcendance, d'état suprême. Sans prétendre en faire une liste exhaustive, il a symbolisé hiéroglyphiquement le dieu-soleil égyptien Râ et l'astronomie moderne l'utilise encore comme symbole du soleil, comme le rappelle Dan Brown. Il désignait aussi ce même astre chez les alchimistes. Dans la philosophie orientale, il

désigne « le troisième œil, la rose divine et le signe de l'illumination ». Dans la mystique juive, il est présent dans l'arbre des
Sephiroth où il symbolise Kether (littéralement, la « couronne »),
la sephira supérieure. Elle incarne tout ce qu'il y a justement au-
delà de ce qui trône au sommet, au-delà de ce que l'esprit peut
comprendre. Kether est, selon le *Sefer ha Zohar* (*Le Livre de la
Splendeur*, l'un des textes majeurs de la Kabbale), la « plus cachée
des choses cachées ». Le point dans le cercle est encore l'œil de
Dieu des anciens mystiques et des premiers chrétiens, mais aussi
des Indiens Huichol, l'œil de la Providence, le symbole de la
monade pour les pythagoriciens, l'unité originelle et l'élément
premier de toutes choses qui contient son principe et sa source, la
vérité divine, la *Prisca Sapientia* [La connaissance antique origi-
nelle], la fusion-unité de l'esprit et de l'âme, etc.

Dans la symbolique maçonnique, on le retrouve souvent
entouré de deux traits verticaux pouvant notamment représenter
– dans l'acception la plus immédiate – les deux colonnes du
Temple et leur symbolique. Comment ne pas voir aussi dans ce
symbole (figurant en particulier sur la pierre d'autel du rite Émulation), pour ne citer qu'un exemple, l'ensemble des quatre trésors sacrés ramenés des îles au nord du monde par les tribus de
Dana de l'ancienne Irlande : l'épée de Nuada et la lance de Lug
(pour les deux colonnes), le chaudron de Dagda (comme conte-
nant ou cercle[5]) et la pierre de Fal (comme point focal au centre
du chaudron) ?

On a bien ici une des formes primitives de la légende du Graal,
l'objet sacré par excellence, l'objet inaccessible valant presque plus
par la quête qu'il suscite que par sa valeur intrinsèque.

En guise de clin d'œil (de la Providence ?) et pour en revenir à
Dan Brown, le point dans le cercle, c'est l'obélisque au centre de
la place du Washington Monument (du *Symbole perdu*), celle de
la place Saint-Pierre de Rome (de *Anges et Démons*). En revanche,
la Concorde de Paris (*Da Vinci Code*) – qui aurait pu faire un
beau symbole maçonnique avec son obélisque – est... un carré.
Mais... Mais le point dans le carré..., c'est le J de l'alphabet
maçonnique le plus courant. Le J comme l'initiale de Jakin, l'une

---

5. Sans oublier que ce chaudron – en vieux celtique, *gradale* – est
l'origine même du terme Graal. Dans la symbolique irlandaise ancienne, la
religion reposait sur une triangulation : Dagda le père, Lug le fils et le
Gradale, le chaudron de connaissance (en somme, l'esprit). On retrouve là
une structure familière.

des deux colonnes du temple de Jakin en quelque sorte. Celle qui... établit.

a	b	c	d	e	f	g	h	i
⌐	⌐	⊔	⊔	∟	∟	⊐	⊐	□

j	k	l	m	n	o	p	q	r
▣	⊏	⊏	⊓	⊓	⊓	⊓	⊏	⊏

s	t	u	v	w	x	y	z	
∨	∨	>	>	<	<	∧	∧	

Ce n'est bien sûr ici qu'allégorique et ludique, sans qu'il faille y trouver un sens particulier fondamental (d'autant que Dan Brown utilise un autre alphabet maçonnique moins répandu, y compris aux États-Unis). Mais l'allégorie et le symbole, l'incitation à la réflexion, font partie intégrante de la démarche maçonnique et de l'inspiration qui met en marche le cherchant. Et après tout, Dan Brown rappelle lui-même (*LSP*, p. 459, f534) que la langue mystérieuse ancienne, celle que certains mystiques et poètes ont pu baptiser la « langue des oiseaux » et dans laquelle est écrite la Parole perdue est la langue des symboles.

Chapitre 7

VOILEZ CE SEIN ?
LA FRANC-MAÇONNERIE ET LES FEMMES

> « Combien de femmes sont-elles auto-
> risées à devenir maçonnes, professeur
> Langdon ? »
>
> *LSP*, p. 31, f47.

Avec la question de la religion, celle des femmes est probablement l'autre point sensible de la franc-maçonnerie, particulièrement ravivée aujourd'hui. Et comme pour la religion, elle est
consacrée par un article des *Constitutions* du pasteur Anderson
qui interdisait l'accès de l'Ordre aux femmes[1]. On sait pourtant
que, du point de vue de la régularité, des femmes ont pu appartenir à la maçonnerie opérative, notamment des veuves de
maçons. En attestent certains textes des anciens devoirs (des
règlements anciens de référence organisant le Métier et auxquels continue de se référer la maçonnerie régulière).

Pour autant, la remise en cause de ce principe de proscription
féminine apparaît très tôt dans l'histoire de la maçonnerie spéculative, puisque la première « maçonne » officielle, Mrs Aldworth,
aurait été initiée dès 1732 en Irlande, dans le comté de Cork.
Mais ce ne fut qu'un acte isolé – et dans un cas très particulier
(la très jeune femme avait espionné les travaux de la loge qui se
tenait dans la demeure familiale et s'était vu offrir le choix, pour
garantir sa discrétion, entre l'initiation ou un châtiment).

---

1. Après avoir spécifié clairement que les maçons devaient « être
hommes de bien et loyaux », pour lever toute équivoque, elles ajoutent
dans leur titre 3 qu'ils ne doivent pas être « femmes ».

Peu après, sans qu'il s'agisse littéralement de maçonnerie, on prend habitude d'accepter les épouses de francs-maçons, des femmes de la noblesse, dans les banquets, les fêtes, les célébrations diverses. C'est ainsi que se crée, dès 1740, en France, ce que l'on va appeler la maçonnerie d'adoption pour accueillir les femmes. Une maçonnerie *Canada dry* en quelque sorte. Ça y ressemble sans en être. Les loges d'adoption portent souvent le nom de la loge masculine à laquelle elles sont attachées. Un rituel spécifique paramaçonnique fut même créé. Mais, en 1808, les loges d'adoption furent interdites par l'obédience masculine (sans doute à cause de leur trop grande relation avec la noblesse). Elles n'ont survécu tout au long du XIXᵉ siècle que de manière accessoire.

Mais simultanément vont naître d'autres ordres mixtes paramaçonniques, comme l'ordre des Mopses (en 1740 à la cour de Frédéric II de Prusse, pour rassembler des catholiques en contournant la bulle papale *In Eminenti Apostolatus Specula* de 1738), l'ordre de l'Étoile d'Orient. Il faut aussi noter que la franc-maçonnerie égyptienne créée par Cagliostro avec son épouse Sérafina était mixte.

Mais il faudra attendre 1882 et l'initiation de Maria Deraismes, dans la loge des Libres Penseurs à l'orient du Pecq, pour revoir de plein droit cette question à l'ordre du jour de la franc-maçonnerie traditionnelle. Elle créera peu de temps plus tard, en 1893, un loge baptisée Grande Loge symbolique écossaise mixte de France le Droit humain, amorce de ce qui deviendra l'Ordre maçonnique mixte international le « Droit humain », en 1901.

Dans la foulée, le Droit Humain passe en Angleterre grâce à Annie Besant de la Société théosophique et la première loge mixte ouvre en 1902. Toutefois la *co-masonry* (nom que l'on donne outre-Manche à la maçonnerie féminine) anglaise cessera d'être mixte dès 1908 pour ne plus être qu'un pendant de la maçonnerie masculine.

Entre-temps, en 1906, la GLDF régénère les loges d'adoption avec un rituel propre, souchées comme précédemment sur une loge masculine. Peu avant la guerre, la GLDF visant une reconnaissance par la GLUA donne son autonomie aux loges féminines qui attendront la fin des hostilités mondiales pour donner naissance à l'Union maçonnique féminine de France, qui deviendra la Grande Loge Féminine de France (GLFF) et optera pour le REAA. La plupart des Grandes Loges Féminines dans le monde sont des « filles » de la GLFF.

En dehors de la GLFF, du Droit Humain et d'obédiences de Memphis-Misraïm, il existe de plus en plus de petites loges mixtes en France.

Outre-Manche, il existe une franc-maçonnerie féminine en plein essor (ce que Robert Lomas a mentionné dans plusieurs de ses ouvrages en indiquant que la maçonnerie masculine en perte de vitesse au Royaume-Uni ferait bien de s'en inspirer). Mais la position de la maçonnerie masculine sur les sœurs évolue. Depuis 1998, même la sacro-sainte GLUA admet que certaines loges mixtes font partie de la maçonnerie sans autoriser les visites mutuelles. Et sous l'impulsion du duc de Kent, son Grand Maître, la GLUA mènerait une réflexion sur la franc-maçonnerie féminine et s'interrogerait sur le fait d'ouvrir la maçonnerie régulière aux femmes.

Étrangement, j'ai déjà eu l'occasion de noter que les États-Unis représentent le plus grand foyer de résistance à l'intégration de sœurs maçonnes et il n'existe pour ainsi dire pas de maçonnerie féminine en Amérique du Nord. Lorsque le frère Warren Bellamy s'interroge sur l'appartenance à l'ordre de l'Étoile d'Orient[2] de la responsable de la CIA, Inoue Sato, dans *Le Symbole perdu* (p. 299, f359), il ne s'agit pas d'une structure maçonnique au sens strict, mais d'un organisme paramaçonnique mixte (plus organisation fraternelle et philanthropique qu'ordre initiatique) comme il en existe quelques autres là-bas (Ordre de l'Amarante[3], Filles du Nil[4], et qui fonctionnent de concert avec des loges masculines. À

---

2. *Order of the Eastern Star.* Créé en 1850 par un franc-maçon de Boston. L'étoile d'Orient est une allusion à celle de Bethléem. Il est ouvert aux femmes ayant un lien de parenté – même ténu – avec un maître maçon.

3. *Order of the Amaranth.* Créé en 1873. En plus d'avoir un lien de parenté avec un maître-maçon, il faut avoir été membre pendant trois ans d'un mouvement de jeunesse paramaçonnique comme les Filles de Job (*Daughters of Job*).

4. *Daughters of the Nile.* Créé en 1913 pour les femmes à partir de

la fin du XXe siècle, la majorité de ces loges quittèrent le Droit Humain et fondèrent l'*Honorable Order of American Co-Masonry* et l'*Eastern Order of International Co-Freemasonry*.

En France, où il existe donc depuis longtemps une franc-maçonnerie féminine active et brillante, le débat sur la mixité des obédiences revient régulièrement sur la sellette. Si, déjà, les sœurs sont admises comme visiteuses dans des loges de la maçonnerie masculine (sauf de la maçonnerie reconnue par la GLUA, en l'occurrence la GLNF), il y a eu quelques récentes initiations de femmes par des loges du GODF, ce qui a entraîné un nouveau vote de l'obédience sur cette question lors du convent de 2009. De nouveau, le scrutin a rendu une décision négative.

À dire vrai, cette question de la mixité est un faux problème. Les partisans de la mixité – qui, souvent, ne sont même pas maçons – affirment que refuser celle-ci est une forme d'intolérance faite aux femmes. Cela pourrait être vrai dans un pays comme les États-Unis où il n'existe pas de maçonnerie féminine. Mais en France, la situation est exactement inverse et une grande liberté de choix est offerte. Il y a une maçonnerie masculine, une maçonnerie féminine et maçonnerie mixte. Or même les femmes de la GLFF auxquelles le même reproche – inverse – d'intolérance faite aux hommes pourrait être formulé ne tiennent pas à accepter la gent masculine dans leurs rangs. C'est leur entière liberté. À une association de médecins, il n'y a pas lieu d'autoriser de non-médecins et personne ne trouverait à redire. Idem ici, il n'y a aucune raison d'obliger les membres d'une structure strictement féminine à accepter des hommes ou à une institution masculine d'accepter des femmes.

Et sur un plan plus fondamental, s'il est vrai qu'en essence, rien ne s'opposerait de prime abord à ouvrir les rangs de la maçonnerie à vocation plus sociétale aux femmes, il n'en va pas de même de la maçonnerie régulière plus spiritualiste où peut se poser une question de polarité initiatique.

---

18 ans ayant un lien de parenté (fille ou épouse) avec un *Shriner*, un maître-maçon ou une Fille du Nil.

Mais reconnaissons qu'il s'agit là d'une question qui paraît davantage animer le Landerneau médiatique que troubler le serein travail des loges, qu'elles soient masculines ou féminines.

PARTIE 3

La Lumière :
demandez et vous recevrez

« Parfois, pour voir la lumière, il suffit
d'un changement de perspective. »

LSP, p. 482, f561.

« Les mystères de la franc-maçonnerie
sont parfaitement visibles à quiconque s'ils
sont regardés dans la bonne perspective. »

LSP, p. 466, f543.

Le périple approche de sa conclusion. Sur les pas de Robert Langdon, nous avons un instant vagabondé sur les sentiers de la maçonnerie. Après avoir, dans la première partie, rencontré une porte, écouté un propos dans la deuxième, arrive maintenant le sommet du triangle, la lumière. Avec, pour ultime paradoxe, l'idée que si lumière jetée sur la franc-maçonnerie il y a, ce soit peut-être une invitation... à pousser une nouvelle porte. Comme quoi, tout n'est toujours qu'un éternel retour, un serpent qui se mord la queue.

Au gré du *Symbole perdu*, des clés ont été disséminées. Certaines ont été ramassées ici pour ouvrir une entrée... qui n'a pas de serrure. Car, encore une fois, la véritable porte qu'il y a à trouver ou à ouvrir, c'est en soi qu'il s'agit de la découvrir. Et c'est une porte qui s'ouvre à la fois de l'extérieur et de l'intérieur.

Dans cette troisième partie qui n'a pas besoin d'être longue (car c'est une histoire que chacun a à compléter, comme s'il manquait au sommet, précisément la pierre de faîte, afin de laisser pénétrer la lumière), il est simplement question de s'interroger un instant sur ce qui séduit encore aujourd'hui dans la franc-maçonnerie. Quel enchantement y trouve-t-on ? À quoi ça sert d'être franc-maçon en plein XXIe siècle (qui certes, si l'on en croit Malraux, devrait être spirituel ou ne pas être) ?

UNE VOIE DE PERFECTIONNEMENT

> « Toute la philosophie maçonnique est
> bâtie sur l'honnêteté et l'intégrité. Les
> maçons comptent parmi les hommes les
> plus dignes de confiance que vous puissiez
> jamais espérer croiser. »
>
> *LSP*, p. 99, f129.

Pourquoi veut-on encore devenir maçon au XXIᵉ siècle ? Est-ce que cette symbolique des bâtisseurs est encore galvanisante ? A-t-elle encore un sens ?

Sans doute, plus que jamais. Dans un monde qui manque bien souvent de repères, l'idée de construire contribue à se donner un axe et des jalons. Alors certes, il doit être rarissime qu'un candidat frappe à la porte avec l'idée réelle de construire quoi que ce soit. Le plus souvent, il sera arrivé après un échange avec un frère qui l'aura invité à franchir le pas à l'occasion d'échanges sur des valeurs communes, des idées de perfectionnement, de fraternité, de partages humains... Beaucoup viennent aussi attirés par le mystère qui l'entoure, convenons-en, la part d'ombre, un peu de curiosité aussi...

Mais on ne restera pas pour ce mystère s'il n'est que curiosité, ni pour l'ombre qui sera devenue lumière, ni même pour des valeurs qui peuvent – peut-être – se partager en d'autres cercles sans nécessiter la volonté inébranlable, le travail et les efforts que réclament l'engagement maçonnique. Je dis « peut-être », parce qu'il est certain que se manifeste en loges une solidarité exceptionnelle, une chaleur muette qui s'exprime dans un regard, un geste d'attention, simplement la poignée de main de son voisin qu'on ne regarde pas dans la chaîne d'union, mais que l'on sait être là à côté de soi... En un mot, la Fraternité.

Mais déjà, tout cela participe d'un vécu qui ne sera pas le même d'un individu à l'autre, d'une loge à l'autre...

Quoi qu'il en soit, il est sans doute une autre raison qui nous fait rester : cette construction que l'on voit se développer quasiment à vue d'œil et que l'on ne soupçonnait pas, la construction de soi, et, par ricochet, celle du monde qui nous entoure.

Perfectionnement de soi…

« Ne savez-vous pas que vous êtes un temple de Dieu […] », 1 Corinthiens 3, 16 (cité dans *LSP*, p. 499, f581). Et 1 Corinthiens 3, 17 ajoute : « Le Temple de Dieu est sacré et ce temple, c'est vous. » Au regard de ce passage de l'Épître aux Corinthiens, nous, les êtres humains en général, sommes tous des francs-maçons bâtisseurs de nous-mêmes. La franc-maçonnerie nous apporte simplement les outils dont nous pouvons avoir besoin pour lui donner ses piliers, l'entretenir et l'orner.

Le chapitre 133 (cent… trente-trois) est un chapitre clé du *Symbole perdu*. On y voit Katherine et Langdon échanger sur la Bible et les anciens textes sacrés qui exaltaient la construction du temple divin. La sœur de Peter Solomon cite précisément cet extrait néotestamentaire et ajoute que l'Évangile de Jean, lui aussi, affirme que l'homme est le temple de Dieu et de l'esprit, et que d'autres passages encore des Écritures nous incitent à le construire.

Mais Jean, précisément, indique qu'« il y a de nombreuses demeures dans la maison de mon père » (Jn 14, 2). La franc-maçonnerie est une de celles-là, une voie en propre qui nous propose de construire le temple de notre être pour y accueillir la Parole perdue lorsqu'elle sera retrouvée… Une parole qui n'est peut-être pas en réalité perdue, ni cachée, mais simplement que nous ne percevons plus et pour laquelle il nous suffirait de changer de perspective pour la percevoir, d'ouvrir ses sens.

Ce n'est pas par hasard si l'Évangile de Jean est particulièrement prisé et que, au sein de différents rites, la Bible est ouverte pendant la tenue au début de son premier chapitre, là où il est dit : « Au commencement était le Verbe » (une phrase qui ouvre aussi le chapitre 130 du *Symbole perdu*).

Emportée dans son exégèse biblique, Katherine se met à parler de la manne, venue nourrir les hébreux errant dans le

désert du Sinaï, et qui est la sécrétion de l'esprit. Or, le mot
« manne » veut dire étymologiquement « Qu'est-ce que c'est ? »
Cette substance de l'esprit qui alimente le corps, donc aussi le
temple divin, c'est le questionnement[1] (*LSP*, p. 500, f582)

Plus loin (p. 504-504, f588-589), c'est à son tour Robert
Langdon qui surenchérit pour réaliser que « Dieu se révèle
davantage dans la Multitude que dans l'Un », qu'Élohim « le
mot qui désigne Dieu dans l'Ancien Testament » est un pluriel, que donc le « Dieu Tout-Puissant de la Genèse était décrit
non comme unique... mais comme une Multitude ».

« Dieu est pluriel, murmure alors Katherine, parce que les
esprits de l'homme sont pluriels. »

En quelques lignes sont lâchés quelques symboles, quelques
éléments à glaner pour progresser. Il n'est nul besoin d'être
croyant pour les relever, nul besoin d'être un lecteur enfiévré
de la Bible pour reprendre ces symboliques universelles
(d'ailleurs, ces interprétations sont-elles orthodoxes ?). Ce ne
sont que des invitations à méditer et réfléchir comme tous les
outils que nous fournit la franc-maçonnerie. En un sens, on ne
devient pas spécifiquement monothéiste ou croyant parce
qu'on a lu ou interprété la Bible dans ce contexte, pas plus
qu'on ne devient maçon opératif capable de construire une
bonne et robuste maison, parce qu'on a médité sur un ciseau,
un maillet, un compas ou une équerre.

Tout le sens de cette démarche – et de la maçonnerie en
général – est d'ouvrir son esprit, de se remettre en « questions »,
d'apprendre à changer son regard, ses perspectives – ce qui est
aussi une manière de voir l'autre différemment et peut-être de
mieux le comprendre.

Quant à cet échange entre Katherine et Robert Langdon,

---

1. Accessoirement, on remarquera que le mot « question » ou « questionnement », vient du latin *quaestio*, « recherche ». Cette même racine a
donné des mots comme *quaesitum*, « ce qui est cherché » (de *quaerere*,
« chercher »), un terme qui est à l'origine du mot « quête ». De ces termes a
aussi découlé le verbe « quérir » avant que celui-ci soit remplacé au
XVIe siècle par « chercher », issu cette fois du latin *circare*, « aller ou tourner
autour ». En somme, avec les synonymes « quérir » et « chercher », on a
d'un côté la notion de quête et de questionnement, et, de l'autre, l'idée de
cercle pour aller au centre : le point dans le cercle et l'objet de la quête.

peut-être exprime-t-il mieux la philosophie maçonnique que l'idée que l'homme soit divin (ce qui sous-tend, en un sens, un jugement de valeur). Le fait que l'homme soit le temple de Dieu (quelle que soit l'idée que l'on associe à ce terme), ou disons le temple du Bien et du Beau, le temple de la Perfection, a une connotation plus humble que la divinisation de l'individu. On comprend bien que ce temple n'est pas parfait, idéal, ni peut-être même construit, mais qu'il l'est en potentiel, en fonction de ce que l'on en fera, donc ce que l'on fera de sa vie.

Et ce parcours s'appelle la métamorphose. N'est-ce pas là l'une des clés de la démarche maçonnique ? La transformation permanente de l'être comme voie d'achèvement ? Et un achèvement qui n'est en réalité que l'amorce d'un recommencement. Encore l'éternel retour, de la naissance à la mort du « vieil homme », puis à la renaissance/résurrection. On se croirait ici plongé dans une autre voie initiatique de perfectionnement et de réalisation, celle des contes de fées qui ne manquent pas de parallèles avec le chemin maçonnique. Dans les contes comme en maçonnerie, on fait face au miroir qui est l'autre soi et qui est peut-être l'ennemi. Dans les contes comme en maçonnerie, nous pouvons faire face au dragon, le serpent intérieur sournois[2] dont il faut triompher pour grandir, notamment dans les rites d'essence chevaleresque.

Dans les contes aussi, la parole et le silence y ont leur importance. Combien de héros se perdent pour n'avoir su poser la bonne question. « N'importune pas les autres avec des questions stupides », dit Gurnemanz à Parsifal. Et celui-ci interprète qu'il doit se taire et échoue, avant de comprendre qu'il doit réfléchir et poser la question opportune, parler à bon escient.

Et que dire des épreuves (qui vont par trois), du goût de l'effort... Au final, tout le monde, même l'homme le plus simple peut parvenir au sommet par la métamorphose et épouser la princesse.

---

2. Qui n'est pas forcément mauvais en soi, mais qui incarne l'immobilisme, la neutralisation des potentiels, tel le dragon qui dort sur l'or du Rhin sans rien en faire.

Comme dans le Petit Poucet, on commence le parcours à plusieurs, mais il est un moment où c'est seul, face à soi-même, que l'on devra continuer pour aller au bout. Dans cet univers aussi, comme en maçonnerie, nous sommes dans un monde où le temps est relativement aboli, où l'on ne meurt pas, où parfois l'on est mort avant (voir les mères des princesses...) et où l'on renaît (Blanche-Neige...). Entre deux formules rituelles comme des coups de maillet (*Il était une fois... Ils vécurent heureux et eurent beaucoup d'enfants*), nous sommes dans un espace-temps surnaturel[3].

... et de la société

Ce travail de perfectionnement de soi ne peut qu'avoir un effet positif sur la société. Si le franc-maçon a œuvré dans le sens voulu, il doit pouvoir poursuivre à l'extérieur du temple, l'œuvre entamée à l'intérieur. « À une époque, note Dan Brown, où on s'entretue entre individus de culture différente sur la meilleure définition à donner de Dieu, on peut dire que la tradition maçonnique de tolérance et d'ouverture d'esprit est recommandable » (*LSP*, p. 31, f47). Sans avoir la moindre intention d'influer sur l'univers qui nous entoure contre son gré – surtout lorsque l'on appartient à la franc-maçonnerie régulière –, le franc-maçon est là pour répondre présent aux défis qui se présentent à lui, plus fort, plus résistant, parce qu'il s'est consolidé dans le temple et prêt à tendre la main au frère comme au profane, « qu'il soit riche ou pauvre, du moment qu'il est vertueux ».

Telle la Liberté éclairant le monde du frère sculpteur Bartholdi, le franc-maçon s'efforce d'illuminer un monde complexe et souvent déchiré. Frères, Victor Schoelcher et l'abbé Grégoire qui luttèrent contre l'esclavage ; frère, Alexander Fleming qui découvrit la pénicilline ; sœurs, pour nombre d'entre elles, les suffragettes qui luttèrent pour le droit

---

3. Voir Leclercq-Bolle De Balle Françoise, *La Métamorphose, mystère initiatique : à la lumière des contes, mythes et rituels maçonniques*, Maison de Vie éditeurs, 2009.

de vote des femmes ou comme Maria Deraismes ou Annie Besant, pour la cause féminine en général ; frères, Jules Ferry qui instaura l'école publique, ou Samuel Hahnemann, qui développa l'homéopathie…

Chacun à sa place, les frères et les sœurs apportent leur pierre à un édifice qui, sans que personne ne puisse émettre de jugement de valeur sur le sens et la justesse de la cause défendue – le franc-maçon n'est pas là pour juger –, semble construire un monde meilleur, si l'on en juge à l'aune de ceux qui cherchent à en entraver l'érection. Mieux vaudra toujours la tolérance à l'intolérance, l'amour à la haine, la liberté au totalitarisme… Comme le disait Einstein : « Le monde ne sera pas détruit par ceux qui font le mal, mais par ceux qui les laissent faire sans agir. » Et nous en revenons à la parabole du dragon dormant sur son potentiel. Le maçon est un créateur. Il voit sa création grandir sous ses yeux, sa métamorphose s'opérer et c'est ça aussi qui le fait rester en loge. C'est d'ailleurs, très précisément, ce que dit Katherine Solomon dans ce même chapitre 133 : « Si nous avons été créés à l'image de Dieu, alors nous devons nous-mêmes être des créateurs » (*LSP*, p. 500, f583). Mais prévient-elle : « Si les pensées affectent le monde, nous devons être très vigilants quant à notre manière de penser. Les pensées destructrices ont aussi de l'influence et nous savons tous qu'il est plus facile de détruire que de créer » (*LSP*, p. 501, f584).

Mais avec la franc-maçonnerie, il y a une raison d'espérer. Ce n'est pas fortuit que *Le Symbole perdu* s'achève sur le mot « Espoir[4] » (p. 509, f595). Rien n'est jamais acquis, n'est jamais certain. Mais l'ordre fraternel, dans la chaleur de l'union, donne l'envie d'avancer, de bouger, de partir en quête, de créer… de concevoir, exécuter et orner…

E pluribus unum. Nous ne sommes plus des entités séparées. Nous avons rassemblé ce qui était épars, pour ne plus faire qu'un. Là aussi, il n'y a rien d'étonnant à ce que ce soit la formule de conclusion du dernier chapitre du *Symbole perdu*, avant l'épilogue.

---

4. Et après tout, nous sommes des spéculatifs, et le mot « spéculatif » vient du latin signifiant « espérer ».

Donner pour recevoir : le sens du paradoxe

> « Ce que nous avons fait pour nous-
> mêmes meurt avec nous. Ce que nous
> avons fait pour les autres et le monde est et
> demeure immortel. »
> Albert Pike, Inscription sur son buste dans
> la Maison du temple (cité dans *LSP*,
> p. 454, f529).

Le chemin maçonnique ne manque pas de paradoxe. Certains ont été entrevus dans ces lignes. Beaucoup d'autres sont à découvrir par soi-même le long d'un sentier riche en émotions, en rencontres, en joie et, par logique et nécessité, en peine.

L'esprit de la maçonnerie, c'est celui de la main tendue, de l'ouverture, de l'inclination à la remise en cause permanente. Cela n'interdit ni la lucidité, ni surtout l'œil ouvert sur l'autre, y compris son frère. Qui aime bien châtie bien. Mais l'œil, toujours, restera bienveillant. Car on compte aussi sur l'autre pour se corriger soi-même, y compris dans sa posture physique.

Rassembler les clés qui étaient perdues

Les clés ne sont pas toujours celles que l'on croit. Et pour celle qui faisait l'objet de la quête de Robert Langdon et Peter Solomon, il n'était nul besoin de serrure. Car elle était la Parole ou le Mot perdu, un mystère agissant comme un magique *Sésame, ouvre-toi.*

Cette parole n'est pas le moindre des paradoxes dans un ordre maçonnique où le silence est tant prisé. Cette parole, le secret de la maçonnerie, a-t-elle besoin d'exister pour faire avancer ? Car, comme le disait Guillaume le Taciturne, « il n'est pas nécessaire d'espérer pour entreprendre, ni de réussir pour persévérer ». De nouveau, nous sommes revenus à l'espoir. Le monde, la science même, se sont développés dans l'espérance de trouver ce secret ultime. Mais qu'y aurait-il une fois celui-ci découvert ? Plus rien. Souhaitons, espérons, que la Quête dure longtemps. Et réjouissons-nous de ces mystères et de ces énigmes qui jalonnent notre parcours. « Le Verbe éclairera la Voie », dit Dan Brown (*LSP*, p. 487, f567). Le Verbe est la Voie.

> « Les mystères sont une torche embrasée qui, entre les mains d'un maître, peuvent éclairer la route, mais qui, entre celles d'un fou, peuvent réduire le monde en cendres. »
>
> *LSP*, p. 491, f572.

EN GUISE DE CONCLUSION

UN MONDE À CONSTRUIRE

Cette petite promenade dans les pas de Robert Langdon à la découverte de la franc-maçonnerie approche de sa conclusion. Un œil s'est faufilé à travers des interstices d'une porte pour jeter un regard sur l'intérieur du temple, ses contours, son pavé mosaïque avec ses noirs et ses blancs. Il n'était pas possible – ce n'était ni l'intention, ni le but – d'être exhaustif. Mais les touches impressionnistes finissent par brosser un tableau qui peut avoir le mérite de laisser place à la discussion, d'ouvrir le dialogue, de se donner le loisir d'en apprendre davantage par le vécu, car la compréhension de la franc-maçonnerie réelle ne peut participer que d'une démarche volontariste individuelle et de l'expérience.

Ce livre, c'est aussi ma vision de la franc-maçonnerie, le résultat de mon expérience – par nature toujours trop brève et incomplète –, et c'était en cela que Robert Lomas ne pouvait en être absent pour cette double circonstance : le rôle qu'il a pu jouer dans la décision de franchir le pas et, bien évidemment pour le sujet qui nous occupe, l'influence qu'il a pu avoir sur l'écriture de Dan Brown et la personnalité même de son héros, Robert Langdon.

Il n'est nul besoin d'adhérer à cette vision, moins encore de vouloir nécessairement rejoindre à son tour l'ordre fraternel. Il n'est nul besoin d'adhérer, mais au moins est-il opportun de respecter, de ne pas poser de regard inquiet, *a fortiori* haineux sur la franc-maçonnerie. Le début de la tolérance et du respect passe par une meilleure compréhension de l'autre.

J'ai voulu ce livre comme un partage, un échange, l'ouverture d'un dialogue, mais ni comme une transmission et assurément pas comme une affirmation. Je me devais de l'écrire pour avoir peut-être moi-même trop longtemps porté un regard critique sur l'institution maçonnique en croyant bien la connaître… alors que je ne savais rien. Que sais-je de plus ? Pas grand-chose sans doute, mais j'ai appris : appris à écouter, appris à regarder, appris à donner et à recevoir.

Alors oui, il n'y avait pas ici de leçons à donner, pas d'éclairage particulier à projeter, pas d'explication excessive à donner, mais peut-être une envie à susciter… Une envie de regarder mieux, avec un esprit détaché, positif, généreux, tourné vers l'autre, vers les autres… Une envie de se connaître soi-même sous le regard des autres, dans le regard des autres, avec les autres… Accepter et s'accepter.

Et ce message-là, cette relation-là, c'est aussi le mystère du lien qui unissait Peter Solomon à Zach/Mal'akh, les blancs et les noirs d'une vie mosaïque. Mais le rendez-vous a été manqué.

Garder ses enthousiasmes

On peut débattre de la franc-maçonnerie, de son intérêt, des raisons de la rejoindre ou pas. Mais dans un monde qui parfois s'endort et se noie dans l'immobilisme quand il ne tourne pas à l'envers, il faut savoir garder des enthousiasmes. Comme le dit Peter Solomon à une jeune étudiante de Robert Langdon qui s'opposait à lui :

« Je sais que vous et moi ne sommes pas d'accord sur grand-chose. Mais je veux vous dire merci. Votre passion est un catalyseur majeur pour les changements qui se préparent. **Les ténèbres se nourrissent de l'apathie**[1]… **et la conviction est notre plus puissant antidote. Continuez d'étudier votre foi** » (*LSP*, p. 410, f478-479).

Nous avons un monde à construire ensemble – entre

---

1. *Darkness feeds on apathy*. Et non : « L'obscurité nous plonge dans l'apathie », comme on le trouve dans la version française (f479).

maçons et profanes – par la bienveillance, l'écoute, la tolérance et le respect mutuel.

N'en demandons pas plus à la franc-maçonnerie qu'elle ne peut offrir. Mais simultanément, ne la condamnons pas pour ce qu'elle n'est pas. Quand ceux qui la critiquent paraîtront mus par des sentiments nobles et lumineux, alors il sera temps peut-être de reconsidérer cette position.

La maçonnerie n'est peut-être pas le monde idéal. Il est à l'image du pavé mosaïque qui permet de comprendre sa propre vie. Les dérives – si médiatiquement plaisantes – n'y sont que l'extrême exception. Mais on y fait incontestablement des rencontres extraordinaires sur le plan humain comme sur le plan intellectuel, même s'il est secondaire. Pour un monde plus juste, plus fraternel, plus harmonieux. L'infatigable Guy Chassagnard écrivait sur un blog du site Internet Agora Vox :

« Si la "Confrérie des francs-maçons" n'est jamais parvenue à rendre meilleur un homme mauvais, elle s'est révélée, de toute éternité, capable de bonifier celui qui avait le courage et la persévérance d'en pratiquer les enseignements ésotériques[2]. »

Et puisque, j'évoque un média, j'aimerais finir avec l'émission « C dans l'Air » de la 5, consacrée le 4 décembre 2009 à la franc-maçonnerie à l'occasion de la sortie du *Symbole perdu*. Yves Calvi recevait notamment Éric Giacometti – qui lui-même n'appartient pas à l'ordre fraternel. En conclusion, il lui demanda d'exprimer par un mot ce qui le marquait le plus chez les maçons. Et le journaliste et coauteur de *thrillers* maçonniques avait répondu : la tolérance[3].

---

2. Article posté sur AgoraxVox le 6 juin 2009 (http://www.agoravox.fr/ tribune-libre/article/je-suis-franc-macon-et-alors-57066). En réponse à certains commentaires quelque peu inconvenants ou brutaux (pour dire le moins), l'excellent Guy Chassagnard avait ajouté cette simple remarque pleine de sens : « La franc-maçonnerie m'a fait tolérant, fraternel et ouvert à toutes les opinions. Je m'interrogerai toujours sur le point de savoir où ses détracteurs ont appris l'intolérance et l'invective… » (commentaire posté le 7 juin 2009 à 9 h 11, sur l'adresse précitée).
3. Ce fut le dernier mot de l'émission.

ANNEXES
ou
Rassembler quelques clés éparses

INTERVIEW DE ROBERT LOMAS

1. D'abord, avant de rentrer dans le détail, pouvez-nous dire ce que vous pensez globalement du *Symbole perdu*?

J'ai apprécié sa lecture. Par ailleurs, ayant grandi, de par mon âge, avec des super-héros et des super-méchants comme Flash Gordon et Ming l'Impitoyable, je trouve que le mauvais de Dan Brown, Mal'Akh, est un personnage malfaisant et effrayant à souhait. Dan a écrit un bon livre captivant et ses intrigues nous emportent toujours à un rythme aussi rapide. Je l'ai lu en deux jours. Eh oui, je peux dire que j'y ai pris du plaisir.

2. Avez-vous des contacts avec Dan Brown? Et à votre connaissance, a-t-il lu *Turning the Solomon Key*[1]?

Oui, j'entretiens par e-mail une correspondance amicale permanente avec lui. Et, comme nous partageons un même éditeur au Royaume-Uni (*Transworld*), nous nous adressons respectivement un exemplaire de nos derniers ouvrages.

---

1. *Turning the Solomon Key*, de Robert Lomas (paru en 2006 et inédit en français), traite notamment de Washington et de la maçonnerie, de la naissance symbolique des États-Unis et de l'astrologie maçonnique. Par ailleurs, rappelons que *The Solomon Key* [*La Clé de Salomon*] était le titre originel envisagé pour *Le Symbole perdu* (N.d.T.).

3. Concernant la *Clé de Salomon* [*The Solomon Key*], justement, il s'agissait de l'ancien titre annoncé du *Symbole perdu*. Or on pourrait y voir un clin d'œil ou une allusion à votre propre *Clé d'Hiram*. Comme certains (dont Martin Faulks) affirment que vous pourriez être l'inspiration du personnage de Robert Langdon, avez-vous relevé des éléments dans *Le Symbole perdu*, susceptibles d'avoir été inspirés par vos ouvrages ?

J'ai assez aimé que Dan place la citation d'ouverture de *La Clé D'Hiram* dans la bouche de Dean Galloway, p. 314 de l'édition anglaise[2], et qu'il utilise le quasi-symbole de la *Clé d'Hiram* sur la couverture des différentes éditions du *Symbole perdu*. Voir aussi le Dr Langdon décrire l'image de couverture du *Secret de l'initiation maçonnique* (*The Secret Science of Masonic initiation*[3]), p. 433 [p. 505 de l'édition française] m'a amusé.

Quand j'ai entendu dire que Dan envisageait d'utiliser le titre *La Clé de Salomon* pour son prochain *thriller*, j'avais quasiment achevé ma propre approche de la Washington maçonnique, que j'avais intitulée *Turning the Solomon Key*[4]. Il a été édité aux États-Unis dix-huit mois avant *Le Symbole perdu*, et j'en ai envoyé à Dan un exemplaire en lui demandant pardon, à propos de son titre, de lui avoir coupé l'herbe sous le pied. Il a très bien pris la chose et a conservé les références à *La Clé d'Hiram* que je viens de mentionner.

---

2. « Il n'est rien de caché qui ne sera connu et rien de secret qui ne sortira à la lumière. » (Citation telle qu'elle apparaît dans *La Clé d'Hiram*, p. 5, et que l'on retrouve dans l'édition française du *Symbole perdu*, p. 376 sous une forme légèrement différente [juste après que les traducteurs eurent parlé encore une fois du Livre de la Révélation (*sic !*) qui n'est autre en français que le Livre de l'Apocalypse)] (N.d.T.).

3. *LSP*, p. 433, f505 (N.d.T.).

4. Littéralement, *Tourner la clé de Salomon*. Cet ouvrage inédit en français fait partie d'une trilogie des « Tourner la clé... » avec *Turning the Hiram Key* (*Tourner la clé d'Hiram*, Paris, Dervy, 2006) comme premier tome et *Turning the Templar Key* (*Tourner la clé templière*, inédit en France), comme dernier volet (N.d.T.).

4. Et pensez-vous que vous pourriez, effectivement, avoir été l'inspiration de Robert Langdon ?

Cela paraît tout à fait possible. Je joins ici une partie du témoignage de Dan Brown, dans le cadre du procès Baigent & Leigh[5] *vs* RHG (Random House Group), relatif à ses sources d'inspiration. Et, parmi celles-ci, *La Clé d'Hiram* apparaît comme une source majeure (voir encadré ci-après).

TÉMOIGNAGE DE DAN BROWN DANS LE CADRE DU PROCÈS BAIGENT & LEIGH *vs* RHG (*RANDOM HOUSE GROUP*) En 2006[6]

***LA CLÉ D'HIRAM* – KNIGHT ET LOMAS (PIÈCE D.44)**

93. *Anges et Démons*[7] m'a donné l'occasion d'approfondir ma connaissance de Constantin et de l'histoire du Christianisme. J'ai pensé qu'il pouvait être intéressant d'aborder cette histoire sous un angle légèrement différent, cet angle étant l'exploration des ouvrages bibliques écartés de la version de Constantin. Dans le cadre de cette recherche préliminaire, *La Clé d'Hiram*, de Christopher Knight et Robert Lomas a été un livre important pour moi. Cet ouvrage examine le rôle des Maçons et des Chevaliers Templiers dans l'exhumation puis la préservation d'écrits chrétiens primitifs qu'ils se sont empressés de recacher pour les protéger. Il traite aussi de l'existence d'une famille de Jésus (des frères et des sœurs plutôt que

---

5. Deux des auteurs de *L'Énigme sacrée*, puis du *Message* (N.d.T.).

6. Michael Baigent et Richard Leigh reprochaient à Dan Brown de leur avoir volé les idées développées notamment dans *L'Énigme sacrée*. En mars 2007, la cour d'appel de Grande-Bretagne leur a définitivement donné tort et les a condamnés à régler les frais du procès s'élevant à 6 millions de dollars (N.d.T.).

7. Rappelons qu'*Anges et Démons* a été écrit et publié avant le *Da Vinci Code* (N.d.T.).

des enfants), des origines du christianisme, des Évangiles gnostiques et de la chapelle de Rosslyn, près d'Édimbourg.

94. Si je regarde mon exemplaire de *La Clé d'Hiram*, je constate que soit Blythe[8] soit moi-même avons souligné des passages discutant de la nature de ce que les Templiers ont exhumé et de l'impact ultérieur de ces découvertes sur le christianisme. Nous avons aussi souligné des parties parlant de Constantin et de l'importance du culte du *Sol Invictus* [le *Soleil invaincu*] dans la détermination des dates et des pratiques chrétiennes modernes.

95. Dans notre exemplaire de *La Clé d'Hiram* (D.44), je peux voir qu'on y trouve un mélange de notes manuscrites (assez importantes dans certaines parties) et de sur- ou soulignages (au crayon, au stylo ou au marqueur-surligneur) effectués par moi ou Blythe. Dans mon enfance, on m'a appris à ne jamais écrire sur les livres. J'ai conservé une forte aversion à l'endroit de cette pratique. (Pour tout dire, quand j'ai commencé à être publié et que des lecteurs m'ont réclamé des dédicaces, j'ai même éprouvé quelque chose d'assez étrange en moi à l'idée d'écrire sur ces ouvrages.) Pour cette raison en tous cas, mes notes marginales sont souvent assez sommaires ou reportées sur une feuille séparée. En revanche, Blythe ne partage pas mon idiosyncrasie et elle marque souvent très lourdement les livres. Elle m'a aussi fréquemment alimenté en notes de recherche conséquentes, fruits de ses études des différents ouvrages concernés. Le document D.332 intitulé « Les notes de *La Clé* d'Hiram », précisément à propos de ce livre, en est un parfait exemple. Au regard de cette pièce, on peut voir qu'elle mentionnait notamment un certain nombre de références de pages que, selon elle, je devais absolument consulter.

Plus loin dans son témoignage, Dan ajoutait :

169. Dans le synopsis originel, le meurtre de la scène d'ouverture [du *Da Vinci Code*] présente les caractéristiques d'un meurtre maçonnique rituel, fondé sur celui du Grand Maître Hiram Abif. Cela nous ramène encore à *La Clé d'Hiram* (D.44), qui présente cet Hiram Abif dans ses premiers chapitres. Par ailleurs, la présence dans mon synopsis d'éléments tels que le « linceul » [de Turin], la Sophia[9] et

---

8. L'épouse de Dan Brown et sa collaboratrice (N.d.T.).
9. La Sagesse divinisée ou incarnée (N.d.T.).

l'*atbash*[10] atteste que *La Révélation des Templiers*[11] (qui accorde une grande attention à ces sujets) est une source importante. En revanche, j'ai appris au cours de ce litige qui m'oppose à ses auteurs que *L'Énigme sacrée* [*Holy Blood, Holy Grail*] mentionne à peine le Linceul ou Hiram Abif, et pas du tout l'*atbash* ou la Sophia. À mon sens, ce type d'éléments indique clairement que j'utilisais comme sources *La Clé d'Hiram* (D.44) et *La Révélation des Templiers* à cette époque précoce (comme les autres titres de ma bibliographie succincte) et que je ne me trompe pas lorsque, dans mon souvenir, j'affirme ne pas avoir consulté *L'Énigme sacrée* avant une date bien ultérieure.

172. Le meurtre de la scène d'ouverture est précisément une différence notable existant entre le synopsis du *Da Vinci Code* et le texte final soumis. Dans ce dernier, j'ai utilisé l'« Homme de Vitruve » comme modèle de cette scène préliminaire (en positionnant le mort sur le carrelage du Louvre dans la même posture que l'homme de Vitruve de Léonard de Vinci). J'en ai eu très tôt l'idée, dans la mesure où cet homme de Vitruve a toujours été l'une des mes œuvres graphiques favorites. J'ai même du papier à lettres personnel le représentant. Comme je l'ai déjà mentionné, le synopsis mettait en scène un meurtre maçonnique rituel, fondé sur celui du Grand Maître Hiram Abif décrit au début de *La Clé d'Hiram* (D.44). Ce meurtre avait lui aussi pour cadre le Louvre, mais parvenir à tout articuler correctement me pose des problèmes. Alors j'ai pensé que l'homme de Vitruve fournirait une bien meilleure victime de meurtre.

LE CHAPITRE 55 – LES ORIGINES DU CHRISTIANISME, CONSTANTIN ET L'INTERPRÉTATION DE LA BIBLE

179. Dans le chapitre 55, Langdon expose à Sophie ses idées sur les origines du christianisme, Constantin et la

---

10. Méthode de chiffrement simple de l'alphabet hébreu par substitution de caractères (N.d.T.).

11. Titre original: *The Templar Revelation* de Clive Prince et Lynn Picknett, Paris/Monaco, Éd. du Rocher, 1997. Sur les mêmes thèmes, on pourrait toutefois ajouter *Le Second Messie*, de Christopher Knight et Robert Lomas, Paris, Dervy, 2000 (N.d.T.).

Bible. Ces idées apparaissaient déjà dans le synopsis et je les ai réécrites pour la version finale du *Da Vinci Code*. Une bonne partie de ces informations m'était déjà bien familière, particulièrement toutes celles concernant Constantin, le concile de Nicée et le contexte politique. Globalement, j'étais parfaitement au courant du rôle joué par Constantin dans la formalisation de la Bible telle que nous la connaissons depuis des siècles. En outre, j'avais déjà effectué des recherches sur le sujet alors que je préparais la documentation pour *Anges et Démons*. Mais j'ai encore davantage lu sur ce thème à l'occasion de l'écriture du *Da Vinci Code*.

180. En reprenant toute la documentation utilisée pour mes recherches, il m'apparaît clairement que dans le cadre de la collecte de matières pour ce « cours particulier » [de Langdon à Sophie], j'ai aussi consulté *La Clé d'Hiram* (D.44), *La Révélation des Templiers* (D.53), *L'Énigme sacrée* (D.25), *Les Évangiles secrets*[12] (D.51) et *Marie-Madeleine, la femme au flacon d'albâtre*[13] (D.59).

CHAPITRE 37 – LES TEMPLIERS, LE PRIEURÉ, LE SANGREAL, ET CHAPITRE 58 – L'HISTOIRE PERDUE, LE MARIAGE DE JÉSUS ET LE GRAAL INTERPRÉTÉ COMME UNE LIGNÉE FAMILIALE BIOLOGIQUE

186. Comme je l'ai déjà signalé, le chapitre 37 incorpore du contenu sur les Templiers, leur histoire, leurs liens avec le Prieuré et le mot « *Sangreal* ». Quant au chapitre 58, il montre Langdon et Teabing révélant à Sophie leur théorie sur la lignée [de Jésus], ainsi qu'une partie du symbolisme présent dans les peintures de Vinci. Encore une fois, toutes ces idées figuraient déjà dans le synopsis et je les ai simplement remises en forme pour la version finale du *Da Vinci Code*.

---

12. De Elaine Pagels, Paris, Gallimard, 1982 (éd. orig. *The Gnostic Gospels* [Litt. *Les Évangiles gnostiques*], New York, Random House, 1979) (N.d.T.).

13. De Margaret Starbird, Paris, Trédaniel, 2008 (éd. orig. *The woman with the Alabaster Jar*, Bear & Company, 1993) (N.d.T.).

187. J'ai préparé les parties didactiques de ces chapitres de la même manière que l'exposé intégré dans le chapitre 55. Il est très probable qu'au cours de la rédaction de ces chapitres, j'ai dû lire le document intitulé « Langdon révèle à Sophie [*Langdon reveals to Sophie*] » (D.185 et D.336). Encore une fois, celui-là m'avait été préparé par Blythe. Elle en avait tiré la matière des sources que nous consultons. La première partie du document traite de l'histoire des Chevaliers Templiers et, ensuite, il fournit une explication concernant ce qu'ils cherchaient sous le temple de Salomon. Je crois qu'une grande partie de cette matière (y compris une partie du texte) provenait de *La Clé d'Hiram* (D.44), de même qu'une bonne part de mes recherches sur les Templiers. Ensuite, ce même document s'intéresse au Prieuré de Sion, au San Graal et au mariage de Jésus et de Marie-Madeleine. Cette information (et une partie du texte) semble provenir de *L'Énigme sacrée* (D.25).

Bien avant la rédaction de ce témoignage – à dire vrai, peu après que Mike Baigent eut engagé son action contre Dan –, j'avais envoyé un e-mail à ce dernier pour lui dire que je n'avais aucune objection quant au fait qu'il utilise mes textes pour une œuvre de fiction. Et comme vous le constatez, il a largement admis avoir emprunté à mon ouvrage *La Clé d'Hiram* lorsqu'il a écrit le *Da Vinci Code*. Au demeurant, plus loin dans son témoignage, il fournit un autre élément sur son approche des personnages et de leurs noms.

207. Au cours des dix dernières années, j'ai placé dans mes romans les noms de plus de deux douzaines d'amis et de parents. Les noms que je choisis sont toujours ceux de personnes que j'aime ou que je respecte. Quand j'ai appris que *L'Énigme sacrée* avait été le premier ouvrage à introduire l'idée d'une descendance [de Jésus] dans le grand public, j'ai décidé d'utiliser le nom de Leigh Teabing pour rendre un homme ludique à MM. Baigent[14] et Leigh. Je n'ai jamais

---

14. Teabing étant l'anagramme de celui-ci (N.d.T.).

utilisé un roman pour dénigrer qui que ce soit et, incontestablement, mon utilisation du nom «Leigh Teabing» ne
constituait pas une exception. J'ai vu le document intitulé
«Considérations générales» [*General Statements*] qui formule
un certain nombre d'allégations graves à mon encontre. Le
document contient quantité de déclarations intempestives
qui me paraissent parfaitement fantaisistes. Il conclut en
affirmant que j'ai emprunté toute la matière de l'*Énigme
sacrée* – l'architecture de ses thèmes majeurs, sa logique, ses
arguments – pour le *Da Vinci Code.* C'est tout simplement
faux.

Je n'ai jamais demandé à Dan s'il a basé son Dr Robert
Langdon sur moi, mais j'ai simplement accepté qu'il puise de
l'inspiration dans mon travail et je considère qu'il me respecte
vraisemblablement dans la mesure où il m'adresse toujours
ses vœux de réussite quand je lance un nouveau livre. Il est
préférable que certains mystères ne soient pas expliqués, mais
simplement appréciés. Après tout, quand Dan a voulu rendre
hommage à Mike Baigent à travers un personnage, il a été
accusé de le dénigrer! Si Dan a basé son Dr Robert Langdon
sur moi, tel que j'apparais dans *La Clé d'Hiram* (et il est
certain que mes élèves ont fréquemment attiré mon attention
sur les ressemblances qu'ils ont notées), alors je peux simplement dire que j'y vois là un petit clin d'œil divertissant de la
part de Dan qui ajoute au plaisir que m'offrent ses livres et
ses films.

5. D'après vous, Robert Langdon est-il une sorte de frère sans tablier, un maçon dans l'âme ?

Incontestablement, le Dr Langdon possède nombre des
vertus que je voudrais retrouver chez un bon maçon.

6. Avez-vous relevé des erreurs dans *Le Symbole perdu* ?

Rien qui puisse m'inquiéter dans une œuvre de fiction.
Dan n'a pas à coller aux faits s'il veut rendre son intrigue

excitante. Il est libre d'inventer tous les éléments factuels dont il a besoin. Dans ce contexte très précis, il n'est pas possible pour lui de faire des erreurs, mais il peut simplement se permettre d'aller un peu plus loin dans ses spéculations que ce qu'il pourrait s'autoriser dans un essai.

7. À votre connaissance, que pensent les maçons britanniques en général et la Grande Loge Unie d'Angleterre (GLUA) en particulier du *Symbole perdu* ?

La plupart de mes amis appartenant à différentes loges du Yorkshire le voient comme une bonne chose. Il suscite de l'intérêt pour l'Ordre et jette également une bonne lumière sur la franc-maçonnerie.

Je ne sais pas vraiment ce que pense la GLUA dans la mesure où je n'ai que très peu de contact avec eux.

8. Pensez-vous que le *Symbole perdu* puisse aider la franc-maçonnerie ou nuire à celle-ci ?

Je pense que c'est un livre intéressant sur la franc-maçonnerie et, même s'il sur-théâtralise l'Ordre par endroits, Dan donne globalement une image très positive de la maçonnerie et, à mon sens, ça ne peut que l'aider.

9. Le roman paraît un bon moyen populaire de transmission. Est-ce une voie que vous pourriez emprunter dans l'avenir ?

Si seulement ! Je suis incapable d'écrire de la fiction (bien que je sois sûr que ce soit ce dont se plaisent à m'accuser certains de mes critiques maçons), et j'ai les notes de refus de mes manuscrits pour le prouver ! (*sourires*). En tant qu'universitaire, j'ai eu une trop longue expérience de l'exposé brut des faits.

10. Parlons maintenant spécifiquement de vous et de la franc-maçonnerie. D'après vous, la franc-maçonnerie est-elle, comme le dit le rituel, un « système de morale particu-

lier, enseigné sous le voile de l'allégorie au moyen de symboles» ou quelque chose d'autre? Par exemple, l'«outil
opératif utilisé par le Grand Architecte de l'Univers pour
bâtir notre monde moderne» (*Le Livre d'Hiram*, p. 338).

La franc-maçonnerie est un chemin spirituel inspiré qui est
suffisamment large et tolérant pour incorporer aussi bien
l'esprit curieux et affûté de la science que l'amour fraternel
bienveillant de la morale chrétienne. C'est le devoir de chacun et de chaque loge de préserver et de promouvoir toujours
ce message d'espoir. La franc-maçonnerie est la société spirituelle de développement personnel la plus ancienne et la plus
installée du monde.

**11. Quel est le but de la franc-maçonnerie? «Mener le
monde des ténèbres vers la lumière»? (*Livre d'Hiram*,
p. 336)**

Je ne pense pas que la franc-maçonnerie, en tant que
groupe, ait un but, mais la philosophie qu'enseigne la maçonnerie attire les individus qui veulent connaître la Vérité sur le
sens et la finalité de leur vie. Cette idée se manifeste dans la
trinité maçonnique de l'Amour fraternel (apprendre à vivre
avec les autres humains et les tolérer), du Secours (traiter
ceux qui sont dans le besoin avec la charité que vous aimeriez
recevoir si vous connaissiez des temps difficiles) et de la
Vérité (Pourquoi suis-je ici et quel est mon dessein? En
d'autres termes: Connais-toi toi-même.)

**12. Quelles sont les principales contributions de l'Ordre
maçonnique à l'humanité?**

- La *Royal Society* de Londres, pour avoir donné naissance à la
  science moderne (en encourageant l'étude des "Mystères
  cachés de la Nature et de la Science").
- Les Républiques de France et des États-Unis qui sont toutes
  les deux fondées sur les principes maçonniques de Liberté,
  d'Égalité et de Fraternité. (Et qui incarnent en somme la
  mise en application au niveau de la société au sens large du

principe démocratique des élections des officiers en charge de la loge.)

- Un système de croyances qui permet à quiconque, quelle que soit sa foi (y compris les physiciens qui identifient le Grand Architecte aux Lois de la Nature), de se rassembler et de partager les valeurs spirituelles qu'ils ont en commun sans camper sur leurs différences. (C'est l'Amour fraternel étendu à ceux avec lesquels vous n'êtes pas toujours parfaitement d'accord.)

13. Dans _Tourner la clé d'Hiram_ (p. 38 et _sq._), vous expliquez comment vous avez pu répondre affirmativement à la question : « Croyez-vous en un être suprême ? » Dans la maçonnerie régulière française, la question est spécifiquement : « Croyez-vous en Dieu ? » Est-ce aussi simple de répondre oui à cette dernière ? Ne pensez-vous pas que la maçonnerie pourrait accepter quelqu'un qui répondrait « non », mais qui serait prêt à découvrir la réalité d'un être suprême à l'intérieur des portes du Temple ?

Je n'aurais pas eu davantage de problèmes si la question avait été « Croyez-vous en Dieu ? » si celle-ci signifiait « Croyez-vous en une forme de dieu ? » (dans la mesure où je considère que « Dieu » est un nom appliqué au concept d'Être suprême, quelle que soit la façon d'entendre ce dernier). Je n'ai pas plus de difficultés à accepter la métaphore du Grand Architecte en tant que moyen de comprendre et d'interpréter l'ordre naturel et je pense que bien d'autres scientifiques (à l'exception peut-être de certains biologistes) en feraient autant. Il est important de ne pas considérer la franc-maçonnerie comme une religion et d'éviter de se montrer dogmatique à l'endroit des croyances du candidat en une quelconque source d'ordre naturel.

14. Quels sont les principaux changements intervenus en vous depuis que vous avez reçu la lumière ?

Mes amis me disent que je suis devenu plus tolérant et plus compréhensif. Je pense que ce qui a réellement pu se passer, c'est que j'ai appris à contrôler mes commentaires et que j'ai développé une meilleure empathie envers les points de vue différents du mien.

15. Au début du *Symbole perdu*, nous lisons : « Le Secret est : comment mourir. » (*The Secret is how to die*.) À la fin du livre, le secret est davantage « la Parole perdue » ou la célèbre maxime : « Connais-toi toi-même ». Mais selon vous, quel est le secret de la franc-maçonnerie ? La quête du Centre ?

Pour découvrir le secret du Centre, vous devez apprendre à votre ego comment mourir. Tant que vous n'avez fait cela, vous ne pouvez jamais parfaitement harmoniser les quatre parties de votre être. En ce sens, la remarque de Dan est assez pertinente.

16. Dans *Tourner la clé d'Hiram*, encore (p. 324), vous dites que la « franc-maçonnerie masculine a un réel problème » et que « le succès de la franc-maçonnerie féminine [...] [vous] rend optimiste ». Pensez-vous que les femmes peuvent être l'avenir de la franc-maçonnerie ?

La franc-maçonnerie féminine est florissante au Royaume-Uni et je fais régulièrement des interventions devant des loges de femmes. Je crois que nos sœurs peuvent mieux aborder aujourd'hui les Vérités réelles de la franc-maçonnerie, dans la mesure où elles se positionnent dans une démarche plus empathique à l'endroit de leurs frères de loges.

17. Mais plus généralement, quel est l'avenir de la franc-maçonnerie ?

Je pense qu'elle pourrait bien diminuer quantitativement en tant qu'organisation. Mais si elle parle plus clairement à l'extérieur de sa fonction réelle, c'est-à-dire de son rôle d'organisation spirituelle visant à aider les individus à se développer et à se transformer, une organisation qui réunit des esprits-« frères », des âmes-« sœurs », partageant une même envie de chercher la Vérité sur eux-mêmes, alors elle perdu-

rera. Oui, ce qu'elle doit faire, c'est se présenter plus clairement à la prochaine génération.

**18. La franc-maçonnerie devrait-elle être plus transpa-
rente ?**

Oui !

**19. Dans *Le Livre d'Hiram* (p. 337), vous écrivez :
« Aujourd'hui, appartenir à une loge locale est soit inutile,
soit carrément nuisible à la carrière d'une jeune personne. » Mais quel conseil donneriez-vous à un jeune frère
ou à une jeune sœur, voire à un/une futur(e) membre de la
fraternité maçonnique ?**

Pour répondre, voici un petit texte que j'ai écrit sur ce
sujet. Il s'agit d'une introduction destinée à ceux ou celles de
mes étudiants qui aimeraient en savoir plus sur notre loge
universitaire.

POURQUOI DEVENIR FRANC-MAÇON ?

Quel intérêt aurais-je à rentrer là-dedans ? Voilà une réaction typique lorsque l'on suggère à un jeune l'idée de
rejoindre une organisation comme la franc-maçonnerie
encroûtée, archaïque et tournée sur la recherche de soi.
Quoi ! Je suis trop jeune pour devenir déjà un vieux casse-
pieds ! Vraiment ?

Permettez-moi de commencer mon propos par un mot
qui résume ce que devenir maçon peut apporter en termes
de bienfaits et d'enrichissements.

Ce mot est « Tradition ».

La *tradition* est ainsi définie dans le dictionnaire Oxford :

Nom. – 1. Transmission de coutumes ou de croyances de
génération en génération. **2.** Coutume ou croyance établie
depuis longtemps et transmise de cette manière. **3.** Pratique
ou style littéraire ou artistique formalisé par un artiste, un
écrivain ou un mouvement, puis suivi par d'autres.

En somme, vous pouvez envisager de rejoindre la franc-maçonnerie afin d'apprendre quelque chose d'utile pour vous, qui a déjà bénéficié à des générations par le passé et qui pourra continuer à le faire dans l'avenir si vous décidez de l'aider dans ce sens.

Mais que signifie *Tradition* dans le contexte spécifique de la franc-maçonnerie ?

• Une tradition d'harmonisation personnelle par l'acquisition de techniques fondamentales.

• Une tradition de maîtrise de soi en matière de comportement individuel.

• Une tradition de développement personnel faisant partie d'un processus global de transformation de soi en un meilleur contributeur à la société dans son ensemble.

Permettez-moi d'ajouter à cette liste un sentiment fraternel de camaraderie provoqué par le fait de travailler avec des âmes-sœurs à un but commun. Voilà la tradition au meilleur sens du terme : transmettre une connaissance durement acquise d'une génération à la suivante. Elle est pour vous une manière d'avoir accès à la sagesse et à l'expérience d'anciens qui ont témoigné d'assez d'intérêt et de motivation pour s'attaquer aux questions les plus fondamentales de l'existence.

Mais êtes-vous fait pour rejoindre la maçonnerie, si les exigences de celles-ci semblent vous être imposées ? Dans quelle mesure vous reconnaissez-vous suffisamment dans ses conditions d'appartenance et son but pour avoir envie d'entamer une démarche d'adhésion ?

Notre but commun procède d'une position philosophique réclamée à tous candidats à l'appartenance. Celle-ci se manifeste sous la forme de l'affirmation en une croyance : la croyance en l'existence d'un dessein et d'un ordre au centre de l'existence.

La question suivante est posée à tous nouveaux membres pressentis : « Croyez-vous en une quelconque forme d'Être suprême ? »

De prime abord, cette question semblerait exclure quiconque n'adhère pas à une foi religieuse mais, en réalité, la question est plus profonde qu'une simple « Appartenez-vous à une église, une synagogue, un temple ou une mosquée ? » Elle vous demande en fait si vous pensez qu'il existe une sorte d'ordre au centre de toute réalité et, conséquemment, désirez-vous en apprendre davantage sur celui-ci ? Cette question n'est pas nécessairement religieuse. N'importe quel scientifique, quelle que soit sa discipline, doit développer une croyance dans le fait qu'il existe des lois fondamentales du cosmos qu'il est possible de comprendre et d'utiliser. Tout professionnel du monde médical croit en la théorie de l'ADN, au contrôle des infections et à la circulation du sang et, par conséquent, accepte qu'il existe des règles qui constituent la base de la réalité. Un professionnel du droit doit croire en la logique et dans le concept de la loi ce qui signifie qu'il aura à accepter la cohérence et la reproductibilité de la conscience humaine au plan collectif. Ayant accepté qu'il existe un ordre fondamental dans l'univers (ce que résume la métaphore de l'Être suprême), même si cette croyance est empreinte d'incertitude dans le cadre de la physique quantique, comme ça l'est dans mon cas, alors la franc-maçonnerie offre un moyen d'étudier cet ordre. Elle enseigne un langage de symboles et de métaphores qui aide à mettre en mots ordinaires les profondes aspirations de l'esprit humain. Elle vous donne la possibilité de partager ces intérêts avec des camarades. Elle vous montre les voies traditionnelles utilisées par les générations précédentes pour adapter cette connaissance dans vos vies : comment vous pouvez les intégrer dans vos vies et comment le fait d'essayer de comprendre les mystères ultimes de l'existence peut vous apporter quantité de bienfaits.

La franc-maçonnerie est la plus vieille organisation contribuant au développement personnel de ses membres dans le monde occidental. Depuis la première loge spéculative répertoriée à Aberdeen en 1483, elle a aidé des générations de maçons à acquérir des talents fondamentaux, tels que l'art de la mémoire ou comment s'exprimer en public et comment acquérir suffisamment de confiance en soi pour le faire. Bien qu'il s'agisse d'un vieux système qui, de bien des manières, peut paraître encroûté, voire fossilisé, elle utilise des techniques comme le jeu de rôles, le travail de mémorisation, la prise de parole en public, l'apprentissage par l'action et en « double boucle » qui sont à la pointe des méthodes d'enseignement pratiquées dans les universités modernes. Ses techniques de transmission de ses traditions ont évolué. Ces dernières bénéficient à ses membres en les rendant meilleurs, plus en paix avec eux-mêmes et avec la société dans laquelle ils vivent. La franc-maçonnerie crée un environnement qui vous permet d'apprendre sur vous-même, sur les autres membres de vos loges et sur la société dans son ensemble.

Notre premier degré vous parle de la peur et du contrôle émotionnel. Le deuxième vous encourage à développer votre intellect et le pouvoir du raisonnement, tandis que notre troisième degré vous apprend à affronter vos terreurs nocturnes les plus profondes et vous montre qu'il y a toujours de l'espoir pour l'avenir.

Je ne peux pas promettre que toute loge parviendra à combler toutes les attentes que j'ai mises en lumière dans cette brève présentation, mais elles font toutes de leur mieux pour y parvenir. Et si un sang neuf vient les infuser, un sang neuf avide d'apprendre et de préserver le meilleur des coutumes et pratiques des loges, tout en admettant certaines des absurdités hiérarchiques historiques auxquelles elles s'adonnent occasionnellement, alors la franc-maçonnerie pourra se régénérer et transmettre ses secrets sur la condition humaine tant à vous qu'à votre descendance.

20. Dans *Turning the Solomon Key/Tourner la clé de Salomon* (et plus brièvement dans *Le Livre d'Hiram*), vous évoquez l'astrologie maçonnique. Cela peut paraître étrange de la part d'un scientifique majeur comme vous ?

Encore une fois, permettez-moi de répondre à l'aide d'un petit texte que j'ai écrit pour expliquer pourquoi j'ai décidé d'étudier l'astrologie maçonnique avec un esprit ouvert.

GADGET OU CLÉ DU SECRET DE LA DESTINÉE ? POURQUOI J'AI DÉCIDÉ D'ÉTUDIER L'ASTROLOGIE MAÇONNIQUE

Depuis que les humains ont conscience du temps qui passe et qu'ils ont commencé à comprendre le passé, le présent et l'avenir, ce dernier n'a cessé de les préoccuper.

Que nous réserve-t-il? Du succès? Des échecs? De l'argent? Une relation amoureuse épanouie? De la solitude?

Nous voulons connaître le futur avant de le vivre. Nous nous inquiétons de ce qu'il pourrait être. Et nous recherchons des personnes susceptibles de nous révéler notre avenir. Mais, étonnamment en notre âge moderne scientifique, ce ne sont pas aux politiciens, aux scientifiques ou même aux prêtres que la plupart de nos contemporains se fient pour les rassurer sur l'avenir, mais aux astrologues.

Une amie qui était à l'université avec moi travaille aujourd'hui dans un métier scientifique à responsabilités. Mais cette professionnelle diplômée de premier plan fait confiance à l'astrologie pour la guider. Elle consulte régulièrement son horoscope et dit qu'elle utilise sa connaissance des thèmes et des signes zodiacaux pour prédire et expliquer les comportements humains. Et elle manifeste effectivement un certain talent dans ce domaine.

Une fois, alors que nous discutions d'amis communs, je fus surpris de l'entendre dire :

« Mais elle devrait faire ça ; elle est Gémeaux. »

Quand je l'ai entendue pour la première fois formuler ce type de jugement astrologique, j'ai lutté intérieurement pour empêcher ma voix d'adopter un ton trop moqueur au moment de demander :

– Mais quelle différence les étoiles peuvent-elles bien imprimer à une personnalité?

Elle répondit avec la plus grande assurance :

– Toute la différence du monde.

Malgré tout l'amour et le respect que j'avais pour elle, je ne parvins pas à conserver une voix sérieuse. Toute mon incrédulité a dû transpirer quand je lui ai posé la question :

– Tu crois vraiment en ce truc?

Cette fois, elle adopta un ton condescendant pour me répondre, qui exprimait la profonde tristesse que lui inspirait mon manque de compréhension en sa façon de voir le monde.

– Ça fonctionne la plupart du temps, me dit-elle.

J'allais lui demander quelle preuve elle avait pour accréditer cette extravagante affirmation quand j'ai réalisé que je m'enfonçais, alors j'ai arrêté de creuser.

Les humains ont besoin d'être rassurés et les sociologues considèrent que l'astrologie comble ce besoin. Peut-être que les hommes et les femmes de notre époque ont du mal à assouvir leur soif de valeurs religieuses et à retrouver celles-ci dans la culture séculière d'aujourd'hui et que c'est pour ça qu'ils se tournent vers l'astrologie en dissimulant leur besoin d'être rassuré sous le masque d'une prétendue ironie. Ils vont écouter des émissions de radio où « le meilleur – peut-être – astrologue du monde » demande leur signe de naissance aux auditeurs qui appellent avant de leur dire comment concrétiser leurs rêves. Même si le conseil donné paraît n'être que « simplement suivre ses instincts et tout se passera bien », ils écoutent, hochent la tête et se sentent mieux.

Ces hommes et ces femmes achètent des journaux pour lire les prévisions concernant ce qui va leur arriver la semaine suivante, des conjectures simplement basées sur le mois de leur année de naissance. Mais, pour ne prendre qu'un exemple, on n'a jamais vu un douzième de la population se faire renverser par un chariot élévateur au milieu de sa fête d'anniversaire.

Ma camarade n'est pas la seule à croire qu'il y a quelque chose dans l'astrologie. En 2000, une enquête auprès des femmes de Grande-Bretagne a montré que 70 % d'entre elles lisaient régulièrement leur horoscope. Presque toutes connaissaient leur signe de naissance et 85 % affirmaient que la description astrologique de leur signe correspondait bien à leur personnalité.

Dans le *Times* du 19 juin 2003, Jeanette Winterton, une écrivain célèbre, publia un éloge de l'astrologie et de son astrologue personnelle, Henrietta Davies, en disant :

« C'est étrange et je ne peux l'expliquer, mais, comme Henri, je sais que ça fonctionne et qu'elle a souvent – mais pas toujours – raison. »

L'intérêt pour l'astrologie n'est pas confiné à la Grande-Bretagne. Une étude de marché réalisée aux États-Unis a mis en lumière que 98 % de la population connaissait son signe zodiacal et que 66 % lisaient régulièrement leur horoscope (c'est-à-dire au moins une fois par semaine).

Alors que je ne voulais par prendre l'astrologie au sérieux, il semblait que beaucoup de monde au contraire pensait le contraire. C'est alors que j'ai trouvé une corrélation remarquable entre les positions planétaires et les pics de réalisations humaines. Les tests statistiques que j'ai appliqués à ce sujet ont montré que cette corrélation était trop importante pour être repoussée d'un simple revers de la main. Pour autant, je n'étais pas en mesure d'avancer la moindre explication scientifique à ce phénomène. Quand j'ai raconté ce que j'avais trouvé à mon amie astrophile, elle s'est contentée d'esquisser un petit sourire entendu avant d'ajouter :

« Je te l'avais dit. L'astrologie affirme qu'il y a une corrélation entre les événements et les schémas comportementaux. C'est une donnée statistique. Peut-être qu'il suffirait d'une simple étude un peu plus détaillée pour comprendre ce qui se passe. Si tu es si certain que l'astrologie n'est qu'un tas d'absurdités, pourquoi n'essaierais-tu pas d'expliquer ces schémas que tu as trouvés ? Quoi que dise la science à son encontre, l'astrologie résiste et ne meurt pas, donc il doit bien y avoir quelque chose là-dedans. »

Qui pouvait décliner un tel défi ? Certainement pas moi. Étaient-ce des balivernes pseudo-scientifiques ou existait-il un phénomène réel dissimulé sous une croûte d'absurdités séculaires ?

UNE SUPERSTITION RÉCONFORTANTE

L'astrologie ne meurt pas. Elle était censée mourir à petit feu et disparaître sous le regard impitoyable du savoir scientifique. Au lieu de cela, elle perdure au grand dam des scientifiques. Les magazines et les journaux encouragent ses adeptes à exprimer ouvertement leur manque de logique et à transmettre leurs « vérités » superstitieuses. Les scientifiques la dénoncent, mais le public fait davantage confiance aux astrologues de premier plan qu'aux scientifiques. Ils gagnent aussi davantage d'argent.

Les choses n'étaient pourtant pas censées se passer ainsi.

En 1885, le philosophe allemand Friedrich Nietzsche avait formulé sa célèbre apostrophe : « Dieu est mort ! » Il exprimait par là avec emphase une croyance répandue parmi les intellectuels selon laquelle le concept du divin était un vestige d'un passé non scientifique dont l'humanité allait bientôt se débarrasser. Sur le bûcher funéraire de Dieu, toute une série de croyances superstitieuses incluant l'astrologie était censée se jeter dans les flammes, pour ne plus jamais se relever. Or, l'astrologie a non seulement survécu, mais prospéré. Les penseurs rationalistes pensaient que plus les niveaux d'éducation s'élevaient et que plus la science fournissait des explications réalistes aux mystères de l'existence, plus l'attrait de l'astrologie allait s'évanouir. Mais ils se trompaient. Si elle a pareillement survécu, c'est qu'elle répond à un besoin humain, sinon elle aurait connu le même sort que la croyance des anciens en une terre plate portée sur le dos de quatre tortues nageant dans une mer de lait. Alors qu'est-ce que l'astrologie offre qu'une terre plate n'offre pas ?

Souvenez-vous de votre petite enfance, quand vous regardiez le visage de votre mère alors qu'elle vous bordait dans votre lit, que votre nounours était bien calé contre vous et que vos yeux se fermaient sous le chaud contact d'un dernier baiser destiné à vous endormir. Il est rassurant de savoir que quelqu'un veille sur vous. Est-ce pour ça que les gens veulent croire en l'astrologie ? Elle offre un ordre et une structure qui nous rappellent les réconfortantes certitudes de la petite enfance au sein d'un monde adulte complexe.

La plupart des scientifiques vous diront que l'astrologie est une absurdité. Elle ne peut rien nous dire sur nous-mêmes ou notre avenir. De nombreuses personnes ont étudié ce que pense le public de l'astrologie. Et ils ont découvert plusieurs traits généraux. Kendrick Frazier a constaté que les femmes étaient plus enclines à croire en l'astrologie que les hommes. Les adeptes montrent souvent de l'intérêt pour les choses de l'esprit, mais pas pour les religions anciennes. Les jeunes ont plus tendance à croire que leurs aînés. Mais approuver l'astrologie ne traduit pas nécessairement un manque de compréhension de la science, voire une hostilité envers celle-ci.

Une étude de John Durant et Martin Bauer a montré que les personnes qui obtenaient de bons scores dans les tests de connaissance scientifique étaient moins enclines à la croyance en une quelconque foi. Ceux qui croient en l'astrologie tendent à avoir confiance en l'autorité, mais ils ne sont souvent pas mariés. Toutefois, dans une étude réalisée il y a dix ans, le Dr Thomas Gray a mis en lumière le fait qu'avoir effectué des études universitaires ne contribuait pas spécialement à réduire la croyance en l'astrologie. J'ai été en mesure de confirmer son constat en sondant mes collègues. Je leur ai demandé s'ils pensaient qu'il y avait quelque chose de tangible dans l'astrologie et plus de la moitié a répondu que c'était bien possible.

Pourquoi tant de gens veulent-ils croire qu'un diktat astral gouverne les détails les plus intimes de leurs vies ? Si un quelconque gouvernement essayait de leur imposer un tel régime, il y aurait une rébellion instantanée.

Le professeur Hans Eysenck était un psychologue de l'université de Londres. En 1982, il a mené une étude qui a montré qu'un tiers des personnes vivant en Occident croyait en l'astrologie. Un autre tiers lisait ses horoscopes dans les journaux, tout en prétendant que c'était « juste pour rigoler ». Et le troisième tiers était sceptique. Au regard de récentes études, ce qui paraît clair, c'est que le nombre de personnes admettant la validité de l'astrologie est en augmentation. Et cela intervient à un moment où la société devient de plus en plus scientifique.

Des chansons *pop* demandent « Quel est votre signe ? » (*What's your sign ?*) Et à l'occasion d'un récent alignement spectaculaire de Vénus, Mars, Mercure et Jupiter dans le ciel nocturne, *Today*, sur l'antenne BBC Radio Four, a interrogé une astrologue « qualifiée ». Il lui a été demandé si les positions des étoiles pouvaient avoir un effet sur la densité du trafic sur les routes de Grande-Bretagne. Et ce n'était même pas le 1ᵉʳ avril.

Mais la science ne laisse pas passer cette superstition réconfortante sans tenter de la récuser.

Comme les vieux os secs rangés sur les rayonnages des musées, l'astrologie est fossilisée. Rien n'a changé depuis que les anciens Grecs ont posé ses principes de base. Elle est simplement plus commerciale et s'est revêtue d'un cache-sexe pseudo-mathématique pour couvrir l'absence de logique sous-tendant ses affirmations. Rien de ce que les astrologues disent n'explique pourquoi les positions d'étoiles distantes dans le ciel auraient un effet sur ce que vivent les humains. Les astrologues n'essayent pas davantage de s'expliquer en termes de physique. Est-ce parce que les personnes qui connaissent cette dernière ne sont pas enclines à s'intéresser à l'astrologie ?

Les humains ont besoin de croire en la capacité des chefs ou des prêtres à prédire et à contrôler l'avenir et il s'agit d'un besoin profondément enraciné. Les plus anciens édifices encore debout dans le monde ont été bâtis sur l'ordre de souverains puissants. Ces structures prouvent qu'ils pouvaient prédire l'endroit où la lumière du soleil allait se lever. Cette aptitude astronomique était-elle la base de leur capacité à contrôler les masses ? Ils devaient mettre en œuvre d'énormes ressources économiques pour construire des édifices aussi considérables que l'Anneau de Brodgar, Newgrange ou Stonehenge. Les vestiges qu'ils ont laissés – y compris technologiques – montrent qu'ils ont été capables de faire perdurer leurs projets et leurs desseins au long de nombreuses générations. Une connaissance des mouvements célestes les a-t-elle aidés à prospérer ? Et si oui, comment fonctionnaient leurs croyances ? Sous-tendaient-elles l'idée d'atténuer la peur de l'avenir chez les êtres humains ?

Assurément, pour prospérer aujourd'hui, la croyance en l'astrologie doit présenter quelques aspects positifs de base à ses adeptes. Elle doit pouvoir avancer des preuves de ses affirmations, quelque chose d'un peu plus sérieux que la simple assertion de Jeanette Winterton qui nous disait que son astrologue personnelle a « souvent – mais pas toujours – raison ». Quelles peuvent être ces preuves ?

Dans nos cités modernes, il y a tant de pollution lumineuse que nous avons largement oublié à quel point la vision d'un ciel nocturne dans toute sa pureté a quelque chose de stupéfiant. Peu de citadins voient la multitude d'étoiles qui parsèment les cieux quand la rassurante lueur orangée des lampadaires est absente. Quelques-unes de ces étoiles se distinguent particulièrement. Elles brillent plus que les autres et sont connues sous le nom d'étoiles de première magnitude. Ces astres lumineux ne donnent pas l'impression de bouger dans le ciel, mais paraissent rester fixes dans des positions bien définies et former des motifs que nous appelons constellations. Les deux « objets » lumineux les plus remarquables dans notre ciel sont le Soleil et la Lune. Ils sont si lumineux que l'un comme l'autre projettent des ombres et qu'on peut les voir la nuit comme le jour. Mais il existe d'autres objets lumineux, les planètes visibles, dont les plus brillantes sont Vénus, Mars, Mercure, Jupiter et Saturne. Elles varient en luminosité et se déplacent dans le ciel. Les anciens pères grecs de l'astrologie les appelaient les « errantes », ce dont la langue anglaise a conservé le souvenir en parlant des planètes.

Ces objets célestes ont dû paraître très puissants aux anciennes populations.

Quand il tapait, le soleil pouvait aisément affecter leurs vies. Ils se mettaient à crever de chaud. Ils transpiraient. Leur peau brûlait. Ils ne pouvaient douter de son pouvoir. Puis, quand le soleil disparaissait derrière les nuages, ils avaient froid et leur monde était assailli par les tempêtes. Ils ont pu aussi remarquer que la lune affectait la fécondité des femmes. Quand elle était pleine dans le ciel de la nuit, de nombreuses femmes de leurs tribus allaient avoir leurs menstrues en même temps. Et en période de nouvelle lune, la mer remontait plus haut vers le rivage et descendait plus bas ce qui leur donnait accès à des lits de coquillages qu'ils n'atteignaient pas en temps normal. Assurément, la déesse-Lune manifestait un certain intérêt pour leurs vies et favorisait leur bien-être.

À certains moments, Vénus elle-même brille tellement qu'elle projette une ombre. Si nos anciens à l'esprit imaginatif sortaient par une claire nuit sans lune quand Vénus resplendissait sous la forme d'une vive étoile dans le ciel nocturne, ils ne pouvaient que remarquer cette ombre vénusienne. N'importe lequel des trois luminaires célestes les plus brillants peut projeter une ombre. Ce phénomène ne peut-il apparaître magique ?

Quand vous vous déplacez, votre ombre bouge avec vous. Si vous vous mettez à danser, elle suit tous vos mouvements, quelle que soit votre rapidité. Si vous essayez de fuir en courant, elle va courir aussi vite que vous. Au regard de telles manifestations de puissance et d'interaction avec les êtres, les anciens avaient fort bien pu se convaincre que ces astres lumineux animés étaient soit des dieux, soit des signes envoyés par les dieux. Mais ce fut une étude statistique qui, la première, m'amena à me demander s'il n'y avait pas quelque vérité dans l'idée qu'il existe des effets astrologiques sur les humains.

Le professeur David McClelland de l'université d'Harvard a étudié les cycles de vie des sociétés les plus performantes dans l'Histoire. Nombre des périodes historiques au cours desquelles il identifia des sociétés à forte réalisation coïncidaient avec des conjonctions pré-aurorales des planètes Vénus et Mercure. Ces deux planètes peuvent être toutes les deux vues comme des objets célestes très lumineux et, quand elles apparaissent dans la même partie du ciel, on peut croire qu'elles ne sont qu'un seul et même astre très brillant. À intervalles réguliers qui se comptent en siècles, elles se rapprochent l'une de l'autre en une série de conjonctions pré-aurorales. Quand ce phénomène se produit, elles prennent l'apparence d'une seule étoile très lumineuse qui se lève juste avant le soleil.

Cinq sociétés sur six étudiées par McClelland se sont développées alors que Vénus et Mercure se levaient très près l'une de l'autre juste avant l'aurore. J'ai effectué une vérification statistique pour vérifier le taux de probabilité qui existait pour que ces conjonctions surviennent exactement au moment précis où ces sociétés fortement créatrices émergeaient. Il existe moins d'une chance sur mille pour que ces deux événements se soient produits simultanément par hasard. Ce résultat laisse entendre que quelque chose de réel survenait. Peut-être que les personnes vivant au sein de ces sociétés ont aperçu la « brillante étoile du matin » et pensé que Dieu s'apprêtait à les aider, si bien qu'elles se sont aidées elles-mêmes. Il est possible que McClelland ait enregistré un effet de motivation sur les sociétés qui se développaient à l'instant où ces événements astronomiques lumineux se manifestaient dans le ciel de l'aube. Ou se pouvait-il que quelque chose d'autre soit à l'œuvre ?

Deux autres études statistiques, que j'évoque dans *Tourner la clé de Salomon*, suggèrent l'existence d'une sorte de réalité derrière l'astrologie. Ces études mettent toutes deux en lumière des schémas récurrents de comportements humains, quand le soleil et les planètes se trouvent dans des parties spécifiques du ciel. Ces indications statistiques sont perturbantes, mais elles ne font que montrer que des mouvements stellaires interviennent quand les humains font des choses remarquables. Elles n'apportent aucune raison de croire que les étoiles ont des effets sur l'homme.

Ce livre, *Tourner la clé de Salomon*, décrit la quête approfondie que j'ai entreprise pour trouver des éléments tangibles et récurrents parmi toutes ces « ondulations » statistiques. Les écrits et actions de George Washington ont inspiré ma recherche d'un principe d'une astrologie acceptable par la science, dans la mesure où il paraissait lui-même, au regard de certains de ses plus grands ouvrages, avoir été inspiré par celle-ci. En essayant de comprendre le frère Washington, je fus amené à me demander s'il y avait un phénomène qui justifiait la foi permanente de bon nombre d'individus en une mystérieuse tradition astrale. Si je pouvais trouver une raison expliquant ces singularités statistiques qui se sont développées autour de l'astrologie, alors il me faudrait peut-être bien y croire. Et si je ne pouvais pas en trouver une, je me serais débarrassé du malaise que ces statistiques instillaient dans mon esprit.

Au bout du compte, me raisonnai-je, j'aurais pu assouvir un besoin romantique de courir après une chimère, un but inexistant dans un univers chaotique.

Mais il m'est apparu qu'il y avait bien un véritable secret scientifique dissimulé dans l'enseignement rituel de l'astrologie maçonnique.

Et *Tourner la clé de Salomon* décrit ce que j'ai trouvé.

21. Dans une certaine mesure, les travaux et recherches de la science noétique ressemblent beaucoup à ceux des pionniers de la Royal Society dont vous avez traité dans *L'Invisible Collège* et qui pouvaient alors apparaître comme des « magiciens ». Pensez-vous que la science noétique pourrait devenir une sorte de science officielle de demain ?

Le frère Edgar Mitchell, qui fonda l'Institut pour la science noétique, est membre de la loge Artésia, n° 28. Cela signifie qu'il a la même formation et les mêmes centres d'intérêts maçonniques que les fondateurs de la Royal Society et moi-même.

Cependant, je trouve intéressant que la conscience – qui est le cœur de la noétique – puisse compléter la science officielle et non la remplacer. (Je parie que si vous posez la question à Ed, il vous dira sensiblement la même chose.) Nous, les scientifiques, allons toujours continuer de faire nos calculs et de tester nos hypothèses, mais les scientifiques qui sont aussi francs-maçons s'efforceront aussi toujours de vouloir comprendre la nature du Grand Architecte, même si nous soupçonnons qu'il pourrait être une formule ou une grande théorie universelle du Tout.

22. La science noétique pourrait-elle aider à mesurer la conscience cosmique ou ces autres expériences extrêmes ou paroxystiques dont vous parlez dans certains de vos derniers ouvrages (*Tourner la clé d'Hiram, Le Secret de l'initiation maçonnique...*) ?

Le frère Ed Mitchell et son Institut pour le développement de la science noétique poursuivent la même quête de la Vérité que moi.

23. Pour conclure, que pensent aujourd'hui les maçons en général et la GLUA de vos ouvrages ?

Je suis apparemment toujours soit adulé soit haï par les francs-maçons anglais. Certains de mes frères adorent mes textes et viennent écouter mes conférences. D'autres pensent que je suis l'Antéchrist. Au regard de réactions aussi extrêmes, je me contente d'écrire sur ce que je crois intéressant et sur ce qui, à mon sens, représente la compréhension de l'ordre maçonnique que je souhaite transmettre à la prochaine génération de francs-maçons. Au regard de cela (à en juger par les e-mails que je reçois), il semble que j'aie satisfait la curiosité de nombre de mes frères dans le monde entier.

Quant à la GLUA, je n'ai pas d'opinion particulière la concernant. J'ai un très grand respect pour certains de ses membres. En revanche, je n'entrerais pas en loge en même temps que certains autres. Mais la GLUA est au service de la franc-maçonnerie anglaise ; elle n'est pas son maître. Donc elle ne devrait pas avoir un point de vue collectif ou corporatiste sur des auteurs particuliers exprimant leur propre opinion sur la nature de l'Ordre.

Propos recueillis et traduits par Arnaud d'Apremont, traducteur de *La Clé d'Hiram, Le Livre d'Hiram, Tourner la clé d'Hiram, Le Collège invisible* et *Le Secret de l'initiation maçonnique*, tous édités chez Dervy.

LA FRANC-MAÇONNERIE DANS LA FICTION

> « Le rituel maçonnique était conçu pour
> réveiller l'homme dormant à l'intérieur de
> lui-même, pour le relever du sombre cer-
> cueil de l'ignorance, le ramener à la lumière
> et lui donner des yeux pour voir. »
>
> *LSP*, p. 437, f510.

Il n'était pas possible, dans cet ouvrage traitant de la franc-maçonnerie à partir du *Symbole perdu* de Dan Brown, de ne pas dire un mot du courant dans lequel il s'inscrit : les œuvres de fiction et, plus spécifiquement, les fictions à thèmes (la plupart des livres, BD et films cités ici se retrouvent dans la biblio- et filmographie en fin du présent ouvrage).

Touchant à l'imaginaire, au mystère, au symbole et à l'intériorité, la franc-maçonnerie a toujours suscité une grande œuvre fictionnelle propre à enflammer le mental. Mais il faut bien convenir qu'à l'exception notable de la musique (Mozart, Haydn…), côté littérature, l'ordre fraternel s'est plus souvent retrouvé dans le mauvais rôle, le « côté sombre de la force », pourrait-on dire.

Si l'on regarde vers le passé, quelques noms toutefois ressortent, d'auteurs ayant donné une vision différente, plus positive de la maçonnerie. Mais ceux-là étaient maçons et cela fait forcément toute la différence. On pensera à Édouard Bulwer-Lytton et à son *Zanoni, maître Rose+Croix* (qui, certes, et comme son titre l'indique, évolue davantage autour des rosicruciens, mais il y règne l'esprit maçonnique de l'auteur[1]), à Arthur Conan Doyle, le père de Sherlock Holmes (et notamment deux enquêtes du célèbre détective, *L'Entrepreneur de Norwood* et *La Ligue des Rouquins*), et surtout Rudyard Kipling qui, en dehors de ses poèmes spiritualo-maçonniques comme *If/Tu seras un homme mon fils* et *La Loge-mère*, a mis en scène la Fraternité dans *L'Homme qui voulut être roi*[2].

Plus récemment, un Roger Peyrefitte aura mis en scène la franc-maçonnerie dans *Les Fils de la Lumière* (où intervient le jeune Charles Hernu, futur ministre de la Défense de François Mitterrand).

Mais s'il ne fallait retenir qu'un livre de fiction sur la maçonnerie (si tant est que le terme de fiction s'applique à celui-ci). Parlons plutôt de « roman vrai ». Ce serait *Le Moine et le vénérable*, de Christian Jacq. Dans ce livre, le futur pape – ou disons « pharaon » – de l'égyptologie, évoque l'emprisonnement tout à fait authentique dans un camp de concentration nazi d'un haut dignitaire maçon et d'un prêtre catholique. Sous couvert d'une approche romancée, cette histoire vraie et puissante parle de fraternité, de respect, d'écoute... On y touche de près le vécu du maçon, ce que représente le faite de vivre (et mourir) pour la maçonnerie. Pour beaucoup de maçons, ce livre est comme une petite Bible que l'on fait lire en préalable à un éventuel profane pressenti pour rejoindre la Fraternité.

Anecdotiquement, au milieu d'une production hétéroclite, on ne peut s'empêcher de citer aussi, le prolifique auteur de science-fiction (décédé à l'aube de l'an 2000) et franc-maçon déclaré (de Memphis-Misraïm), Jimmy Guieu, dont les héros,

---

1. Par ailleurs, un autre de ses livres réputés, *La Race à venir*, s'il a souvent été disqualifié à tort par assimilation à d'obscures causes radicales, ne manque pas, là aussi, d'évoquer par certains aspects une société idéale maçonnique, utopique – certes – comme pouvait l'engendrer un auteur du XIXe siècle, mais à relire avec cet esprit-là. Il y est question de science parfaite, d'éducation, de relation homme-femme, de paix et de concorde...

2. Et il faut signaler que certains exégètes se sont parfois livrés à une lecture symbolique maçonnique d'autres œuvres de l'auteur britannique et, en premier lieu, *Le Livre de la jungle*.

même perdus au fin fond de l'espace-temps, ne pouvaient s'empêcher de se faire une « triple accolade fraternelle[3] ».

Mais, ces toutes dernières années, on a assisté toutefois à un phénomène nouveau : l'apparition de *thrillers* maçonniques. Le succès du *Da Vinci Code*, sans avoir directement pour thème la franc-maçonnerie, a certainement joué un rôle majeur dans l'émergence de ce courant, dont les chefs de file sont les coauteurs Éric Giacometti et Jacques Ravenne, avec des titres comme *Le Rituel de l'ombre*, *Le Frère de sang*, *La Croix des assassins*... À raison d'un ouvrage par an (et même deux en 2010), ceux-ci ont ouvert une voie à un genre nouveau avec leur commissaire franc-maçon Marcas. Nombreux sont ceux qui s'y sont engouffrés, des éditions Dervy avec une collection spécifique (et des titres comme *La Conjuration des vengeurs*, de Laurent Ducastel et Jacques Viallebesset, ou *Et c'est ainsi qu'Hiram est grand !*, de Marc Veillard) au duo Alain Bauer-Roger Dachez et leurs *thrillers* érudits (*Les Mystères de Channel Row*, *Le Convent du sang*...) en passant par une autre paire (décidément, les polars maçonniques se prêtent aux duos) Thomas Dalet et Édouard Guimel et leur trépidant *Chevalier Coën et le mystère de la parole perdue*[4].

Il est intéressant de remarquer que la plupart de ces romans policiers maçonniques sont complétés d'annexes et de compléments permettant de jeter un éclairage réaliste sur ces fictions.

La BD elle-même n'a pas été en reste avec, notamment, l'éminente série du *Triangle secret*, de Didier Convard (qui l'a aussi adaptée en roman et qui a depuis donné naissance à plusieurs *spin-off* : *Hertz*, *Les Gardiens du sang*...). Il y est

---

3. Par ailleurs, l'un de ses derniers collaborateurs, Arnaud Dalrune, participe aussi à une série récurrente, *Blade, voyageur de l'infini*, dans laquelle il a écrit deux numéros mettant positivement en scène la franc-maçonnerie : *Le Collège des invisibles* (évoquant, comme son nom le suggère, l'Invisible Collège et les futurs acteurs de la *Royal Society*) et *Dans le miroir des cygnes* (autour de la GLUA et de l'enlèvement de son Grand Maître, le duc de Kent). Voir bibliographie en fin de ce livre.

4. Après plusieurs années d'attente, leur héros, le commissaire Gibelain, revient en 2010 dans *Arkangelus*, qui l'entraînera sur les rives du Jourdain et les pentes de Qoumrân.

question d'un affrontement séculaire entre une mystérieuse loge maçonnique et un inquiétant cercle interne du Vatican cherchant, depuis l'origine, à dissimuler un mensonge sur la personnalité du Christ.

Quant au cinéma, il est un peu le parent pauvre (une fois n'est pas coutume) de cette mode maçonnique dans la fiction. Les principaux films ayant abordé peu ou prou la maçonnerie sont cités ici en fin d'ouvrage. Certains sont les adaptations de livres cités ici, comme *L'Homme qui voulut être roi*, avec Sean Connery et Michael Caine. En dehors du collaborationniste et antimaçon *Forces occultes*, de 1943, il n'en est aucun où la franc-maçonnerie occupe réellement un rôle à part entière et elle est rarement du bon côté.

Gageons que l'adaptation imminente du *Symbole perdu* est susceptible de changer la donne…

LEXIQUE

Acacia. Arbre symbolique de la maçonnerie.

Accolade fraternelle. Accolade rituelle discrète.

Agapes. Repas en commun suivant la tenue (parfois avant, notamment dans les loges anglo-américaines).

Apprenti (également apprenti entré dans certains rites). Premier grade la franc-maçonnerie.

Atelier. Généralement synonyme de loge et plus particulièrement de la loge au travail.

Bandeau (passage sous le). Après avoir été enquêté, le candidat profane est interrogé par les frères en loge avec un bandeau sur les yeux pour connaître sa véritable personnalité et ses motivations.

Batterie. Série de coups rituels frappés à une certaine cadence.

Baudrier. Insigne de la charge d'officier sous la forme d'une écharpe ou ceinture de tissu portée en diagonale dans certaines obédiences (voir aussi *Sautoir*).

Bijou. Symbole porté par les officiers au bout de leur sautoir.

Blackboulé. Rejet d'une candidature à la suite d'un vote où trop de boules noires (vote négatif) se sont mêlées aux blanches (dans certains rites ou obédiences, une seule boule noire peut « blackbouler »).

Cabinet de réflexion. Pièce sombre remplie de symboles où le candidat médite juste avant son initiation (parfois appelé également « cabinet noir »). Certains rites n'ont pas de cabinet de réflexion, mais une simple salle de préparation.

Capitation. Cotisation annuelle du maçon pour le fonctionnement de la loge et de l'obédience.

Chaîne d'union. Chaîne de fraternité formée par les frères et/ou sœurs en se tenant la main, notamment en fin de tenue.

Charges. Voir *Devoirs*.

Collège des officiers. Ensemble des responsables de la loge désignés pour une année.

Colonnes. 1. Les deux colonnes situées à l'entrée du temple et rappelant celles du temple de Salomon, Jakin et Boaz. 2. Désignent aussi les rangées sur lesquelles les jeunes frères sont assis dans le temple : les apprentis au nord, les compagnons au midi ; les maîtres se répartissant sur l'une ou l'autre des colonnes.

Compagnon. Deuxième grade de la franc-maçonnerie.

Compas. L'un des deux outils indissociables de la maçonnerie, l'autre étant l'équerre qui symbolise la mesure et l'esprit.

Constitutions. Chartes de référence de la maçonnerie spéculative, depuis celles du pasteur James Anderson de 1723.

Convent : Assemblée générale d'une obédience.

Cordon. Voir *Baudrier*.

Cordonite. Terme ironique désignant l'appétit excessif de certains frères ou sœurs pour les dignités.

Couvreur. Officier de la loge qui garde l'entrée du temple. Cette charge est généralement affectée au dernier vénérable en date (*Passé maître immédiat*, dans certains rites) de l'atelier en signe d'humilité.

Décors. Attributs symboliques portés en tenue (gants blancs, tabliers, cravates noires, cordons ou sautoirs…).

Degré (ou grade). Étape d'élévation dans un rite. Chaque rite a un nombre de degrés différent, mais les trois premiers (apprenti, compagnon, maître) sont communs à tous.

Delta. Triangle symbolisant le Grand Architecte. À l'Orient, il est associé à l'œil de la Providence et est éclairé en tenue. Mais le Delta n'est pas spécifique à la maçonnerie et apparaît sur différentes représentations symboliques ou religieuses.

Devoirs (Anciens). Ou encore Anciennes Charges (*Old Charges*). Ensemble des textes fondateurs de la maçonnerie dont le respect conditionne la régularité de cette dernière.

Dollar. On veut souvent voir une signification maçonnique aux symboles du dollar (le S barré de deux traits ou colonnes) et aux motifs du billet vert (pyramide tronquée avec œil de la providence, inscriptions…), ce qui n'a jamais pu être démontré et n'est probablement pas exact *stricto sensu* au niveau des intentions originelles.

Élévation. Cérémonie d'élévation du compagnon au grade de maître.

Enquête. Après avoir fait acte de candidature, un profane est enquêté par deux ou trois frères désignés par le vénérable. Le résultat des enquêtes est lu en tenue et si le vote est positf, il conduit au passage sous le bandeau (*voir ce mot*).

Épée. Attribut symbolique de plusieurs officiers (couvreurs, experts…). Dans certains rites, tous les maîtres sont censés porter une épée. L'épée du vénérable est flamboyante (sinueuse), symbole de la puissance spirituelle.

Équerre. L'un des deux outils indissociables de la maçonnerie, l'autre étant le compas qui symbolise la rectitude.

Expert. Officier de la loge chargé du bon déroulement de la tenue, de l'accueil du candidat à l'initiation et du tracé du tableau de loge pour les rites qu'il trace.

Fraternité (ou sororité). Expression de la solidarité entre hommes, qu'elle se manifeste sous la forme du groupe (la Fraternité) ou du lien qui unit les frères. Dans le cas de groupes féminins, on parle de sororité.

Grades. Voir *Degrés*.

Grades (Hauts). Grades supérieurs au grade de maître et en nombre variable selon les rites. Ils sont gérés par les Suprêmes Conseils.

Grand Architecte de l'Univers. Nom de l'entité suprême et principe créateur adopté par les obédiences régulières.

Hospitalier. Officier qui s'occupe plus particulièrement des frères en difficulté et gère le tronc de la veuve.

Initiation. Cérémonie transformant le profane en maçon au grade d'apprenti (ou apprenti entré).

Landmark. Littéralement, borne. Ce sont les critères incontournables (au nombre de 8 ou 12 selon les obédiences ou les époques) qu'une grande loge doit respecter pour être reconnue par la Grande Loge Unie d'Angleterre.

Loge. Lieu de réunion d'un atelier et, par extension, l'ensemble des frères de celui-ci.

Loge d'adoption. Loge paramaçonnique destinée à accueillir les épouses de francs-maçons avant la création des obédiences féminines.

Loge d'affiliation. Loge à laquelle un maçon peut s'affilier en plus de sa loge mère.

Loge (Grande). Synonyme d'obédience.

Loge mère. Loge dans laquelle le profane a été initié et à laquelle il reste principalement rattaché.

Lumières. Les trois grandes lumières de la maçonnerie posées sur l'autel des serments sont le compas, l'équerre et le Volume de la Loi sacrée.

Maître. Grade supérieur de la maçonnerie au regard des ateliers symboliques qui ne travaillent qu'aux trois premiers degrés.

Maître des cérémonies. Officier qui rythme et dirige rituellement les déplacements en loge.

Maillet. Synonyme de marteau. Symbole de l'autorité du vénérable maître.

Métaux. Symbole de ce qui trompe ou divise.

Obédiences. Fédération de loges de rites.

Occident. Ouest de la loge où se trouve l'entrée du temple.

Oculus. Ouverture pratiquée dans le plafond ou la voûte de certaines loges. Mot venant du latin signifiant « œil ».

Œil de la Providence. Ou œil omniscient, symbole représentant l'œil de l'être suprême entouré de rayons de lumières et fréquemment placé dans un triangle ou en relation avec un triangle (ou une pyramide).

Officiers (ou collège des officiers). Ensemble des maîtres qui dirigent la loge.

Old charges. Voir *Devoirs*.

Opératif. La maçonnerie de métier.

Orateur. Officier qui veille au respect de la loi maçonnique et parle toujours en dernier pour conclure.

Ordre. Avec une majuscule, synonyme de franc-maçonnerie. Avec une minuscule, signe rituel d'appartenance à la maçonnerie, marquant la « mise en ordre de soi » et l'intégration de l'individu dans la collectivité.

Orient. Est de la loge où siège le vénérable et où se trouve symboliquement représentée la puissance sacrée. Orient est également synonyme de « district maçonnique » et plus généralement de villes.

Orient éternel. Séjour symbolique des morts dans la terminologie maçonnique.

Parrain. Maçon qui présente la candidature d'un profane.

Parvis : Partie située à l'extérieur immédiate du temple.

Passage. Cérémonie de passage de l'apprenti au grade de compagnon.

Passé. Adjectif synonyme d'« ancien ». Exemple : un « passé maître » est un ancien Vénérable Maître.

Pavé mosaïque. Pavage symbolique en forme de damier noir et blanc au centre de la loge.

Piliers. En dehors des deux colonnes, trois piliers symbolisant différentes vertus et supportant des « luminaires », sont disposés en triangle au centre de la loge dans certains rites.

Pierre d'angle. Ou pierre de fondation, première pierre de l'édifice posée rituellement.

Planche (ou « morceau d'architecture »). Exposé présenté rituellement en loge et manifestant le travail du maçon. Les rites dits « anglo-saxons » remplacent les planches par des « travaux de table », hors du contexte rituélique.

Planche tracée. Commentaire symbolique appris par cœur (notamment du tableau de loge) dans les rites anglo-saxons. Désigne aussi le compte rendu de la tenue précédente dans les différents rites.

Profane. Ce qui est extérieur à la franc-maçonnerie.

Réception. Initiation.

Rite. Ensemble progressif de degrés et de rituels associés structurant le parcours du maçon.

Sac aux propositions. Sac présenté aux frères à la fin des tenues pour faire des suggestions.

Salle humide. Salle des agapes où peuvent se trouver des profanes (l'expression « humide » indiquant que le lieu n'est pas « couvert » [réservé aux seuls maçons], donc qu'il peut y « pleuvoir »).

Saint Jean. Les deux saints Jean (le Baptiste et l'Évangéliste) sont patrons des francs-maçons, chacun présidant à un solstice. L'Évangile de Jean revêt une importance particulière pour certains rites et il est généralement ouvert à sa première page en rituel.

Sautoir. Décor en V des officiers au bout duquel pend l'insigne de leur charge.

Secrétaire. Officier chargé de l'administration, des convocations et du compte rendu des tenues.

Serment (ou obligation). Engagement solennel pris par un maçon au cours d'une initiation.

Signes de reconnaissance. Gestes, paroles ou postures spécifiques selon les degrés et rites permettant à un franc-maçon de se faire reconnaître (notamment en cas de détresse).

Spéculatif. Se dit de la maçonnerie symbolique réunissant les individus n'appartenant pas forcement à la maçonnerie de métier.

Surveillant (Premier). Officier qui seconde, voire remplace, le Vénérable Maître et s'occupe de l'instruction des compagnons.

Surveillant (Second). Officier qui a en charge l'instruction des apprentis.

Tablier. Décor symbolique porté obligatoirement en loge par le maçon et rappelant celui des opératifs. Il varie en fonction des rites, grades et offices.

Tableau de loge. Également tapis de loge. Tableau ou toile aux dimensions symboliques et représentant les principaux symboles d'un grade. Selon les rites, il est soit imprimé et déroulé au début d'une tenue, soit tracé à la craie sur un tableau noir.

Temple. Lieu où se tiennent les tenues, inspiré du temple de Salomon et orienté est-ouest.

Tenue. Réunion de l'atelier en loge.

Tenue blanche fermée. Tenue au cours de laquelle un non-maçon est invité à intervenir.

Tenue blanche ouverte. Réunion maçonnique particulière traitant d'un sujet relatif à la franc-maçonnerie et ouverte à un profane.

Testament philosophique. Considérations que le candidat couche sur le papier dans le cabinet de réflexion avant son initiation.

Titre distinctif. Nom de la loge.

Travaux. Activités de la loge en tenue.

Trésorier. Officier en charge des finances (trésor).

Tronc de la veuve. Sac présenté aux frères en fin de tenue pour recueillir leurs oboles destinées à des œuvres caritatives ou d'entraides.

Triangle. Participation aux frais d'une activité maçonnique non rituélique. Désigne aussi une loge de fait constituée, dans des circonstances particulières, d'un nombre insuffisant de frères pour constituer un loge régulière (minimum sept pour être régulière).

Tuilage. Contrôle de l'appartenance maçonnique lors d'un rituel.

Tuileur. Officier chargé du tuilage.

Vénérable Maître. Maître maçon élu par les frères de la loge pour diriger celle-ci. Il siège à l'orient.

Veuve. Parfois synonyme de la franc-maçonnerie.

Volume de la Loi sacrée. L'une des trois grandes lumières de la loge. Il s'agit du texte sacré présent sur l'autel des serments et sur lequel ces derniers sont prononcés.

Voûte d'acier. Haie d'honneur formée par des épées brandies pointes contre pointes pour accueillir un visiteur de marque.

Voûte étoilée. Plafond symbolique de la loge représentant un ciel nocturne (certaines loges anciennes représentaient la configuration stellaire du moment de leur création).

FIGURES DE LA MAÇONNERIE

Les astérisques renvoient à d'autres noms de la liste.

ANDERSON James (1684-1739), pasteur anglais. La Grande Loge le chargea de compiler et rédiger l'histoire de la maçonnerie, de ses « devoirs (*charges*) » et règlements, d'après les anciennes Constitutions. Il fut Grand Surveillant et Maître de la Grande Loge.

ASHMOLE Elias (1617-1692), érudit et alchimiste anglais, membre de la Royal Society, il fut l'un des premiers maçons spéculatifs à avoir été initié (1646).

BACON Francis (1561-1626), homme politique, chancelier de la couronne, savant et philosophe anglais, inspirateur des Rose-Croix, du Collège Invisible et de différents cénacles qui donneront naissance à la franc-maçonnerie. On lui prête aussi la rédaction de certaines œuvres de Shakespeare.

BÉDARRIDE (les frères), Michel, Marc et Joseph. Militaires français, ils furent très impliqués dans la franc-maçonnerie. Marc (1776-1846) fut le fondateur de plusieurs loges militaires et, ensemble, ils donnèrent naissance à l'obédience française de *Misraïm* en 1813.

BURNS Robert (1759-1796). Le « fils préféré de l'Écosse », le « barde de l'Ayrshire » (certains de ses surnoms) est à la fois le poète écossais le plus fameux et l'un des plus réputés de la maçonnerie. Initié en juillet 1781 dans la loge St David

Tarbolton, il passa compagnon et fut élevé maître le même jour quatre mois plus tard. Sur un vieil air traditionnel écossais, son poème le plus célèbre, *Auld Lang Syne* (« *Ce n'est qu'un au revoir* »), est entonné en bien des réunions maçonniques.

CONAN DOYLE Arthur (1859-1930). Franc-maçon, le père de Sherlock Holmes glissa des allusions maçonniques dans certaines de ses nouvelles (par exemple, *La Ligue des Rouquins* et *L'Entrepreneur de Norwood*).

DERMOTT Laurence (1720-1791). Irlandais d'origine modeste, il fut le Grand Secrétaire et l'inspirateur de la Grande Loge des Anciens. Son livre, l'*Ahiman Rezon*, a une importance majeure pour la maçonnerie anglo-saxonne de tradition judéo-chrétienne.

DÉSAGULIERS Jean-Théophile (1683-1744), ministre de l'Église anglicane, corédacteur du livre des *Constitutions* de la Grande Loge de Londres. Avec son ami Anderson*, il espérait revenir à l'identification du Grand Architecte Dieu révélé.

FRANKLIN Benjamin (1706-1790). Philosophe américain, il est l'un des treize signataires de la Constitution des États-Unis. Son office de Vénérable de la loge des Neufs Sœurs à Paris lui permit de sensibiliser la France à la cause de l'indépendance de l'Amérique et d'obtenir son soutien.

GARIBALDI Giuseppe (1807-1882). Le combattant pour l'unification de l'Italie fut aussi maçon (33e degré du REAA), *Carbonari* et unificateur des rites égyptiens de Memphis et de Misraïm. En 1861, le tout nouveau Grand Orient d'Italie lui décerna le titre de premier franc-maçon d'Italie.

GOETHE Johann, Wolfgang von (1749-1832). Poète allemand, l'influence maçonnique imprègne toute son œuvre. Il appartint plus de cinquante ans à l'Ordre, même si beaucoup estiment qu'il n'en appliqua guère les préceptes généreux dans sa vie personnelle complexe.

GRASSE-TILLY Alexandre, François, Auguste, comte de (1765-1845). Il crée deux loges à Charleston, *La Candeur* et *La Réunion Française*. Puis il reçoit en 1802 les Hauts Grades écossais du nouveau Rite Écossais Ancien et Accepté dont il devient Grand Inspecteur Général et Grand Commandeur pour les Antilles françaises. Dès 1804, il revient en Europe où il importe le REAA en fondant le « Suprême Conseil pour le 33ᵉ degré en France ».

GUÉNON René (1886-1951), penseur et théoricien de la Tradition primordiale, symbologiste, aussi décrié par les uns qu'il est adulé par les autres.

HALL Prince (1748-1807), premier franc-maçon noir, initié en 1775. En 1791 est fondée l'Africain Grand Lodge dont il devient le Grand Maître. Prince Hall a donné son nom à la maçonnerie noire aux États-Unis et dans le monde.

HIRAM ABIF, architecte mythique du temple de Salomon* à Jérusalem. La Bible le dit bronzier. Sa légende – notamment celle de sa mort – est l'un des mythes fondateurs de la franc-maçonnerie.

HIRAM DE TYR, roi de Tyr qui aurait fourni la matière première et la main-d'œuvre pour la construction du temple de Jérusalem.

JEFFERSON Thomas (1743-1826), philosophe, agronome et architecte. Troisième président des États-Unis et l'un des auteurs de la Déclaration d'indépendance des États-Unis de 1776. Son appartenance à la franc-maçonnerie n'est pas prouvée, mais fort probable.

KIPLING Rudyard (1865-1939). Poète et romancier anglais, il fut initié dès 1886 avec dispense d'âge à Bombay (loge *Hope & Perseverance*). Il fut membre de la *Societas Rosicruciana in Anglia* et de différentes loges, dont *Canongate Kilwinning* en Écosse. Il a notamment exprimé sa sensibilité maçonnique dans son poème *La Loge Mère* (*The Mother Lodge*), mais la maçonnerie se manifeste dans d'autres textes comme *L'Homme qui voulut être roi*.

LA FAYETTE Marie Joseph Paul Yves Roch Gilbert Gautier, marquis de (1757-1834). Général et homme politique français, héros de la guerre d'Indépendance américaine, ainsi que haut dignitaire maçon et de la *Charbonnerie*. Son épée maçonnique demeure le modèle de beaucoup d'épées rituelles.

Martinès de Pasqually Joachim (1727 ?-1774), fondateur des « Chevaliers Maçons élus Coëns de l'Univers » et du « martinézisme » qui inspira Saint-Martin* (martinisme) et Willermoz* (RER).

Marconis de Nègre Gabriel Mathieu. Introducteur en France du *rite égyptien de Memphis*. Son fils Jean-Étienne (1795-1868) poursuivit son œuvre et fonda *l'ordre de Memphis* en 1838.

Moray Robert (1609-1673, militaire et philosophe scientifique écossais. Il est à l'origine de la *Royal Society*, dont il fut l'un des douze membres fondateurs. Initié en 1641 dans une loge itinérante écossaise à Newcastle (nord de l'Angleterre), on fait de lui le premier maçon spéculatif créé sur le sol anglais.

Mozart Wolfgang Amadeus (1756-1791). Il a composé plusieurs œuvres qualifiées de maçonniques, au premier rang desquelles *La Flûte enchantée* mais aussi son *Requiem* ainsi que ses Symphonies 39, 40 et 41.

Paine Thomas (1737-1809). Écrivain anglais, impliqué dans la Guerre d'indépendance américaine du côté des colons. Auteur des *Droits de l'Homme*, du *Siècle de la Raison* et de *L'Origine de la franc-maçonnerie* qu'il faisait remonter aux druides. Son appartenance maçonnique n'est pas prouvée mais probable.

Preston William (1742-1818). Écrivain écossais, auteur notamment d'*Illustrations de la franc-maçonnerie*, il passe souvent pour un archétype du chercheur maçonnique.

Pike Albert (1809-1891), juriste, auteur et militaire américain qui consacra toute sa vie au Rite Écossais Ancien et Accepté. Il récrivit les rituels des 33 grades et fut, de 1859 à sa mort, Souverain Grand Commandeur de la juridiction Sud des États-Unis. Son ouvrage inachevé, *Morale et Dogmes*, a toujours été considéré comme la bible du REAA américain.

Ramsay André Michel (1686-1743). Écrivain et philosophe d'origine écossaise, membre de la *Royal Society* de Londres, il s'efforça de faire reconnaître l'ordre maçonnique de rite écossais traditionnel en France. Son *Discours* devant une loge parisienne et tentant de rattacher la franc-maçonnerie à la chevalerie médiévale fut à l'origine des premiers hauts grades.

RIBAUCOURT Édouard de (1865-1936). Réintroducteur en France du Rite Écossais Rectifié en 1910 et initiateur en 1913 de la *Grande Loge Nationale, indépendante et régulière pour la France et les colonies*, qui deviendra la *Grande Loge Nationale Française.*

SAINT-MARTIN **Louis-Claude de** (1743-1803), dit le philosophe inconnu. Il créa le martinisme, philosophie ésotérique paramaçonnique inspirée de Martinès de Pasqually*.

SALOMON, roi d'Israël, qui fit construire un temple à Jérusalem pour abriter l'Arche d'alliance. Il est le Grand Maître symbolique de la maçonnerie, le Vénérable Maître d'une Loge occupant sa chaire.

SAYER Anthony. Premier Grand Maître de la *Grande Loge de Londres*, future Grande Loge d'Angleterre, en 1717, mais dont on ne connaît ni la date de naissance ni la date de décès, ni grand-chose d'autres au demeurant.

SINCLAIR DE ROSLIN William (1700-1778). Premier Grand Maître de la *Grande Loge d'Écosse* en 1736. Les Sinclair de Roslin étaient réputés Grands Maîtres héréditaires des maçons d'Écosse en vertu d'une charte portant leur nom et datant de 1601.

SCHAW William (1549 ?-1602), Surveillant Général des maçons de Jacques VI d'Écosse. Il est l'auteur des statuts Schaw (l'un en 1598, l'autre en 1599) qui formalisèrent la maçonnerie et les rituels des trois premiers degrés.

SCOTT Walter (1771-1832). Le grand écrivain écossais, auteur d'*Ivanohé*, *Quentin Durward* et *Rob Roy*, fut initié à l'âge de 30 ans dans la loge Saint-David à laquelle avait appartenu son père, mort deux ans plus tôt. Maçon actif, il déclina la grande maîtrise du *Royal Grand Conclave of Knights Templar* d'Écosse pour raison de santé.

SUSSEX Auguste Frédéric, duc de (1773-1843). Après avoir été l'artisan actif de sa constitution pour mettre un terme au vieux conflit des Anciens et des Modernes, il devint le premier

Grand Maître de la *Grande Loge Unie d'Angleterre*. Son rôle a été primordial dans l'organisation de l'administration de cette dernière et la formalisation de ses rituels.

WASHINGTON George (1732-1799), premier président des États-Unis. La maçonnerie fut au cœur de sa vie personnelle et politique.

WILLERMOZ Jean-Baptiste (1730-1824), fidèle de Martinès de Pasqually*, il structura plusieurs systèmes de hauts grades et fut notamment l'initiateur du *Rite Écossais Rectifié* d'essence chrétienne.

WIRTH Oswald (1860-1943), auteur maçonnique qui eu longtemps – et conserve sans doute – une influence considérable à travers ses travaux sur le symbolisme maçonnique et notamment les trois tomes de *La Franc-Maçonnerie rendue intelligible à ses adeptes*.

LES PRÉSIDENTS AMÉRICAINS
FRANCS-MAÇONS

1. **WASHINGTON George** (1732-1799). Premier président des États-Unis, il fut initié en 1752 par la loge Fredericksburg, Virginie.

2. **MONROE James** (1758-1831). Cinquième président des États-Unis, il fut initié à l'âge de 18 ans, le 9 novembre 1775 par la William Lodge n° 6, Williamsburg.

3. **JACKSON Andrew** (1767-1845). Septième président des États-Unis, initié par l'Harmony Lodge n° 1, à Nashville, Tennessee. Il reçut les grades d'apprenti, compagnon et maître la même année, en 1820, et fut Grand Maître de la Grande Loge du Tennessee de 1822 à 1824.

4. **POLK James Knox** (1795-1849). Onzième président des États-Unis, initié le 8 juin, passé le 7 août et élevé le 4 septembre de l'année 1920 dans la Colombia Lodge n° 21, Colombia, Tennessee.

5. **BUCHANAN James** (1791-1868). Quinzième président des États-Unis, il fut initié le 11 décembre 1816 par la Lancaster Lodge n° 43, Lancaster, Pennsylvanie. Il fut assistant Grand Maître de la Grande Loge de Pennsylvanie et appartint aussi à l'Arche royale (*Royal Arch*).

6. **JOHNSON Andrew** (1808-1875). Dix-septième président des États-Unis, il reçut, lui aussi, les trois grades la même année, en 1851, dans la Greenville Lodge n°. 19, Greenville,

Tennessee. Il atteignit le 32ᵉ degré du REAA et celui de Chevalier templier (*Knight Templar*).

7. **GARFIELD James** (1831-1881). Vingtième président des États-Unis, il fut initié le 19 novembre 1861 par la Magnolia Lodge n° 20, à Colombia. Il appartint à la Marque (*Mark*), à l'Arche royale (*Royal Arch*) et aux Chevaliers templiers (*Knights Templar*).

8. **HARDING Warren G.** (1865-1923). Vingt-deuxième président des États-Unis, il fut initié le 13 août 1920 par la Marion Lodge n° 70, Ohio.

9. **MCKINLEY William** (1843-1901). Vingt-cinquième président des États-Unis, il fut initié le 3 avril 1865 par la Hiram Lodge n° 21, Virginia, Virginie.

10. **ROOSEVELT Théodore** (1858-1916). Vingt-sixième président des États-Unis, il fut initié le 2 janvier, passé le 27 mars et élevé le 24 avril de l'année 1801, par la Matinicock Lodge n° 806, à Oyster Bay, New York.

11. **TAFT William Howard** (1857-1930). Vingt-septième président des États-Unis, il fut fait maçon « à vue » le 18 février 1909, à la Kilwinning Lodge n° 356, Ohio.

12. **ROOSEVELT Franklin Delano** (1882-1945). Trente-deuxième président des États-Unis, il fut initié le 10 octobre, passé le 14 novembre et élevé le 28 novembre de l'année 1911, par la Holland Lodge n° 8, de New York. Il reçut les hauts grades du REAA.

13. **TRUMAN Harry S.** (1884-1972). Trente-troisième président des États-Unis, il fut initié le 9 février 1909, par la Belton Lodge n° 450.

14. **JOHNSON Lyndon** (1908-1973). Trente-sixième président des États-Unis, il fut initié le 30 octobre 1937 par la Johnson City Lodge n° 561, à Johnson City, Texas. Il resta apprenti toute sa vie.

15. **FORD Gerald** (1913-2006). Trente-huitième président des États-Unis, il fut initié à la Malta Lodge n° 465, à Grand Rapids, Michigan, le 30 septembre 1949. Il reçut les

grades de compagnon et maître à la Colombia Lodge n° 3, Washington DC.

À cette liste, il faudrait sans doute au moins ajouter Thomas Jefferson. Certes, son appartenance à l'Ordre demeure controversée et la preuve formelle de celle-ci n'a jamais été apportée. Toutefois, son engagement philosophique laisse penser qu'il était maçon, ainsi que sa présence à différents événements sans doute peu accessibles à des profanes et le fait que des loges américaines le revendiquent comme membre. Il aurait au moins été membre de la Charlottesville n° 90 (puisque son nom apparaît dans les minutes de la loge le 20 septembre 1817) ainsi que de la loge des Neuf Sœurs de Paris. De même, Abraham Lincoln n'a jamais été littéralement franc-maçon, mais il avait demandé son admission à la Tyrian Lodge de Springfield, Illinois. Mais peu après son élection à la présidence en 1860, par honnêteté vis-à-vis de sa charge et l'honneur de la maçonnerie, il demanda que son admission soit remise et qu'il la resoumettrait quand il quitterait la présidence. Hélas, on connaît l'histoire et, assassiné en cours de mandat, il n'en eut jamais l'occasion. Toutefois, le 17 avril 1865, à la mort du président, la Tyrian Lodge adopta une résolution à sa mémoire disant que, par sa décision de différer sa demande d'admission dans la franc-maçonnerie, il avait manifesté le plus haut degré d'honorabilité.

D'autres présidents sont couramment présentés comme maçons (parmi les plus récents, Dwight D. Eisenhower, Ronald Reagan ou George W. Bush, qui a appartenu, quant à lui, à l'organisation Skull & Bones) mais la preuve n'en a jamais été formellement rapportée.

Pour dire un mot des présidents français, on considère généralement que cinq auraient été francs-maçons : Jules Grévy, Félix Faure, Alexandre Millerand, Gaston Doumergue et Paul Doumer, tous sous la Troisième République.

BRÈVE CHRONOLOGIE

1376	Première apparition du mot « franc-maçon » sous sa forme anglaise (*free mason*).
1390	Manuscrit *Regius* (dit aussi manuscrit *Halliwell*). Le plus ancien document de la maçonnerie opérative anglaise. Un long poème qui décrit l'origine légendaire du métier et de son organisation.
1410	Manuscrit *Cooke*. Ce long poème décrit, lui aussi, l'organisation du métier, mais aussi les arts libéraux et il est le premier à faire allusion aux légendes vétéro-testamentaires et notamment au temple de Salomon.
1483	Mention de l'*Ancient Stirling Lodge* dans les registres du bourg d'Aberdeen.
1598	Mise en place du système des loges par les premiers statuts Shaw.
1599	Publication des seconds statuts Shaw. Premiers comptes rendus documentés d'une loge maçonnique (Aitchison's Haven, St Mary's Chapel à Édimbourg, Mother Lodge Kilwinning…).
1601	La première Charte St Clair confirme les St Clair (ou désormais Sinclair) comme Grands Maîtres héréditaires des maçons écossais.

1641	Sir Robert Moray initié dans la franc-maçonnerie à Newcastle sur autorisation de la Loge St Mary'Chapel d'Édimbourg.
1646	Elias Ashmole initié à Warrington et le note dans son journal.
1662	Création de la *Société royale* [Royal Society] *pour l'avancement des Sciences* par les francs-maçons.
1682	Arrivée du premier franc-maçon aux États-Unis, John Skene.
1714	Premiers comptes rendus de la Grande Loge d'York.
1717	Au solstice d'été, le 24 juin, jour de la Saint Jean-Baptiste, naissance de la première obédience maçonnique. Quatre loges londoniennes portant le nom des tavernes où elles s'assemblent – L'Oie et le Gril (*At the Goose & the Gridiron*), Le Pommier (*The Apple Tree Tavern*), La Couronne (*At the Crown*), et La Coupe et les Raisins (*Rummer & Grapes Tavern*) – se réunissent dans la première pour créer la Grande Loge de Londres et de Westminster.
1721	Le 13 octobre aurait été institué à Dunkerque le premier atelier maçonnique français «Amitié et Fraternité» par le duc de Montagu, Grand Maître de la Loge de Londres.
1723	Publication des *Constitutions* d'Anderson. Fondation à Paris d'une des premières loges maçonniques françaises.
1725	Formation de la Grande Loge d'Irlande.
1726	Plus anciennes mentions d'une cérémonie maçonnique de troisième degré en Écosse.
1728	Les loges françaises sont placées sous la direction du duc de Wharton, ancien Grand Maître de la Grande Loge de Londres.

1733	Nomination du premier Grand Maître Provincial d'Amérique du Nord, Henri Price, par Lord Montagu, Grand Maître d'Angleterre (première preuve documentée de la présence maçonnique dans le « Nouveau Monde »).
1734	Première impression des *Constitutions d'Anderson*, aux États-Unis (par Benjamin Franklin).
1736	Fondation de la Grande Loge de France (qui deviendra, en 1773, le Grand Orient de France).
1737	Formation de la Grande Loge Écossaise : William St Clair élu premier Grand Maître.
1738	Première bulle papale (*In Eminenti Apostolatus specula*) promulguée par Clément XII contre la franc-maçonnerie et qui excommunie ses membres. Le duc d'Antin, premier Grand Maître français. La Grande Loge de Londres se proclame Grande Loge d'Angleterre.
1740	Fondation de la Grande Loge allemande « Aux Trois Globes » à Berlin.
1742	Introduction de la maçonnerie en Autriche.
1747	Première Charte délivrée par la Grande Loge d'Écosse à une loge militaire itinérante.
1751	Naissance en Angleterre de la Grande Loge des Anciens (*Grand Lodge of Antient Masons*), notamment à l'initiative de catholiques d'origine irlandaise, en réaction à l'hégémonisme de la Grande Loge d'Angleterre à dominante protestante.
1752	Georges Washington devient franc-maçon dans la loge Fredericksburg de la ville du même nom.

1756	Publication de l'*Ahiman Rezon*, de Laurence Dermott, qui se veut l'équivalent pour les «Anciens» (dont Dermott est le Grand Secrétaire) des *Constitutions d'Anderson* pour les «Modernes» (les maçons fidèles à la Grande Loge d'Angleterre). Fondation de la Grande Loge Nationale des Pays-Bas.
1758	La loge Fredericksburg reçoit une charte formelle de la Grande Loge d'Écosse.
1761	Délivrance de lettres patentes donnant à Étienne Morin le droit de créer des hauts grades en Amérique, jusqu'au 25e degré, grade de perfection alors terminal de la franc-maçonnerie, ce qui conduira, en 1801, à la naissance du REAA.
1767	Résurgence du rite templier de la stricte observance par le baron de Hund. Les assemblées de la Grande Loge sont interdites par le gouvernement.
1773	*Boston Tea Party*, l'acte déclencheur de la guerre d'Indépendance américaine, à l'initiative de colons bostoniens appartenant pour beaucoup à la loge Saint Andrew au sein de laquelle l'action fut décidée. Naissance d'une nouvelle obédience en France, le Grand Orient de France, suite à une scission au sein de la Grande Loge de France dite Grande Loge de Clermont.
1775	Le premier maçon noir américain, Prince Hall (ainsi que 14 autres Afro-Américains), est initié dans une loge de Boston (*Military Lodge* n° 441).
1776	Déclaration d'indépendance américaine, signée par huit maçons. Création de la première loge noire, *African Lodge* n° 1, par Prince Hall.

1778	Fondation aux États-Unis de l'ordre paramaçonnique mixte de l'Étoile d'Orient (*Eastern Star*), ouvert aux femmes ayant un lien de parenté avec un frère maçon.
1782	Convent de la Stricte Observance Templière à Wilhelmsbad. Cette assemblée rejette l'ascendance templière et sera à la base du Rite Écossais Rectifié.
1786	Adoption par le Grand Orient du Rite Français en sept degrés.
1793	Cérémonie maçonnique de pose de la pierre d'angle (*Cornerstone*) pour la construction du Capitole.
1794	Première abolition de l'esclavage à l'initiative de l'abbé Grégoire[1] (Bonaparte rétablira l'esclavage en 1802 et il faudra attendre Victor Schoelcher, un autre maçon, pour le voir définitivement aboli en 1848).

---

1. L'appartenance d'Henri Grégoire à la franc-maçonnerie n'est pas confirmée, même si on en fait souvent un frère de la loge des Neuf Sœurs ou de la loge L'Harmonie, toutes deux à l'O. de Paris. Il est certain, en tous les cas, qu'il appartenait à la Société philanthropique et qu'il fut lié à la loge des Neuf Sœurs (même s'il n'en fut pas membre). Député de la Constituante, il réclama – en vain – que la Déclaration des droits de l'homme soit accompagnée de celle de ses « Devoirs ». Et pendant la Révolution, avec l'aide de deux membres de la loge des Neuf Sœurs, Jussieu et Romme, il va contribuer à créer, en remplacement de l'Académie royale des sciences, la Société libre des sciences, belles lettres et arts qui aura pour vocation de préserver l'héritage des Neuf Sœurs (et notamment de la société du même nom, liée à la loge éponyme, et existant au sein de l'ancienne académie royale) et qui deviendra l'Institut de France. Finalement, lors de ses funérailles, en 1831, la hiérarchie catholique interdit l'accès de l'Église à sa dépouille, mais c'est l'éminent maçon que fut le Marquis de La Fayette qui mena le cortège jusqu'au cimetière du Montparnasse.

1801	Fondation à Charleston (États-Unis) du Rite Écossais Ancien et Accepté à trente-trois degrés et fondation de la juridiction Sud du REAA aux États-Unis. Adoption par le Grand Orient du Rite Français moderne.
1804	Fondation à Paris, par le comte de Grasse-Tilly, du Suprême Conseil de France du REAA, et création de la Grande Loge Générale Écossaise de France du Rite Écossais Ancien et Accepté.
1813	Naissance de la Grande Loge Unie d'Angleterre, fusionnant les deux Grandes Loges existantes (celle des «Modernes» et celle des «Anciens») et mettant fin à plus de soixante années d'affrontement.
1815	Le Suprême Conseil proclame l'indépendance du REAA. Le Grand Orient de France crée un Suprême Conseil des Rites qui deviendra le Grand Collège des Rites (trente-trois degrés).
1823	Création par une loge anglaise du rite Émulation qui ne comprend que trois degrés.
1851	Le 2 janvier, arrêté de la préfecture de police interdisant le Grande Loge Nationale de France. Le Grand Orient et le Suprême Conseil poursuivent leurs travaux.
1853	Le Grand Orient s'installe au 16, rue Cadet à Paris, où il se trouve encore.
1856	Première tentative de définition effective des *landmarks* (déterminant la régularité maçonnique aux yeux des *Constitutions* de 1723), par le Dr Albert Mackey, aux États-Unis.
1868	Le pape Pie IX condamne la franc-maçonnerie.

1871	Albert Pike, Souverain Grand Commandeur du Rite Écossais Ancien et Accepté (juridiction Sud), publie sa Somme de 850 pages, *Morale et dogmes du Rite Écossais Ancien et Accepté de la franc-maçonnerie.*
1875	Convent international de Lausanne réunissant tous les Suprêmes Conseils.
1877	Le Grand Orient modifie l'article 1 des *Constitutions* d'Anderson. Il n'y a plus obligation de reconnaître le Grand Architecte de l'Univers, ce qui entraînera la cessation des relations avec la GLUA.
1881	La loge «Les Libres-Penseurs» de la Grande Loge Symbolique Écossaise (GLSE) initie une militante féministe Maria Deraismes; cette loge est mise en sommeil. Garibaldi fusionne les rites de Memphis et de Misraïm.
1893	Création par Georges Martin et Maria Deraismes du Droit Humain, obédience mixte.
1894	La Grande Loge de France prend sa forme actuelle.
1901	Création par la Grande Loge de la première «loge d'adoption» (loge féminine) : Le Libre Examen.
1913	Formation de la Grande Loge Indépendante et régulière pour la France et les Colonies Françaises (future Grande Loge Nationale Française). Elle est reconnue par la maçonnerie anglo-saxonne en 1915.
1929	Promulgation par la GLUA des «principes de base (*basic principles*) pour la reconnaissance d'une Grande Loge», posant les bases de la «régularité maçonnique», au sens de la Grande Loge Unie d'Angleterre.
1940	Vichy dissout les sociétés secrètes (13 août).

1943	Le général de Gaulle annule la loi de dissolution des sociétés secrètes.
1952	Naissance de la Grande Loge Féminine de France.
1958	En décembre, la Grande Loge de France propose au Grand Orient et à la Grande Loge Nationale Française de se rapprocher sous l'égide d'un Grand Conseil National. Une fraction de la GLNF quitte l'obédience et s'établit avenue de l'Opéra à Paris, d'où son nom de GLNF-Opéra.
1959	Le Grand Orient de France continuant de refuser d'appliquer les *Constitutions* d'Anderson, la Grande Loge de France prend ses distances avec celui-ci.
1960 (années)	4 millions de francs-maçons aux USA. Le plus haut pic de l'histoire de la franc-maçonnerie américaine.
1964	Schisme à la Grande Loge de France et au Suprême Conseil de France. Quatre mille frères rejoignent la Grande Loge Nationale Française.
1974	Création de l'Ordre Initiatique et Traditionnel de l'Art Royal.
1982	Fondation de la Grande Loge Mixte de France. Naissance de la CLIMAF (Centre de liaison international de la franc-maçonnerie féminine), structure d'échanges entre Grandes Loges féminines.
1989	Nouvelle rédaction des *Basic principles* de la GLUA.
1995	Les maçons ne sont plus excommuniés par l'Église.

2002	Naissance de l'Espace maçonnique européen (EME), structure de reconnaissance mutuelle d'obédiences dites libérales (notamment, pour la France, le GODF, la GLDF et la GLFF). Naissance de la « franc-maçonnerie française », structure réunissant les neuf principales obédiences françaises non reconnues par la GLUA (la GLDF s'en est retirée en 2006).

BIBLIOGRAPHIE ET FILMOGRAPHIE

Ouvrages de Dan Brown

BROWN Dan, *Da Vinci Code*, Paris, J.-C. Lattès, 2004 (édition originale anglaise 2003).
— *Anges & Démons*, Paris, J.-C. Lattès, 2005 (édition originale anglaise 2000).
— *The Lost Symbol*, Bantam Press, 2009.
— *Le Symbole perdu*, Paris, J.-C. Lattès, 2009.

Sur Dan Brown

MAXENCE Jean-Luc, *Faut-il crucifier Dan Brown ?* Paris, Dervy, 2007.
SLOAN Delphine, GASTON Claire, *Sur les traces de Dan Brown : la biographie de l'auteur de Da Vinci Code et de Anges et Démons…* , City éditions, 2005.

Sur le Symbole perdu

BAUER Alain, DACHEZ Roger, *Le Symbole perdu décodé*, Paris, Véga, 2009.
BURSTEIN Dan, KEIJZER Arne de, *Les Secrets du Symbole perdu*, Milady/Bragelonne, 2010.

Cox Simon, *Le Symbole perdu décrypté*, Paris, Michel Lafon, 2009.

Etchegoin Marie-France, Lenoir Frédéric, *La Saga des francs-maçons*, Paris, Robert Laffont, 2009.

Giacometti Éric, Ravenne Jacques, *Le Symbole retrouvé : Dan Brown et le mystère maçonnique*, Paris, Fleuve noir, 2009.

Shugarts David A., *Secrets of the Widow's son : the mysteries surrounding the sequel to the Da Vinci Code*, Weidenfeld & Nicolson, 2005 (édition augmentée d'un chapitre sur Dan Brown, Orion Books, 2006).

Taylor Greg, *Le Code Dan Brown pour comprendre la clé de Salomon*, Paris, Guy Trédaniel, 2005.

Sur Anges et Démons

Chandelle René, *Au-delà des Anges et Démons : le secret des Illuminati et la grande conspiration mondiale*, Exclusif, 2006.

Cox Simon, *Anges ou Démons ? Les Illuminati décryptés*, Paris, Le Pré aux Clerc, 2004.

Loupan Victor, Noël Alain, *Anges et Démons : L'Enquête*, Paris, Presses de la Renaissance, 2006.

Oullion Jean-Michel, *Anges et Démons : Autopsie d'une mystification*, Paris, Le Félin, 2005.

Sur le Da Vinci Code

Bedu Jean-Jacques, *Les Sources secrètes du Da Vinci Code*, Monaco, Éd. du Rocher, 2005.

Burstein Dan, *Les Secrets du Code Da Vinci. Le guide non officiel des mystères du Code Da Vinci*, City éditions, 2004.

Caine Peter, *Sur les pas du Code Da Vinci. Le Guide*, Bartillat, 2005.

Cox Simon, *Le Code Da Vinci décrypté*, Éditions de Noyelles, 2004.

ETCHEGOIN Marie-France, LENOIR Frédéric, *Code Da Vinci. L'enquête*, Paris, Robert Laffont, 2004.

NEWMAN Sharan, *La Vérité historique derrière le Code Da Vinci*, Paris, Guy Trédaniel, 2005.

SESBOUÉ Bernard, *Le Da Vinci Code expliqué à ses lecteurs*, Paris, Éd. du Seuil, 2006.

Textes originels francs-maçons et dictionnaires

CHASSAGNARD Guy, *Le Petit Dictionnaire de la franc-maçonnerie*, Alphée, 2005.

— *Acta Latomorum : les annales de la franc-maçonnerie*, Alphée, 2009.

COLLECTIF, *Encyclopédie des symboles*, Paris, La Pochothèque, Le Livre de poche, 2002.

FERRÉ Jean, *Histoire de la franc-maçonnerie par les textes (1248-1782)*, Monaco, Éd. du Rocher, 2001.

LANGLET Philippe, *Les Textes fondateurs de la franc-maçonnerie* [édition bilingue], Paris, Dervy, 2006.

LHOMME Jean, MAISONDIEU Édouard, TOMASO Jacob, *Dictionnaire thématique illustré de la franc-maçonnerie*, EDL, 1993.

— *Nouveau Dictionnaire thématique illustré de la franc maçonnerie* (nouvelle édition revue augmentée et corrigée du précédent), Paris, Dervy, 2004.

LIGOU Daniel (dir.), *Dictionnaire de la franc-maçonnerie*, Paris, PUF, 2006.

MELLOR Alec, *Dictionnaire de la franc-maçonnerie et des francs-maçons*, Paris, Belfond, 1971.

RICHARD Roger, *Dictionnaire maçonnique. Le sens caché des rituels et de la symbolique maçonniques*, Paris, Dervy, 2002.

SAUNIER Éric (dir.), *Encyclopédie de la franc-maçonnerie*, Paris, La Pochotèque, Le Livre de Poche, 2009.

Ouvrages généraux

ARNOLD Paul, *Histoire des Rose-Croix et les origines de la franc-maçonnerie*, Paris, Mercure de France, 1955.

AURÉJAC Cécile, *Les Femmes dans la franc-maçonnerie*, L'Hydre, 2003.

AURILLAC Raphaël, *Guide du Paris maçonnique*, Paris, Dervy, 2005.

BACOT Jean-Pierre, *Les Sociétés fraternelles : un essai d'histoire globale*, Paris, Dervy, 2007.

BAIGENT Michael, LEIGH Richard, *Des Templiers aux francs-maçons*, Monaco, Éd. du Rocher, 1989.

BARLES Jean, *Histoire du schisme maçonnique anglais de 1717*, Paris, Guy Trédaniel, 1990.

BAUER Alain, *Aux origines de la franc-maçonnerie : Isaac Newton et les Newtoniens*, Paris, Dervy, 2003.

BAUER Alain, BOEGLIN Édouard, *Le Grand Orient de France*, Paris, PUF, coll. « Que sais-je », 2006.

BAUER Alain, DACHEZ Roger, *Les 100 mots de la franc-maçonnerie*, Paris, PUF, coll. « Que sais-je ? », 2007.

BEAUREPAIRE Pierre-Yves, *L'Europe des francs-maçons : XVIIIe - XXIe siècles*, Paris, Belin, 2002.

BAYARD Jean-Pierre, *La Spiritualité de la franc-maçonnerie : de l'ordre initiatique traditionnel aux obédiences*, Dangles, 1982.

— *Le Symbolisme maçonnique traditionnel*, tome I : *Les Loges bleues*, Éditions maçonniques de France, 2008 (texte de la 5e éd. remaniée et augmentée de 1987).

BENHAMOU Philippe, *Les Grandes Énigmes de la franc-maçonnerie*, Paris, Éd. First, 2007.

BENHAMOU Philippe, HODDAPP Christopher, *La Franc-maçonnerie pour les Nuls*, Paris, Éd. First, 2007.

BÉRESNIAK Daniel, *Symboles des francs-maçons*, Assouline, 2003.

— *L'Apprentissage maçonnique, une école de l'éveil ?*, Detrad, 2009.

BIASI Jean-Louis de, *ABC de la spiritualité maçonnique : une pratique à la portée de tous*, Grancher, 2006.

BLACK Jonathan, *L'Histoire secrète du monde*, Florent Massot, 2009.

BLANCHET Régis, *La Résurgence des rites forestiers*, Le Jardin des dragons/Éditions du Prieuré, 1994.

— *Les Origines païennes du grade de maître en maçonnerie*, Éditions du Prieuré, 1994.

BLAVATSKY H.P, *Les Origines du rituel dans l'Église et dans la maçonnerie*, Adyar, 1957.

BOUCHER Jules, *La Symbolique maçonnique*, Paris, Dervy, 1990.

BUCKE Richard Maurice, *La Conscience cosmique*, Éd. du IIIe millénaire, 1989.

CHABOUD Jack, *Découverte de la franc-maçonnerie*, Paris, Plon, 2006.

CHASSAGNARD Guy, *Aux sources du rite écossais ancien et accepté*, Alphée, 2008.

CHEVALLIER Pierre, *Histoire de la franc-maçonnerie française* (3 vol.), Paris, Fayard, 1974.

COMBES André, *Les Trois Siècles de franc-maçonnerie française*, Paris, Dervy, 2007.

COY Jean-Louis, *Forces occultes. Le Complot judéo-maçonnique au cinéma*, Paris, Véga, 2009 (livre de commentaires avec le DVD du film).

DACHEZ Roger, *Histoire de la franc-maçonnerie française*, Paris, PUF, coll. « Que sais-je ? », n° 3668, 2009 (1re éd. 2003, 4e éd. maj.).

— *L'Invention de la franc-maçonnerie*, Paris, Vega, 2008.

— (dir.) *Les Francs-Maçons : de la légende à l'histoire*, Paris, Tallandier, coll. « Histoire », 2003.

— Voir aussi BAUER Alain et DACHEZ Roger.

DANNAGH Hervé, *L'Unfluence de saint Jean dans la franc-maçonnerie*, Paris, Dervy, 1999.

DAVY Marie-Magdeleine, *La Connaissance de soi*, Paris, PUF, 1966.

DELCLOS Marie, CARADEAU Jean-Luc, *Les Symboles maçonniques éclairés par leurs sources anciennes*, Éd. Trajectoire, 2009.

DURAND Gilbert, *Les Mythes fondateurs de la franc-maçonnerie*, Paris, Dervy, 2002.

EDIGHOFFER Roland, *Les Rose-Croix*, Paris, PUF, coll. « Que sais-je ? », 1982.

ÉTIENNE Bruno, *Une Voie pour l'Occident : la franc-maçonnerie à venir*, Paris, Dervy, 2000.

— *La Spiritualité maçonnique : pour redonner du sens à la vie*, Paris, Dervy, 2006.

ÉTIENNE Bruno, Solis Jean, *Les 15 sujets qui fâchent les francs-maçons*, Éditions de la Hutte, 2008.

FERRER-BENIMELLI José Antonio, *Les Archives secrètes du Vatican et la franc-maçonnerie*, Dervy, 1989 (édition revue, corrigée et augmentée, Dervy, 2002).

FREKE-GOULD Robert, *Histoire abrégée de la franc-maçonnerie*, Paris, Guy Trédaniel, 1989.

GALTIER Gérard, *Maçonnerie égyptienne Rose-Croix et néo-chevalerie*, Monaco, Éd. du Rocher, 1991.

GABUT Jean-Jacques, *Les Survivances chevaleresques dans la franc-maçonnerie du Rite Écossais Ancien et Accepté*, Paris, Dervy, 2004.

— *Église, religions et franc-maçonnerie : le dossier complet*, Paris, Éd. du Cerf, 2005.

GHEERBRANT et CHEVALIER, *Dictionnaire des symboles*, Paris, Robert Laffont, coll. « Bouquins », 1994.

GOBLET D'ALVIELLA Eugène, *Des origines du grade de maître dans la franc-maçonnerie*, Labor, 2005.

GORCEIX Bernard, *La Bible des Rose-Croix*, Paris, PUF, 1970.

GRAESEL Alain, *La Grande Loge de France*, Paris, PUF, coll. « Que sais-je ? », 2008.

GUÉNON René, *Aperçus sur l'initiation*, Éditions traditionnelles, rééd. 1983.

— *Symboles fondamentaux de la Science sacrée*, Paris, Gallimard, 1962.

— *Études sur la franc-maçonnerie et le compagnonnage*, Paris, Éditions traditionnelles, 1964.

HARWOOD Jeremy, *La Franc-maçonnerie : Rites, Codes, Signes, Images, Objets, Symboles... Plus de mille ans de mystères maçonniques décryptés*, Paris, Le Pré aux Clercs, 2007.

HIVERT-MESSECA Gisèle, *Comment la franc-maçonnerie vint aux femmes*, Paris, Dervy, 1998.

INTROVIGNE Massimo, *Il Capello del Mago*, Sugarcoedizioni, 1990.

— *La Magie : les nouveaux mouvements magiques*, Droguet et Ardant, 1993 [traduction partielle – à peine un quart des chapitres – de *Il capello del Mago*].

JACQ Christian, *Les Trente-Trois Degrés de la sagesse*, Monaco, Éd. du Rocher, 1981.

— *La Franc-Maçonnerie : voyage dans l'histoire, les secrets et les symboles de la plus grande société initiatique*, Paris, Robert Laffont, 1975.

JEFFERS H. Paul, *The Freemasons in America*, Citadel Press, 2006.

KNIGHT Christopher, LOMAS Robert, *La Clé d'Hiram. Les Pharaons, les francs-maçons et la découverte des manuscrits secrets de Jésus*, Paris, Dervy, 1997. [The Hiram Key : Pharaohs, Freemasons and the Discovery of the Secret Scrolls of Jesus, Century, 1996.]

— *Le Livre d'Hiram : franc-maçonnerie, Vénus et la clé secrète de la vie de Jésus*, Paris, Dervy, 2003. [The Book of Hiram : Freemasonry, Venus and the Secret Key to the Life of Jesus, Century, 2003.]

LABOURÉ Denis, *Martinèz de Pasqually : aux origines du RER. Martinézisme et martinisme*, SEPP, 1995.

LECLERCQ-BOLLE DE BALLE Françoise, *La Métamorphose, mys-*

tère initiatique : à la lumière des contes, mythes et rituels maçonniques, Maison de Vie éditeurs, 2009.

LE FORESTIER René, *Les Illuminés de Bavière et la franc-maçonnerie allemande*, 1915, rééd. Arché, 2001.

— *L'Occultisme et la franc-maçonnerie écossaise*, Arché, 1987.

LE MASSON Didier, *La Franc-Maçonnerie et le national-socialisme*, Paris, Dervy, 2005.

LOZAC'HMEUR Jean-Claude, *Fils de la veuve. Recherches sur l'ésotérisme maçonnique*, Éd. de Chiré, 2002. [Ouvrage anti-maçonnique stigmatisant la franc-maçonnerie comme mouvement païen.]

LOMAS Robert, voir aussi KNIGHT et LOMAS.

— *L'Invisible collèg. La Royal Society, la franc-maçonnerie et la naissance de la science moderne*, Paris, Dervy, 2002. [*The Invisible College : The Royal Society, Freemasonry and the birth of modern science*, Headline book publishing, 2002.]

— *Tourner la clé d'Hiram : rendre visibles les ténèbres*, Paris, Dervy, 2005. [*Turning the Hiram Key : Making Darkness Visible*, Lewis Masonic, 2005.]

— *Turning the Solomon Key : George Washington, the Bright Morning Star and the Secrets of Masonic Astrology*, Fair winds press, 2006. [Inédit en français.]

— *Turning the Templar Key : The Secret Legacy of the Knights Templar and the Origins of Freemasonry*, Lewis Masonic, 2007. [Inédit en français.]

— *Le Secret de l'initiation maçonnique*, Paris, Dervy, 2010. [*The secret science of Masonic initiation*, Lewis Masonic, 2008.]

MAINGUY Irène, *La Symbolique maçonnique du troisième Millénaire*, Paris, Dervy, 2006 (3e éd. revue et augmentée).

— *Les Initiations et l'initiation maçonnique*, Jean-Cyrille Godeffroy, 2008.

— *Symbolique des grades de perfection et des ordres de sagesse*, Paris, Dervy, 2003.

MARIEL Pierre, *Rituels et initiations des sociétés secrètes*, Mame, 1974.

MAXENCE Jean-Luc, *Jung est l'avenir de la franc-maçonnerie*, Paris, Dervy, 2004.

MCINTOSH Christopher, *La Rose-Croix dévoilée : histoire, mythes et rituels d'une société secrète*, Paris, Dervy, 1980.

MCTAGGART Edgard, *The Intention experiment*, Harper Element, 2008.

MÉREAUX Pierre, *Les Constitutions d'Anderson : vérité ou imposture*, Monaco, Éd. du Rocher, 1995.

MURAT Jean-E., *La Grande Loge nationale française*, Paris, PUF, coll. « Que sais-je ? », 2ᵉ éd. 2009.

NAUDON Paul, *Histoire, rituels et tuileur des hauts grades maçonniques*, Paris, Dervy, 2003.

— *La Franc-Maçonnerie*, Paris, PUF, coll. « Que sais-je ? », nᵒ 1064, 2002.

— *Histoire générale de la franc-maçonnerie*, Charles Moreau, 2004.

NÉFONTAINE Luc, *La Franc-Maçonnerie, une fraternité révélée*, Paris, Gallimard, « Découvertes », 1994.

— *Le Symbolisme*, Paris, Dervy, 2002.

ORESVE Louis-Marie, *À la recherche du secret maçonnique*, Alphée, 2005.

PAINE Thomas *De l'origine de la franc-maçonnerie*, À l'Orient, 2007 (édition originale 1812).

PARTNER Peter, *Templiers, francs-maçons et sociétés secrètes*, Pygmalion Gérard Watelet, 1981.

PICARD M.-F, *La Grande Loge Féminine de France*, Paris, PUF, coll. « Que sais-je ? », 2009.

PIERRAT Emmanuel, KUPFERMAN Laurent, *Le Paris des francs-maçons*, Le Cherche midi, 2009. [Les monuments maçonniques de la capitale française.]

POULAT Émile, LAURANT Jean-Pierre, *L'Antimaçonnisme catholique*, Berg international éditeurs, 1994.

POZARNIK Alain, *Mystères et actions du rituel d'ouverture en loge maçonnique*, Paris, Dervy, 1991.

PRAGMAN Jiri, *L'Internet est-il maçonnique ?* Ivoire Clair, 2005.

PRAT Andrée, *L'Ordre maçonnique. Le Droit Humain*, Paris, PUF, coll. « Que sais-je ? », 2003.

PRESTON William, *Illustrations de la franc-maçonnerie*, Paris, Dervy, 2006.

RALLS-MACLEOD Karen, ROBERTSON Ian, *The Quest for Celtic key*, Luath Press Ltd., 2002.

ROUSSE-LACORDAIRE Jérôme, *Ésotérisme et christianisme*, Paris, Éd. du Cerf, 2007.

— *Rome et les francs-maçons : Histoire d'un conflit*, Berg international éditeurs, 1996.

— *B.A.BA : Antimaçonnisme*, Pardès, 1998.

— *Jésus dans la tradition maçonnique*, Paris, Desclée de Brouwer, 2007.

RYVAYRAND Philippe, *Les Origines de la Maçonnerie Écossaise. Spéciale « Rosslyn Chapel »*, Loge d'études et de recherche William-Preston, juin 2006.

STEVENSON David, *Les origines de la franc-maçonnerie. Le siècle écossais 1590-1710*, Éd. Télètes, 1992.

— *Les Premiers Francs-Maçons*, Ivoire-clair, 2000.

SWERTS Harry, *Franc-Maçonnerie et septième art*, Paris, Dervy, 2005.

TORT-NOUGUÉS Henri, *L'Idée maçonnique : essai sur une philosophie de la franc-maçonnerie*, Paris, Guy Trédaniel, 1990.

TRÉVOUX Guy, *L'Origine des rites et symboles maçonniques*, Monaco, Éd. du Rocher, 2002.

VANLOO Robert, *Les Rose-Croix du nouveau monde*, Claire Vigne, 1996.

— *L'Utopie Rose-Croix : du XVIIe siècle à nos jours*, XVIIe Dervy, 2001.

VENTURA Gastone, *Les Rites maçonniques de Misraïm et Memphis*, Maisonneuve & Larose, 1986.

VIERNE Simone, *Les Mythes de la franc-maçonnerie*, Paris, Véga, 2008.

WALLACE-MURPHY Tim, *L'Énigme des francs-maçons : histoire et liens mystiques*, Paris, Véga, 2007.

WIRTH Oswald, *La franc-maçonnerie rendue intelligible à ses adeptes : sa philosophie, son objet, sa méthode, ses moyens*, tome 1 : *L'apprenti*, Dervy, 1999 ; tome 2 : *Le compagnon*, 1997 ; tome 3 : *Le maître*, Paris, Dervy, 2000.

COLLECTIF, *L'Initiation au sein de la franc-maçonnerie régulière*, Cahiers *Villard de Honnecourt* n° 68, GLNF, 2008.

COLLECTIF, *L'Engagement maçonnique, Points de vue initiatiques*, n°151, mars 2009.

COLLECTIF, *Musée de la franc-maçonnerie, Beaux Arts magazine*, 2000.

COLLECTIF, *20 clés pour comprendre la franc-maçonnerie, Le Monde de religions*, hors-série, n° 6, 2008.

Œuvres de fiction

Romans

BAUER Alain, DACHEZ Roger, *Les Mystères de Channel Row*, Paris, J.-C. Lattès, 2007.

— *Le Convent du sang*, Paris, J.-C. Lattès, 2009.

BULWER-LYTTON Edward, *Zanoni, le maître Rose+Croix*, Aryana, 1971 (réed. Diffusion rosicrucienne, 2001 ; éd. originale anglaise, 1842 ; française : 1898).

CONVARD Didier, *Le Triangle secret*, Paris, Mazarine/Glénat, 2006.

— *Les Cinq Templiers de Jésus (Le Triangle secret 2)*, Paris, Mazarine/Glénat, 2007.

DECHARNEUX Baudouin, *Meurtre en Kabbale. Une enquête du professeur Julius Alexander*, EME Éditions, 2009.

DUCASTEL Laurent, VIALLEBESSET Jacques, *La Conjuration des vengeurs*, Paris, Dervy, 2006.

GIACOMETTI Éric, RAVENNE Jacques, *Le Rituel de l'ombre*, Paris, Fleuve noir, 2005.

— *Le Frère du sang*, Paris, Fleuve noir, 2007.

— *Conjuration Casanova*, Paris, Fleuve noir, 2007.

— *La Croix des assassins*, Paris, Fleuve noir, 2008.

— *Apocalypse*, Paris, Fleuve noir, 2010

GUIMEL Édouard, DALET Thomas, *Le Chevalier Coën et le mystère de la Parole perdue*, Pascal Galodé, 2007.

JACQ Christian, *Le Moine et le vénérable*, Paris, Robert Laffont, 1985.

KIPLING Rudyard, *L'Homme qui voulut être roi*, Gallimard, coll. « Folio », 1973.

LORD Jeffrey [pseudo-collectif. Auteur de ces deux volumes : Arnaud Dalrune], *Le Collège des Invisibles* (série Blade, n° 167, Vauvenargues, 2006).

— *Dans le Miroir des cygnes* (série Blade, n° 187, Vauvenargues, 2009).

MAINNEMARE Didier, TACHELLA Xavier, *Les Francs-Maçons au pied du mur*, Codexlibris, 2009.

PEYREFITTE Roger, *Les Fils de la Lumière*, Paris, Flammarion, 1961.

VEILLARD Marc, *Et c'est ainsi qu'Hiram est grand!*, Paris, Dervy, 2007.

Pour l'anecdote, deux sites Internet consacrés aux polars maçonniques :

– www.polar-franc-maçon.com, particulièrement dédié aux romans de Giacometti & Ravenne et à leur héros le commissaire Marcas.

– www.thriller-fm.net, site du duo Mainnemare-Tachella.

BD

CONVARD Didier, FALQUE Denis, GINE Christian *et al.*, *Le Triangle secret*, Paris, Glénat (sept tomes), 2000-2003. [Didier Convard a tiré un roman de cette série.]

CONVARD Didier *et al.*, *I.N.R.I.*, Paris, Glénat (4 tomes), 2004-2007.

— *Hertz*, Paris, Glénat, 2006-2009 (2 tomes, en cours).

— *Les Gardiens du sang*, Paris, Glénat, 2009-2010 (2 tomes, en cours).

HERGÉ, *Les Cigares du Pharaon*, Paris, Casterman, 1955.

MARTIN Jacques-René, NORMA, *Éner : le secret du temple de Salomon*, Paris, Dervy, 1999.

MOORE Alan, CAMPBELL Eddie, *From Hell*, Delcourt, 2000. [BD d'où est tiré le film éponyme.]

PRATT Hugo, *Corto Maltese : Fable de Venise*, Paris, Casterman, 1981.

VASSAUX Willy, FACON Roger, PARENT Jean-Marie, *Les Philosophes par le feu : Nicolas Flamel*, Soleil, 1990.

— *Les Colonnes de Salomon : Hiram*, Hélyode, 1991.

— *Les Colonnes de Salomon : La Mort d'Hiram*, L'Œil d'Horus, 1995.

— *Les Colonnes de Salomon* (réédition en un seul tome augmenté et retravaillé des deux titres précédents), HZ/Joker Éditions, 2010.

Franc-maçonnerie et 7ᵉ Art

La liste des films évoquant la maçonnerie, ses codes et ses symboles peut être longue. L'Ordre a rarement fait l'objet du thème principal d'un film. Ceux qui sont cités ci-dessous (par ordre chronologique) sont les fictions les plus connues accordant une place plus ou moins importante, plus ou moins positive à la maçonnerie. Certains font clairement allusion à la maçonnerie en tant que telle. D'autres se fondent sur son symbolisme sans la citer (*2001 : l'Odyssée de l'Espace*, *Matrix*…). Je n'ai pas retenu ici de films mettant en scène des sociétés occultes ne se rapportant à la franc-maçonnerie que marginalement (type *Les Vierges de Satan*, *La Neuvième Porte*, *The Skulls : Société secrète*…) Sur ce sujet, on ne peut que renvoyer à : Harry Swerts, *Franc-Maçonnerie et 7ᵉ Art*, Paris, Dervy, 2005).

• *Are you a Mason ?* [inédit en français], de Thomas N. Heffron, avec John Barrymore, 1915 [scénario de Leo Ditrichstein, fondé sur son spectacle monté à Broadway et lui-même inspiré par la pièce *Die Logenbrüder*, de Carl Laufs et

Curt Kraatz (1857). Deux profanes tentent de faire croire à leur entourage qu'ils sont maçons. Un *remake* sera tourné en 1934, réalisé par Henry Edwards, avec Sonny Hale et Robertson Hare].

• *Les Compagnons de la Nouba* [*Sons of the Desert*] de William A. Seiter avec Laurel et Hardy. 1933.

• *Forces occultes* [film antimaçonnique] de Paul Riche avec Maurice Remy et Gisèle Parry, 1943.

• *2001 : l'Odyssée de l'Espace* [*2001 : A Space Odyssey*] de Stanley Kubrick avec Gary Lockwood et William Sylvester, 1968.

• *L'Homme qui voulut être roi* [*The Man who would be king*, d'après Rudyard Kipling] de John Huston avec Sean Connery et Michaël Cane, 1975.

• *Meurtre par décret* [*Murder by Decree*, une aventure de Sherlock Holmes] de Bob Clark avec Christopher Plummer et James Masson, 1979.

• *Le Promoteur* [d'après *L'Entrepreneur de Norwood*/*The Norwood Builder*], série TV Sherlock Holmes (saison 1, épisode 10), avec Jérémy Brett, 1985.

• *Les Têtes rouges* [d'après *La Ligue des rouquins*/*The Red-Headed League*], série TV Sherlock Holmes (saison 1, épisode 112), avec Jérémy Brett, 1985.

• *Mystères à Twin Peaks* [*Twin Peaks*], série TV en 28 épisodes de David Lynch avec Kyle Mac Lachlan et Dana Askbock, 1990-1991.

• *Twin Peaks*, de David Lynch avec Kyle Mac Lachlan et Sheryl Lee, 1992. [Film d'après la série.]

• *Matrix*, de Andy et Larry Wachowski avec Keanu Reeves et Laurence Fishburne, 1999.

• *Eyes Wide Shut*, de Stanley Kubrick avec Tom Cruise et Nicole Kidman, 1999.

• *From Hell*, de Albert et Allen Hugues avec Johnny Depp et Heather Graham, 2001. [D'après la BD de Alan Moore (texte) et Eddie Campbell (dessin).]

• *L'Affaire du collier* [*The Affair of the Diamond Necklace*], de

Charles Shyer avec Christopher Walken et Hilary Swank, 2001.

• *Da Vinci Code*, de Ron Howard avec Tom Hanks et Audrey Tautou, 2006.

• *Benjamin Gates et le trésor des Templiers* [*National Treasure*] de Jon Turteltaub avec Nicholas Cage et Diane Kruger, 2004.

• *Benjamin Gates et le Livre des Secrets* [*National Treasure 2 : The Book of Secrets*] de Jon Turteltaub avec Nicholas Cage et Diane Kruger, 2007.

• *Sherlock Holmes*, de Guy Ritchie, avec Robert Downey Jr et Jude Law, 2010.

RESSOURCES INTERNET

Il est bien évident que la liste ci-dessous ne peut être ni exhaustive, ni longtemps à jour. Les adresses postales comme Internet varient, notamment pour les obédiences plus modestes. En outre, rien que pour la France, il existerait aujourd'hui plus de soixante obédiences; certains parlant même de quatre-vingts, tout dépendant du critère d'appréciation et les limites que l'on donne au terme « maçonnique ». Mais nous disposons aujourd'hui d'outils formidables – à savoir, utiliser toutefois avec prudence et modération – comme Internet. Les personnes intéressées trouveront assurément ce qui pourra correspondre à leurs aspirations. Somme toute, cette recherche est déjà un premier travail sur le chemin de la lumière.

Sites d'obédiences

En France :

Grand Orient de France (GODF) [*MF*[1]]	16, rue Cadet 75009 Paris www.godf.org

---

1. Nous signalons par ces deux lettres *MF* l'appartenance de l'obédience à la « Maçonnerie française », une structure créée en 2002 et regroupant alors les neuf principales obédiences françaises non reconnues par la GLUA. La Grande Loge de France s'en est retirée en 2006.

Grande Loge Nationale Française (GLNF) *Seule obédience reconnue par la GLUA.*	12, rue Christine-de-Pisan 75017 Paris www.glnf.asso.fr (Chacune des provinces de la GLNF possède son site propre.)
Grande Loge de France (GLDF)	8, rue de Puteaux 75017 Paris www.gldf.org
Fédération française du Droit Humain (DH) [*MF*] et Ordre Maçonnique Mixte International Le Droit Humain (DH)	49, boulevard de Port-Royal 75013 Paris www.droithumain-france.org
Grande Loge Féminine de France (GLFF) [*MF*]	60, rue de Vitruve 75020 Paris www.glff.org
Grande Loge Régulière Française (GLRF)	www.glrf.org
Grand Prieuré des Gaules (GPDG)	Cour de Bretagne 4-6, rue du Buisson-Saint-Louis 75010 Paris www.gpdg.org
Grande Loge Tradition-nelle et Symbolique Opéra (GLTSO) [*MF*]	9, place Henri-Barbusse 92200 Levallois www.gltso.org
Loge Nationale Française (LNF) [*MF*]	BP 154 92113 Clichy cedex www.logenationalefran-caise.org
Grande Loge Indépen-dante et Souverain des Rites Unis (GLISRU)	83, rue du Faubourg-Saint-Martin 75010 Paris www.glisru.fr

Ordre Initiatique Traditionnel de l'Art Royal (OITAR)	14, rue Jules-Vanzuppe 94200 Ivry-sur-Seine www.oitar-sextant.org ou www.oitar.info
Grande Loge Mixte de France (GLMF) [*MF*]	108, boulevard Édouard-Vaillant 93300 Aubervilliers www.glmf-fm.org
Grande Loge Mixte Universelle [*MF*]	27, rue de la Réunion 75020 Paris www.glmu.org
Grande Loge Unie de France (GLUF)	11, rue Marbeuf 75008 Paris www.gluf.org
Grande Loge Symbolique de France (GLSF)	60, boulevard de la Guyane 94160 Saint-Mandé www.glsf.org
Grande Loge Féminine de Memphis-Misraïm (GLFMM) [*MF*]	15, rue Brochant 75017 Paris www.glf-mm.org
Grande Loge Française de Memphis-Misraïm (GLFMM)	www.glfmm.org

– Un organisme créé à l'initiative des neuf principales obédiences françaises non reconnues par la GLUA pour approfondir et mieux faire connaître les valeurs et le patrimoine intellectuel de la franc-maçonnerie (notamment à travers l'organisation de salons du livre) :

Institut Maçonnique de France	6, rue Froidevaux 75014 Paris http://imf.fm-fr.com

– Un site accueillant des informations sur les loges libres et indépendantes de toute obédience :

Le Portail des loges libres	http://leslogeslibres.blog-spot.com/

Au Luxembourg :

Grand Orient de Luxembourg (GOL)	www.gol.lu

En Suisse :

Grand Orient de Suisse (GOS	www.g-o-s.ch
Grande Loge Féminine de Suisse (GLFS)	www.glfs-masonic.ch
Grande Loge Suisse Alpina (GLSA)	www.freimaurerei.ch www.franc-maconnerie.ch
Fédération Suisse Le Droit Humain (DH)	www.droit-humain.org/ch/
Grande Loge Mixte de Suisse (GLMS)	www.masonic.ch/GLMS/
Grande Loge Symbolique Helvétique (GLSH)	www.glsh.org

En Belgique :

Grand Orient de Belgique (GOB)	www.gob.be
Grande Loge de Belgique (GLB)	www.glb.be
Grande Loge Féminine de Belgique (GLFB)	www.mason.be/fr/glf

Grande Loge Régulière de Belgique (GLRB)	www.rglb.org
Fédération Belge Le Droit Humain (DH)	www.droit-humain.be
Ordre Maçonnique Universel du Rite Ancien et Primitif de Memphis-Misraïm	www.memphis-misraim.be

En Angleterre :

Regular Grand Lodge of England (Grande Loge Régulière d'Angleterre)	www.rgle.org.uk
United Grand Lodge of England (Grande Loge Unie d'Angleterre)	www.ugle.org.uk
Revue de la loge de recherche Quatuor Coronati	www.quatuorcoronati.com
British Federation (Fédération Britannique Le Droit Humain)	www.droit-humain.org/uk/

En Écosse :

Grand Lodge of Scotland (Grande Loge d'Écosse)	www.grandlodgescotland.com

Au Canada - Québec :

Grand Prieuré de Nouvelle France (GPDNF)	www.gpnf.net/presentation.htm
Grande Loge du Québec (GLDQ)	www.glquebec.org

Grande Loge Mixte du Québec (GLMDQ)	www.glmdq.com
Grande Loge Nationale du Canada (GLDC)	www.glnc.org

Blogs

Le blog maçonnique de Jiri Pragman (la référence francophone depuis plus de cinq ans)	www.hiram.be
GADLU	www.gadlu.info
Blog de Jac l'apprenti de la Toile	athanase35.lescigales.org/ blog_news.html
La Lettre de Jean Solis	www.la-franc-maconnerie.com
Loge de recherche Lauwrence Dermott	logedermott.over-blog. com

Publications fraternelles

Cahiers *Villard de Honnecourt*	www.villard-de-honnecourt.com
Humanisme – La Chaîne d'Union – Chroniques d'Histoire maçonnique	Conform 3, rue Darboy 75011 Paris e-mail : revues@conform-edition. com
Le Maillon	www.detrad.com
Points de vue initiatiques	www.gldf.org/fr/points-de-vue-initiatique/s'abonner

| *Renaissance traditionnelle* | www.renaissance-traditionnelle.org |
| *Franc-maçonnerie maga-zine* | www.fm-mag.fr |

Maisons d'édition à département maçonnique

À l'orient	www.alorient.com
Christian Guigue	www.guigue.org
Dervy	www.dervy-medicis.com (blog : http://dervy.blog-spirit.com)
Detrad	www.detrad.com
Éditions de la Hutte	www.editionsdelahutte.com
Ivoire-Clair	www.ivoire-clair.fr
Trédaniel/Véga	www.editions-tredaniel.com

Musées francs-maçons

Au siège des différentes obédiences se trouvent des musées accessibles au public :

Musée de la Maçonnerie/ GODF	www.museedelafrancmaconnerie.org
Musée de la GLNF	www.glnf-musee.fr
Musée de la GLDF	www.gldf.org/fr/musee-archives-bibliotheque/musée

TABLE DES MATIÈRES

Cet ouvrage a été composé par IGS-CP (16)

Achevé d'imprimer en juin 2010
sur les presses de la Nouvelle Imprimerie Laballery
58500 Clamecy
Dépôt légal : juin 2010
Numéro d'impression : 006034

Imprimé en France

La Nouvelle Imprimerie Laballery est titulaire de la marque Imprim'Vert®